ISBN 978-0-544-08674-6

4 5 6 7 8 9 10   0877   22 21 20 19 18 17 16 15 14

4500470309   B C D E F G

Cover Image Credits: (building) ©MWaits/Shutterstock; (landscape) ©Radius Images/Corbis; (pier) ©Matthew Wakem/ Getty Images; (Ibis) ©Joel Sartore/Getty Images.

Queridos estudiantes y familiares:

¡Bienvenidos a *Texas Go Math! ¡Vivan las Matemáticas!*, Grado 5! Este interesante programa de matemáticas contiene actividades de práctica para realizar y problemas de la vida real para resolver. Lo mejor de todo es que escribirás tus ideas y respuestas en el propio libro. Así, al escribir y dibujar en las páginas de *Texas Go Math! ¡Vivan las Matemáticas!*, podrás pensar profundamente en lo que estás aprendiendo, ¡y aprenderás las matemáticas en serio!

Por cierto, todas las hojas de tu libro *Texas Go Math! ¡Vivan las Matemáticas!* fueron hechas con papel reciclado. Queremos que sepas que con *Texas Go Math! ¡Vivan las Matemáticas!* ayudas a proteger el medio ambiente.

Atentamente,

Los autores

Hecho en Estados Unidos
Impreso en papel 100% reciclado

Texas
GoMath!
¡Vivan las matemáticas!

Autores

Juli K. Dixon, Ph.D.
Professor, Mathematics
   Education
University of Central Florida
Orlando, Florida

Matthew R. Larson, Ph.D.
K-12 Curriculum Specialist for
   Mathematics
Lincoln Public Schools
Lincoln, Nebraska

Edward B. Burger, Ph.D.
President
Southwestern University
Georgetown, Texas

Martha E. Sandoval-Martinez
Math Instructor
El Camino College
Torrance, California

Autora de consulta

Valerie Johse
Math Consultant
Texas Council for Economic
   Education
Houston, Texas

Volumen 1

Unidad 1 • Números y operaciones: Valor de posición y operaciones

Busca estas secciones:

H.O.T. Problemas Alta capacidad de razonamiento
Problemas de múltiples pasos

Módulo 1 Valor de posición y números decimales

Tarea y práctica

Tarea y práctica de TEKS en todas las lecciones.

Módulo 2 Multiplicar y dividir números enteros

 **Recursos**

RECURSOS EN LÍNEA
Busca en línea el Libro interactivo del estudiante que contiene videos de Matemáticas al instante. Usa *i*Tools en español, el glosario multimedia y otras cosas más.

Módulo 3 — Multiplicar números decimales

Módulo 4 — Dividir números decimales

Volumen 1

Unidad 2 • Números y operaciones: Fracciones

Módulo 5 • Sumar y restar fracciones

Módulo 6 • Multiplicar y dividir fracciones unitarias y números enteros

Busca estas secciones:

 Problemas Alta capacidad de razonamiento
Problemas de múltiples pasos

Tarea y práctica

Tarea y práctica de TEKS en todas las lecciones.

Volumen 1

Unidad 3 • Razonamiento algebraico

Módulo 7 — Álgebra • Expresiones

Módulo 8 — Álgebra • Ecuaciones

Módulo 9 · Álgebra · Fórmulas

Módulo 10 · Álgebra · Patrones

Busca estas secciones:

H.O.T. Problemas Alta capacidad de razonamiento

Problemas de **múltiples pasos**

Tarea y práctica

Tarea y práctica de TEKS en todas las lecciones.

Unidad 4 • Geometría y medición

Busca estas secciones:

En el mundo

H.O.T. Problemas Alta capacidad de razonamiento

Problemas de múltiples pasos

Recursos

RECURSOS EN LÍNEA
Busca en línea el Libro interactivo del estudiante que contiene videos de Matemáticas al instante. Usa *i*Tools en español, el glosario multimedia y otras cosas más.

Volumen 2

Unidad 5 • Análisis de datos

Busca estas secciones:

En el mundo

H.O.T. Problemas Alta capacidad de razonamiento

Problemas de múltiples pasos

Tarea y práctica

Tarea y práctica de TEKS en todas las lecciones.

Volumen 2

Unidad 6 • Comprensión de finanzas personales

Módulo 17 Comprensión de finanzas personales

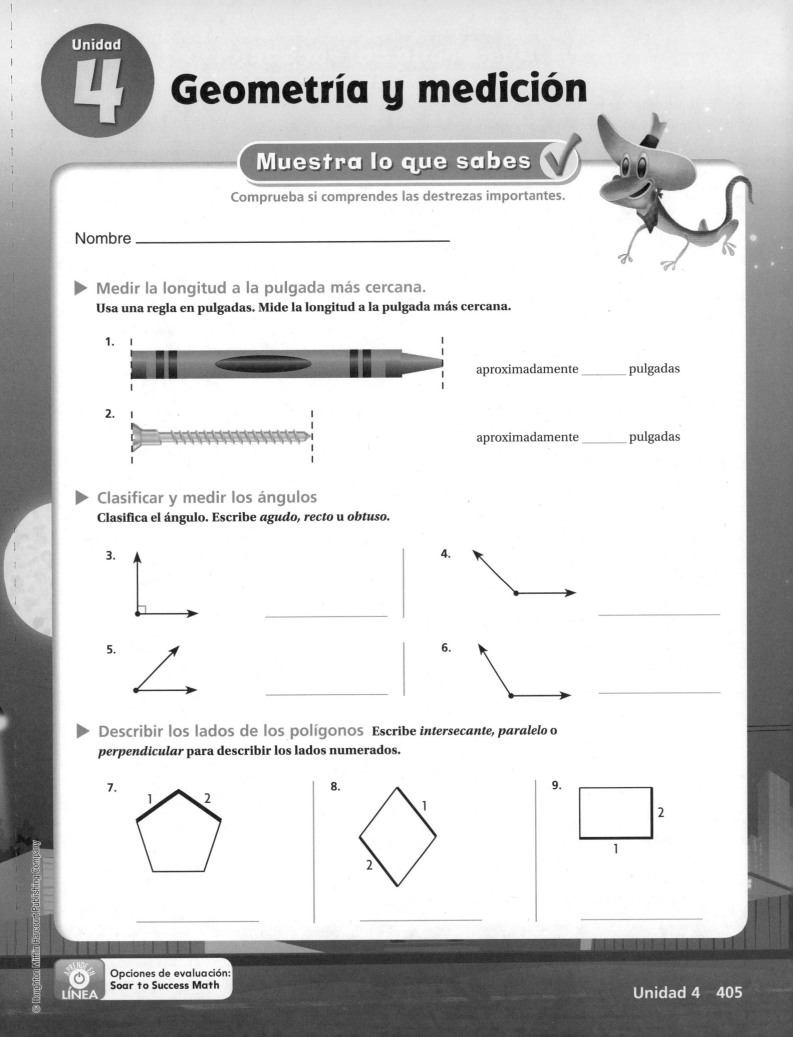

Desarrollo del vocabulario

▶ **Visualizar** ●

Clasifica las palabras de repaso marcadas dentro de la gráfica circular.

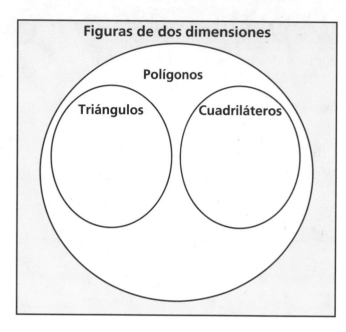

Figuras de dos dimensiones

Polígonos

Triángulos   Cuadriláteros

▶ **Comprender el vocabulario** ● ● ● ● ● ● ● ● ● ● ● ● ● ● ● ● ●

Completa las oraciones con las palabras nuevas.

1. El par de números que se usa para representar puntos en una cuadrícula

   es un _____.

2. Todos los lados y todos los ángulos de un polígono regular son

   _____.

3. El primer número de un par ordenado es la _____ y

   el segundo número de un par ordenado es la _____.

4. Un cubo que tiene una longitud, ancho y altura de 1 unidad es un

   _____.

5. Todos los tres lados de un _____ tienen la misma longitud.

6. El punto (0, 0), también conocido como el _____, es
   donde se intersecan el eje de la *x* y el eje de la *y*.

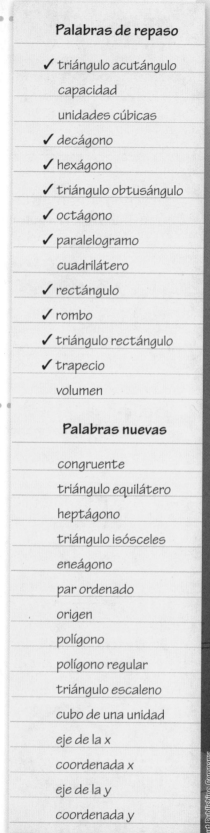

Palabras de repaso

✓ triángulo acutángulo

  capacidad

  unidades cúbicas

✓ decágono

✓ hexágono

✓ triángulo obtusángulo

✓ octágono

✓ paralelogramo

  cuadrilátero

✓ rectángulo

✓ rombo

✓ triángulo rectángulo

✓ trapecio

  volumen

Palabras nuevas

congruente

triángulo equilátero

heptágono

triángulo isósceles

eneágono

par ordenado

origen

polígono

polígono regular

triángulo escaleno

cubo de una unidad

eje de la *x*

coordenada *x*

eje de la *y*

coordenada *y*

● Libro interactivo del estudiante
● Glosario multimedia

Nombre _____

Lectura En lectura, pensar en lo que ya sabes te ayuda a comprender un nuevo tema. Ya sabes mucho sobre geometría. Puedes usar lo que sabes para adelantar.

> **Tema:** Ángulos y líneas
>
> **¿Qué sé?**
> 1. Los ángulos se miden en grados.
> 2. Un ángulo agudo tiene una medida menor que 90°.
> 3. Las líneas perpendiculares se intersecan para formar ángulos rectos.

Piensa
Recuerdo cómo clasificar los triángulos según la medida de sus ángulos.

Antes de comenzar un capítulo sobre geometría, Lauren escribe en una lista tres cosas que ya sabe.

Redacción Piensa en todas las palabras de tu vocabulario de matemáticas que se relacionan con ángulos y líneas. Por ejemplo: *ángulo recto, líneas paralelas* y *ángulo obtuso*. Trabaja con un compañero para escribir cinco cosas más que sabes sobre el tema.

_____

_____

_____

_____

Tres en línea

Objetivo del juego Identifica y dibuja figuras geométricas.

Materiales

- Fichas
- Cuadrícula de 3 por 3
- Tarjetas de geometría

Preparación

Da a cada jugador una cuadrícula de 3 por 3. Los jugadores barajan las tarjetas de geometría y las colocan boca abajo en una pila.

Número de jugadores: 2 a 3

Instrucciones

1 Cada jugador hace bosquejos de las siguientes figuras geométricas en cualquier espacio de su cuadrícula.

- ángulo agudo
- ángulo recto
- ángulo obtuso
- triángulo acutángulo
- triángulo rectángulo
- triángulo obtusángulo

2 Los estudiantes se turnan para voltear la tarjeta que está arriba en la pila.

3 Los estudiantes colocan una ficha sobre el dibujo de su cuadrícula que corresponde con la tarjeta de geometría.

4 El primer jugador que tenga tres en una hilera horizontal, vertical o diagonal es el ganador.

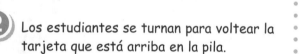

TEKS Geometría y medición: 5.5.A
PROCESOS MATEMÁTICOS
5.1.D, 5.1.E

11.1 Polígonos

? Pregunta esencial

¿Cómo puedes identificar y clasificar los polígonos?

? Soluciona el problema En el mundo

El Castillo del Monte en Apulia, Italia, fue construido hace más de 750 años. La fortaleza tiene un edificio central con ocho torres a su alrededor. ¿Qué polígono se repite en la estructura? ¿Cuántos lados, ángulos y vértices tiene este polígono?

El **polígono** es una figura plana cerrada formada por tres o más segmentos que se unen en puntos llamados vértices. Su nombre se debe al número de lados y ángulos que tiene. Completa la siguiente tabla para identificar el polígono que se repite en la fortaleza.

Polígono	Triángulo	Cuadrilátero	Pentágono	Hexágono
Lados	3	4	5	
Ángulos				
Vértices				

Polígono	Heptágono	Octágono	Eneágono	Decágono
Lados	7	8		
Ángulos				
Vértices				

Idea matemática

Algunas veces, los ángulos dentro de un polígono son mayores que 180°.

275°

Entonces, el _____ es el polígono que se repite en el

Castillo del Monte porque tiene _____ lados, _____ ángulos

y _____ vértices.

Charla matemática

Procesos matemáticos

¿Qué patrón ves entre el número de lados, ángulos y vértices que tiene un polígono?

Polígonos regulares Cuando los segmentos tienen la misma longitud o cuando los ángulos tienen la misma medida, se dice que son **congruentes**. En un **polígono regular,** todos los lados y todos los ángulos son congruentes.

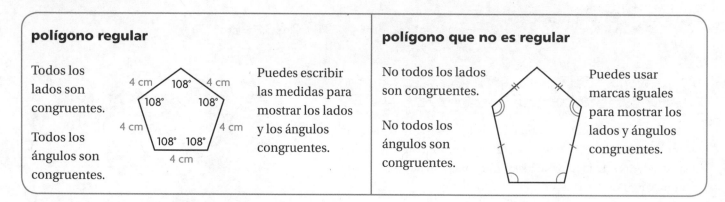

polígono regular

Todos los lados son congruentes.

Todos los ángulos son congruentes.

4 cm 108° 4 cm
108°   108°
4 cm   4 cm
108° 108°
4 cm

Puedes escribir las medidas para mostrar los lados y los ángulos congruentes.

polígono que no es regular

No todos los lados son congruentes.

No todos los ángulos son congruentes.

Puedes usar marcas iguales para mostrar los lados y ángulos congruentes.

¡Inténtalo! Rotula el diagrama de Venn para clasificar los polígonos de cada grupo. Luego dibuja un polígono que pertenezca únicamente a cada grupo.

_____ congruentes   _____ congruentes

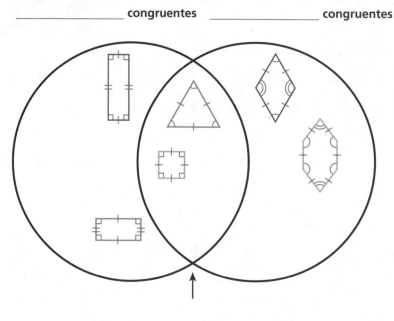

 _____ regulares

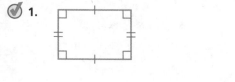

Nombra cada polígono. Luego di si es o no un *polígono regular.*

1.

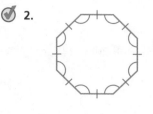

_____

2.

_____

© Houghton Mifflin Harcourt Publishing Companyv

Nombre _____

3. _____

4. _____

Resolución de problemas

5. **H.O.T.** Compara los polígonos mostrados en los Ejercicios 3 y 4. **Usa el lenguaje matemático** para describir sus semejanzas y diferencias.

_____

_____

_____

6. ¿Por qué todos los pentágonos regulares tienen la misma forma? **Explica** tu respuesta.

_____

_____

Resolución de problemas En el mundo

Para los ejercicios 7 y 8, usa el plano del Castillo del Monte de la derecha.

7. **Múltiples pasos** ¿Qué polígonos del plano tienen cuatro lados iguales y cuatro ángulos congruentes? ¿Cuántos de estos polígonos hay?

_____

8. **Múltiples pasos** ¿Hay algún cuadrilátero en el plano que no sea un polígono regular? Nombra el cuadrilátero y di cuántos de estos cuadriláteros hay en el plano.

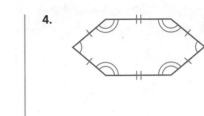

_____

9. **H.O.T.** Observa los ángulos de todos los polígonos regulares. A medida que aumenta el número de lados, ¿aumentan o disminuyen las medidas de los ángulos? ¿Qué patrón observas?

Matemáticas al instante

_____

Tarea diaria de evaluación

Rellena el círculo completamente para mostrar tu respuesta.

10. Marianna quiere crear un mosaico con piezas que tengan solo cuatro ángulos. ¿Qué figuras podría usar?

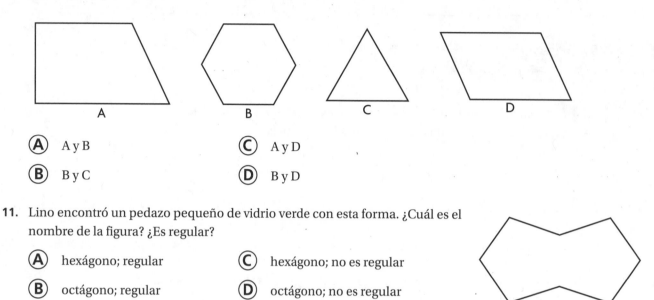

A   B   C   D

(A) A y B   (C) A y D

(B) B y C   (D) B y D

11. Lino encontró un pedazo pequeño de vidrio verde con esta forma. ¿Cuál es el nombre de la figura? ¿Es regular?

(A) hexágono; regular   (C) hexágono; no es regular

(B) octágono; regular   (D) octágono; no es regular

12. **Múltiples pasos** Lois empezó a crear un mosaico con triángulos regulares congruentes. Primero colocó un triángulo como la pieza central. Luego colocó tres triángulos de manera que un lado de cada triángulo estuviera alineado con un lado del triángulo original. ¿Qué figura se formó con las primeras cuatro piezas?

(A) hexágono regular   (C) triángulo regular

(B) cuadrilátero   (D) eneágono

⭐ Preparación para la prueba de TEXAS

13. ¿Cuál de las siguientes figuras es un hexágono regular?

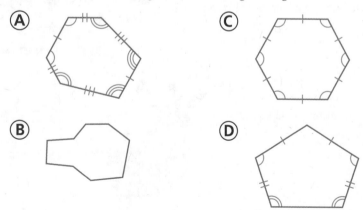

(A)

(C)

(B)

(D)

Tarea y práctica

Nombre _____

11.1 Polígonos

Nombra cada polígono. Luego di si es o no es un *polígono regular*.

1. 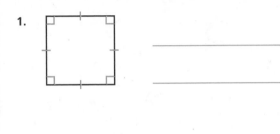 _____
_____

2. 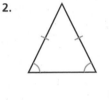 _____
_____

3.  _____
_____

4. _____
_____

Resolución de problemas En el mundo

5. Chantal dibujó un polígono con siete lados y ángulos congruentes. Nombra la figura de Chantal. ¿Es la figura un polígono regular? **Explica** tu respuesta.

_____

_____

_____

6. Nombra las figuras que forman la bandera del estado de Texas. ¿Es alguna de las figuras un polígono regular? **Explica** tu respuesta.

_____

_____

_____

_____

Rellena el círculo completamente para mostrar tu respuesta.

7. ¿Cuál de las siguientes figuras es un polígono regular?

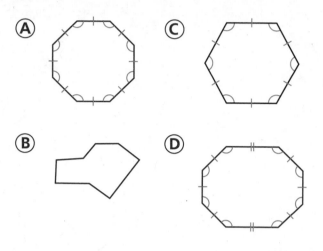

Ⓐ   Ⓒ   Ⓑ   Ⓓ

8. Bradley usa solo polígonos regulares en su móvil de figuras. ¿Qué polígono NO corresponde en el móvil de Bradley?

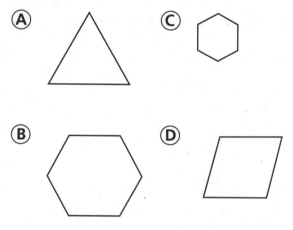

Ⓐ   Ⓒ   Ⓑ   Ⓓ

9. ¿Cuántos triángulos regulares tiene esta figura?

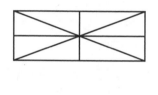

Ⓐ 0

Ⓑ 8

Ⓒ 4

Ⓓ 6

10. Un artista hizo un pendiente con la figura que se muestra abajo. ¿Cuál es el nombre de la figura? ¿Es regular?

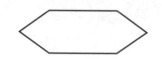

Ⓐ hexágono: regular

Ⓑ hexágono; no es regular

Ⓒ octágono; regular

Ⓓ octágono; no es regular

11. **Múltiples pasos** ¿Cuáles son los dos polígonos que siguen en el patrón?

Ⓐ triángulo; cuadrado

Ⓑ cuadrilátero; triángulo

Ⓒ cuadrilátero; pentágono

Ⓓ pentágono; triángulo

12. **Múltiples pasos** ¿Cómo puedes clasificar los lados y los ángulos de un cuadrado?

Ⓐ 2 pares de lados congruentes; 2 pares de ángulos congruentes

Ⓑ 4 ángulos congruentes; 4 lados congruentes

Ⓒ 0 ángulos congruentes; 4 lados congruentes

Ⓓ 2 pares de lados congruentes; 1 par de ángulos congruentes

TEKS Geometría y medición: 5.5.A

PROCESOS MATEMÁTICOS
5.1.F, 5.1.G

11.2 Triángulos

? Pregunta esencial

¿Cómo puedes clasificar los triángulos?

? Soluciona el problema En el mundo

Si miras de cerca el edificio Spaceship Earth del parque de atracciones Epcot Center en Orlando, podrás ver un patrón de triángulos. El triángulo que aparece delineado en el patrón de la derecha tiene 3 lados congruentes y 3 ángulos agudos. ¿Qué tipo de triángulo es?

🔒 Completa la oración que describe cada tipo de triángulo.

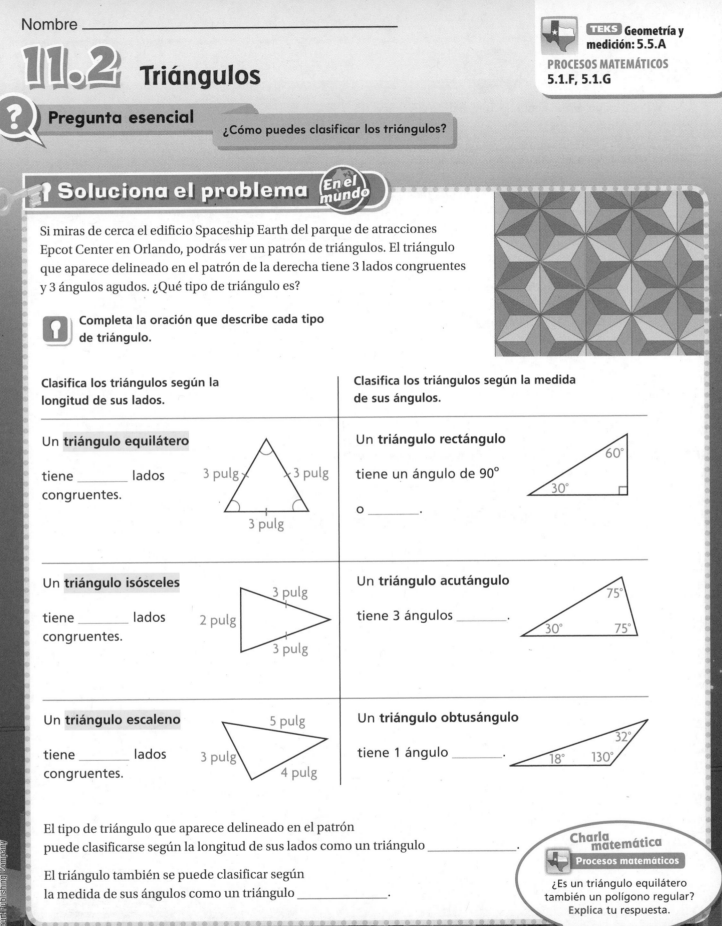

Clasifica los triángulos según la longitud de sus lados.	Clasifica los triángulos según la medida de sus ángulos.
Un **triángulo equilátero** tiene _____ lados congruentes.	Un **triángulo rectángulo** tiene un ángulo de 90° o _____.
Un **triángulo isósceles** tiene _____ lados congruentes.	Un **triángulo acutángulo** tiene 3 ángulos _____.
Un **triángulo escaleno** tiene _____ lados congruentes.	Un **triángulo obtusángulo** tiene 1 ángulo _____.

El tipo de triángulo que aparece delineado en el patrón puede clasificarse según la longitud de sus lados como un triángulo _____.

El triángulo también se puede clasificar según la medida de sus ángulos como un triángulo _____.

Charla matemática
Procesos matemáticos

¿Es un triángulo equilátero también un polígono regular? Explica tu respuesta.

Actividad

Clasifica el triángulo ABC según la longitud de sus lados y según la medida de sus ángulos.

Materiales ▪ regla en centímetros ▪ transportador

PASO 1 Mide los lados del triángulo con una regla en centímetros. Rotula cada lado con su longitud. Clasifica el triángulo según la longitud de sus lados.

PASO 2 Mide los ángulos del triángulo con un transportador. Rotula cada ángulo con su medida. Clasifica el triángulo según la medida de sus ángulos.

● ¿Qué tipo de triángulo tiene 3 lados de diferente longitud?

_____

● ¿Cómo se llama el ángulo que es mayor que 90° y menor que 180°?

_____

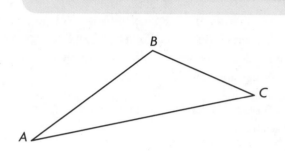

El triángulo *ABC* es un triángulo _____ _____.

¡Inténtalo! Dibuja el tipo de triángulo que describe la longitud de sus lados y la medida de sus ángulos.

Triángulo según la longitud de sus lados		
	Escaleno	**Isósceles**
Acutángulo	**Piensa:** Necesito dibujar un triángulo que sea acutángulo y escaleno.	
Obtusángulo		

(columna lateral izquierda: Triángulo según la medida de sus ángulos)

Charla matemática
Procesos matemáticos
¿Es posible dibujar un triángulo que sea rectángulo equilátero? **Explica** tu respuesta.

Nombre _____

 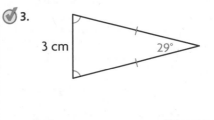
Clasifica cada triángulo. Escribe *isósceles, escaleno* o *equilátero.* **Luego escribe**
acutángulo, obtusángulo o *rectángulo.*

1.

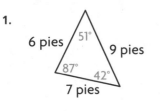

6 pies 51° 9 pies
87° 42°
7 pies

_____ _____

☑ 2.

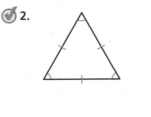

_____ _____

☑ 3.

3 cm 29°

_____ _____

Resolución de problemas

4. **H.O.T.** ¿Puedes saber si un triángulo es obtusángulo, rectángulo o acutángulo sin medir los ángulos? **Explica** tu respuesta.

_____
_____
_____

5. **Múltiples pasos** Dibuja 2 triángulos equiláteros que sean congruentes y que compartan un lado. ¿Qué polígono se forma? ¿Es un polígono regular?

_____
_____
_____

Resolución de problemas En el mundo

6. **H.O.T.** **Analiza** Shannon dijo que un triángulo con exactamente 2 lados congruentes y un ángulo obtuso es un triángulo equilátero obtusángulo. Describe su error.

_____
_____

Matemáticas al instante

Clasifica los triángulos delineados en las siguientes estructuras. Escribe *isósceles, escaleno* o *equilátero.* **Luego escribe** *acutángulo, obtusángulo* o *rectángulo.*

7.

8.

Tarea diaria de evaluación

Rellena el círculo completamente para mostrar tu respuesta.

9. Ricky dibujó un triángulo con ángulos que miden 90°, 30° y 60°, sin lados congruentes. ¿Cuál de las siguientes opciones describe el triángulo?

   Ⓐ isósceles rectángulo

   Ⓑ equilátero obtusángulo

   Ⓒ escaleno acutángulo

   Ⓓ escaleno rectángulo

10. ¿Cuál de estos triángulos es isósceles y obtusángulo?

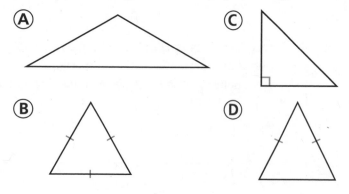

Ⓐ   Ⓒ   Ⓑ   Ⓓ

11. **Múltiples pasos** Jenna dibujó este triángulo y luego trazó una línea discontinua en el centro. ¿Qué tipo de triángulo dibujó primero? ¿Qué triángulos se formaron con la línea discontinua?

   Ⓐ rectángulo; dos triángulos escalenos obtusángulos

   Ⓑ equilátero; dos triángulos rectángulos

   Ⓒ escaleno rectángulo; dos triángulos rectángulos

   Ⓓ isósceles acutángulo; dos triángulos equiláteros

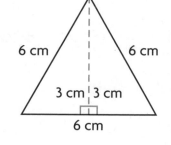

⭐ Preparación para la prueba de TEXAS

12. ¿Qué tipo de triángulo tiene exactamente 2 lados congruentes?

   Ⓐ isósceles

   Ⓑ equilátero

   Ⓒ escaleno

   Ⓓ rectángulo

418

Tarea
y práctica

Nombre _____

11.2 Triángulos

Clasifica cada triángulo. Escribe *isósceles, escaleno* **o** *equilátero*.
Luego escribe *acutángulo, obtusángulo* **o** *rectángulo*.

1.

_____

_____

2.

120°

_____

_____

3.

_____

_____

4.

_____

_____

5.

_____

_____

6.

_____

_____

Encierra en un círculo la figura que no pertenece al patrón. Explica tu respuesta.

7.

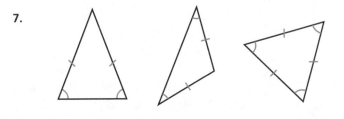

_____

Resolución de problemas En el mundo

8. Parker dibujó un triángulo sin lados congruentes y con un ángulo de 95°. Clasifica el
triángulo según la longitud de sus lados y la medida de sus ángulos. **Explica** tu respuesta.

_____

_____

Rellena el círculo completamente para mostrar tu respuesta.

9. Lindsay dibuja un triángulo rectángulo y le coloca la medida del ángulo recto y de un ángulo agudo. ¿Cuál es la suma posible de los dos ángulos?

Ⓐ 180°

Ⓑ 45°

Ⓒ 90°

Ⓓ 120°

10. ¿Cuál de estos triángulos es isósceles y acutángulo?

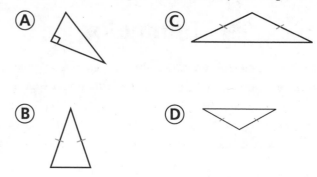

Ⓐ

Ⓒ

Ⓑ

Ⓓ

11. ¿Qué tipo de triángulo tiene 3 lados congruentes?

Ⓐ rectángulo

Ⓑ isósceles

Ⓒ equilátero

Ⓓ escaleno

12. ¿Cuál de las siguientes opciones es otra manera de clasificar un triángulo escaleno que tiene un ángulo que es mayor que 90°?

Ⓐ acutángulo

Ⓑ obtusángulo

Ⓒ rectángulo

Ⓓ equilátero

13. **Múltiples pasos** La Sra. Bennett tiene una alfombra con forma de triángulo equilátero que tiene un perímetro de 12 pies. ¿Cuál podría ser la longitud de los lados de la alfombra?

Ⓐ 4 pies, 4 pies, 4 pies

Ⓑ 5 pies, 5 pies, 2 pies

Ⓒ 3 pies, 3 pies, 3 pies

Ⓓ 3 pies, 4 pies, 5 pies

14. **Múltiples pasos** Nathan cortó una losa cuadrada por la mitad para hacer el diseño del piso de su cocina. Hizo un corte diagonal desde uno de los vértices hasta otro vértice. ¿Qué triángulos se formaron por el corte?

Ⓐ dos triángulos escalenos rectángulos

Ⓑ dos triángulos isósceles obtusángulos

Ⓒ dos triángulos isósceles rectángulos

Ⓓ dos triángulos equiláteros rectángulos

Nombre _____

11.3 Cuadriláteros

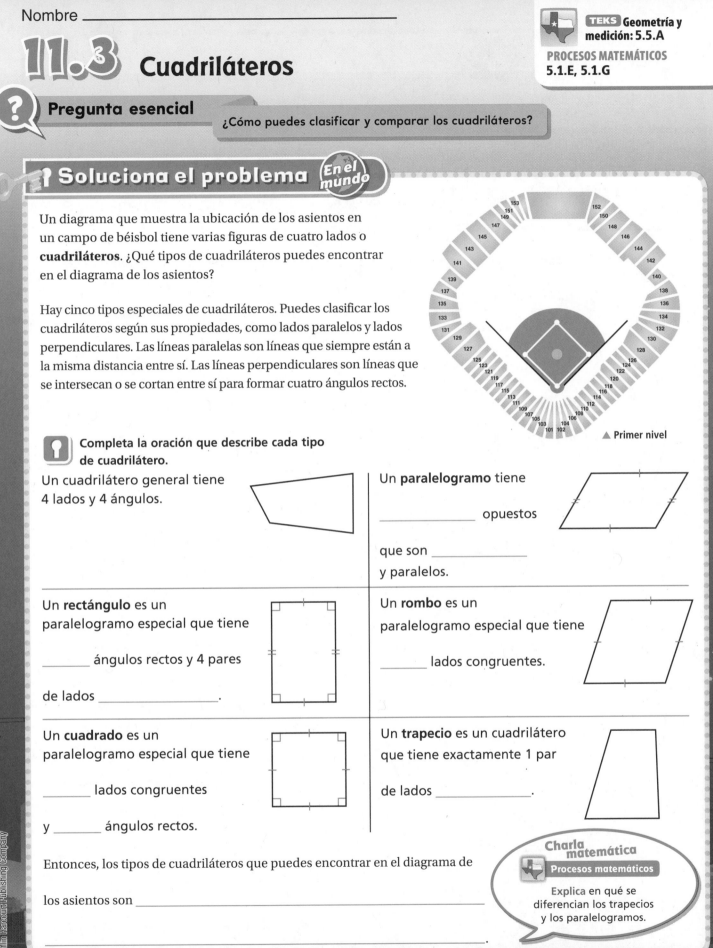

? Pregunta esencial

¿Cómo puedes clasificar y comparar los cuadriláteros?

Soluciona el problema En el mundo

Un diagrama que muestra la ubicación de los asientos en un campo de béisbol tiene varias figuras de cuatro lados o **cuadriláteros**. ¿Qué tipos de cuadriláteros puedes encontrar en el diagrama de los asientos?

Hay cinco tipos especiales de cuadriláteros. Puedes clasificar los cuadriláteros según sus propiedades, como lados paralelos y lados perpendiculares. Las líneas paralelas son líneas que siempre están a la misma distancia entre sí. Las líneas perpendiculares son líneas que se intersecan o se cortan entre sí para formar cuatro ángulos rectos.

▲ Primer nivel

Completa la oración que describe cada tipo de cuadrilátero.

Un cuadrilátero general tiene 4 lados y 4 ángulos.

Un **paralelogramo** tiene

_____ opuestos

que son _____

y paralelos.

Un **rectángulo** es un paralelogramo especial que tiene

_____ ángulos rectos y 4 pares

de lados _____.

Un **rombo** es un paralelogramo especial que tiene

_____ lados congruentes.

Un **cuadrado** es un paralelogramo especial que tiene

_____ lados congruentes

y _____ ángulos rectos.

Un **trapecio** es un cuadrilátero que tiene exactamente 1 par

de lados _____.

Entonces, los tipos de cuadriláteros que puedes encontrar en el diagrama de

los asientos son _____

_____.

Charla matemática
Procesos matemáticos

Explica en qué se diferencian los trapecios y los paralelogramos.

© Houghton Mifflin Harcourt Publishing Company

Materiales ■ cuadriláteros ■ tijeras

Puedes usar un diagrama de Venn para clasificar los cuadriláteros y saber cómo se relacionan.

• Traza el siguiente diagrama en tu tablero de matemáticas.

• Recorta los cuadriláteros y clasifícalos en el diagrama de Venn.

• Dibuja cada figura que colocaste en el diagrama de Venn de abajo.

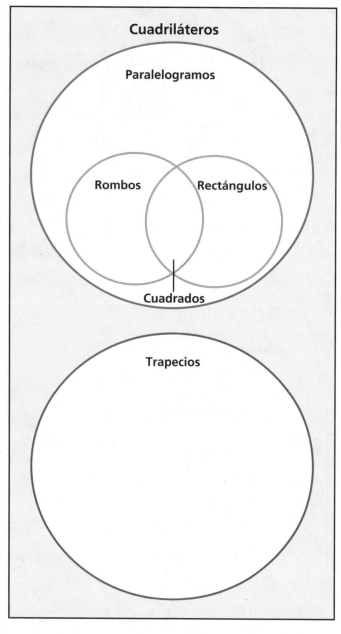

Completa las oraciones. Escribe *siempre, a veces* o *nunca*.

Un rombo _____ es un cuadrado.

Un paralelogramo _____ es un rectángulo.

Un rombo _____ es un paralelogramo.

Un trapecio _____ es un paralelogramo.

Un cuadrado _____ es un rombo.

1. **Explica** por qué el círculo de los paralelogramos no se interseca con el círculo de los trapecios.

_____

_____

_____

2. Dibuja un cuadrilátero que tenga cuatro pares de lados perpendiculares y cuatro lados congruentes.

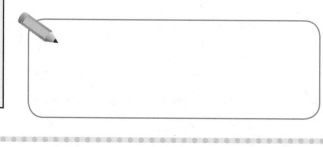

Nombre _____

1. Usa el cuadrilátero *ABCD* para contestar cada pregunta. Completa la oración.

   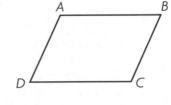

   a. Mide los lados. ¿Son congruentes algunos de los lados? _____
      Marca los lados congruentes.

   b. ¿Cuántos ángulos rectos tiene el cuadrilátero, si tuviera alguno? _____

   c. ¿Cuántos pares de lados paralelos tiene el cuadrilátero, si tuviera alguno? _____

   Entonces, el cuadrilátero *ABCD* es un _____.

   Clasifica el cuadrilátero de tantas maneras como sea posible. Escribe
   cuadrilátero, paralelogramo, rectángulo, rombo, cuadrado **o** *trapecio.*

   Charla matemática
   Procesos matemáticos
   ¿Pueden tener la misma longitud los lados paralelos de un trapecio? Explica tu respuesta.

2. _____

3.

   _____

Resolución de problemas

Resuelve los problemas.

4. **H.O.T.** ¿Cuál es el error? Un cuadrilátero tiene exactamente 3 lados congruentes. Davis afirma que la figura tiene que ser un rectángulo. ¿Por qué es incorrecta su afirmación? **Usa diagramas** para explicar tu respuesta.

   Matemáticas al instante

   _____

   _____

   _____

5. **H.O.T.** Múltiples pasos Soy una figura con cuatro lados. Puedo clasificar en las siguientes categorías: cuadrilátero, paralelogramo, rectángulo, rombo y cuadrado. Dibújame. **Explica** por qué clasifico en cada categoría.

   _____

   _____

   _____

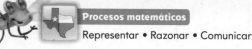

Tarea diaria de evaluación

Rellena el círculo completamente para mostrar tu respuesta.

6. Rita usa solamente paralelogramos en sus diseños. ¿Cuál de las siguientes figuras puede usar?

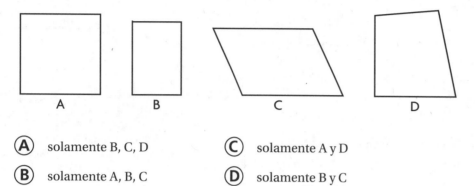

(A) solamente B, C, D   (C) solamente A y D

(B) solamente A, B, C   (D) solamente B y C

7. ¿Cuál enunciado es verdadero respecto de los cuadrados y los rombos?

(A) Un cuadrado nunca es un rombo.

(B) Un rombo nunca es un cuadrado.

(C) Un cuadrado siempre es un rombo.

(D) Un rombo siempre es un cuadrado.

8. Múltiples pasos Un cuadrilátero tiene dos pares de lados paralelos. También tiene cuatro lados congruentes. ¿Cuál podría ser la figura?

(A) cuadrado o rombo

(B) rectángulo o trapecio

(C) cuadrado o trapecio

(D) trapecio o paralelogramo

 Preparación para la prueba de TEXAS

9. Un cuadrilátero tiene exactamente 1 par de lados paralelos y no tiene lados congruentes. ¿Qué tipo de cuadrilátero es?

(A) rectángulo   (C) paralelogramo

(B) rombo   (D) trapecio

424

Tarea y práctica

Nombre _____

11.3 Cuadriláteros

Clasifica el cuadrilátero de tantas maneras como sea posible. Escribe *cuadrilátero,*
paralelogramo, rectángulo, rombo, cuadrado **o** *trapecio.*

1.

_____
_____

2.

_____
_____

3.

_____
_____

4.

_____
_____

5.

_____
_____

6.

_____
_____

Resolución de problemas En el mundo

7. Brooke dibuja cuadriláteros en un lienzo en su clase de arte. ¿Es posible que Brooke dibuje un paralelogramo que no sea un rectángulo? **Explica** tu respuesta.

_____
_____
_____

8. ¿Es posible que Brooke dibuje un cuadrado y un rombo que sean congruentes? **Explica** tu respuesta.

_____
_____
_____

Rellena el círculo completamente para mostrar tu respuesta.

9. ¿Qué figuras tienen lados perpendiculares?

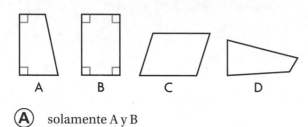

A   B   C   D

Ⓐ solamente A y B

Ⓑ solamente A y C

Ⓒ solamente B y D

Ⓓ solamente C y D

10. ¿Qué enunciado es verdadero para las dos figuras a continuación?

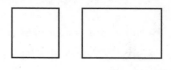

Ⓐ Tienen un número diferente de ángulos rectos.

Ⓑ No son congruentes.

Ⓒ Son rombos.

Ⓓ Son cuadrados.

11. ¿Cuál de las siguientes opciones NO es un paralelogramo?

Ⓐ rombo

Ⓑ cuadrado

Ⓒ trapecio

Ⓓ rectángulo

12. ¿Cuál de las siguientes opciones es un polígono regular?

Ⓐ paralelogramo

Ⓑ rectángulo

Ⓒ rombo

Ⓓ cuadrado

13. **Múltiples pasos** Becka dibuja dos cuadriláteros diferentes. Ambos cuadriláteros tienen dos pares de lados paralelos. Solo uno de los cuadriláteros tiene cuatro ángulos rectos. ¿Cuáles pueden ser los cuadriláteros?

Ⓐ cuadrado y paralelogramo

Ⓑ rectángulo y cuadrado

Ⓒ rectángulo y trapecio

Ⓓ paralelogramo y trapecio

14. **Múltiples pasos** Tim recorta cuadriláteros de papel como el que se muestra a continuación para usar en un proyecto de arte.

Si recorta el cuadrilátero por la mitad, ¿qué cuadriláteros se forman con el corte?

Ⓐ dos rombos

Ⓑ dos paralelogramos

Ⓒ dos trapecios

Ⓓ un trapecio y un paralelogramo

11.4 RESOLUCIÓN DE PROBLEMAS • Propiedades de las figuras de dos dimensiones

TEKS Geometría y medición: 5.5
PROCESOS MATEMÁTICOS
5.1.B, 5.1.C

? Pregunta esencial

¿Cómo puedes usar la estrategia *representar* para saber si los lados de una figura son congruentes?

Soluciona el problema En el mundo

Lori tiene un cuadrilátero cuyos vértices son *A*, *B*, *C* y *D*. El cuadrilátero tiene cuatro ángulos rectos. Ella quiere mostrar que el cuadrilátero *ABCD* es un cuadrado, pero no tiene una regla para medir la longitud de los lados. ¿Cómo puede mostrar que el cuadrilátero tiene cuatro lados congruentes y que es un cuadrado?

Usa el siguiente organizador gráfico para resolver el problema.

Lee

¿Qué debo hallar?

Necesito determinar si el cuadrilátero tiene 4 lados

_____ y es un _____.

¿Qué información me dan?

El cuadrilátero tiene _____ ángulos _____.
Para que sea un cuadrado, también debe tener

_____ lados _____.

Planea

¿Cuál es mi plan o estrategia?

Puedo trazar la figura, recortarla y luego doblarla para emparejar cada par de lados y mostrar que los lados

_____ son _____.

Resuelve

Tracé el cuadrilátero y lo recorté. Usé la *representación* para doblarlo y emparejar cada par de lados.

- Doblé el cuadrilátero para emparejar el lado *AB* con el lado *DC*.

- Doblé el cuadrilátero para emparejar el lado *AD* con el lado *BC*.

- Doblé el cuadrilátero diagonalmente para emparejar el lado *AD* con el lado *AB* y el lado *CD* con el lado *CB*.

1. ¿Qué más necesitas para resolver el problema?

_____

_____

Entonces, el cuadrilátero *ABCD* _____ un cuadrado.

Haz otro problema

Terrence dibujó un triángulo cuyos vértices son *E, F* y *G*. El triángulo tiene tres ángulos congruentes. Él quiere mostrar que el triángulo *EFG* tiene tres lados congruentes, pero no tiene una regla para medir la longitud de los lados. ¿Cómo puede mostrar que el triángulo tiene tres lados congruentes?

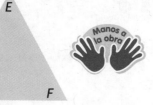

Lee	Resuelve
¿Qué debo hallar?	Para anotar tu trabajo, dibuja el modelo después de cada doblez. Rotula cada dibujo con los lados que sean congruentes.
¿Qué información me dan?	
Planea	
¿Cuál es mi plan o estrategia?	

2. ¿Cómo puedes usar el razonamiento para mostrar que los tres lados del triángulo son congruentes con solo dos dobleces? **Explica** tu respuesta.

_____

_____

_____

Nombre _____

1. Érica cree que el triángulo *XYZ* que está a la derecha tiene dos lados congruentes, pero ella no tiene una regla para medir los lados. ¿Son congruentes dos de los lados?

   Primero traza el triángulo y recórtalo.

   Luego dobla el triángulo para emparejar cada par de lados y determinar si por lo menos dos de los lados son congruentes. Mientras trabajas, anota o dibuja los resultados de cada par de lados para asegurarte de que has doblado todos los pares de lados.

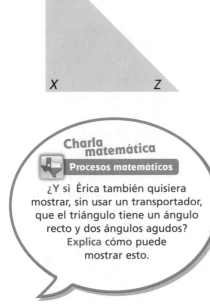

   Charla matemática
   Procesos matemáticos
   ¿Y si Érica también quisiera mostrar, sin usar un transportador, que el triángulo tiene un ángulo recto y dos ángulos agudos? Explica cómo puede mostrar esto.

   Por último contesta la pregunta.

   _____

   _____

2. Los meses de diciembre, enero y febrero fueron los más fríos en el pueblo de Kristen el año pasado. Febrero fue el más caliente de estos meses. Diciembre no fue el más frío. ¿Cuál es el orden de estos meses del más frío al más caliente?

   _____

Resolución de problemas

3. **H.O.T.** **Múltiples pasos** Jan entra en un cuarto rectangular que mide 20 pies por 30 pies. Los lados largos miran hacia el norte y hacia el sur. Jan entra exactamente por el centro del lado sur y camina 10 pies hacia el norte. Luego camina 8 pies hacia el este. ¿A qué distancia está del lado este del cuarto?

   _____

4. **H.O.T.** **Usa diagramas** Max dibujó una cuadrícula para dividir una hoja de papel en 18 cuadrados congruentes. ¿Cuál es el menor número de líneas que Max puede trazar para dividir la cuadrícula en 6 rectángulos congruentes? Usa el diagrama para mostrar tu razonamiento.

   _____

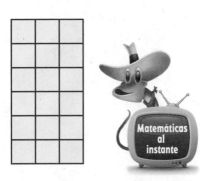

Matemáticas al instante

Tarea diaria de evaluación

Rellena el círculo completamente para mostrar tu respuesta.

5. Pierre usa una hoja de papel de imprenta para hacer figuras. ¿Cómo puede comprobar que el papel es un rectángulo?

   Ⓐ Usa la esquina de un cuadrado para ver si el papel tiene cuatro ángulos rectos.

   Ⓑ Dobla el papel por la mitad en ambas direcciones para ver si los lados opuestos son congruentes.

   Ⓒ A y B

   Ⓓ Ni A ni B

6. **Usa el lenguaje matemático** Marta dibujó y recortó el triángulo *LMN*. Dobló el lado *LM* con el lado *MN* y ambos correspondieron exactamente. Dobló el lado *MN* con el lado *NL* y no correspondieron exactamente. ¿Cuál opción describe el triángulo de Marta?

   Ⓐ triángulo escaleno

   Ⓑ triángulo equilátero

   Ⓒ triángulo isósceles

   Ⓓ triángulo rectángulo

7. **Múltiples pasos** Bethany usa seis triángulos equiláteros congruentes para crear un polígono. ¿Cuál de las siguientes opciones describe el polígono que hace?

   Ⓐ pentágono regular   Ⓒ cuadrado

   Ⓑ hexágono regular   Ⓓ triángulo regular

⭐ Preparación para la prueba de TEXAS

8. ¿Cuál de las siguientes figuras es un cuadrilátero cuyos lados opuestos son congruentes y paralelos?

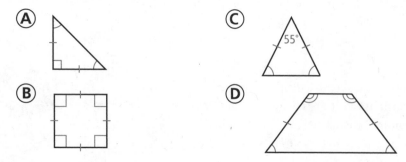

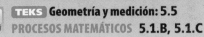

Tarea y práctica

Nombre _____

11.4 RESOLUCIÓN DE PROBLEMAS • Propiedades de las figuras de dos dimensiones

1. **Explica** una estrategia que puedes usar para dibujar una figura que sea congruente con la figura de la derecha.

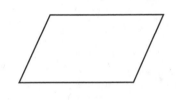

_____
_____

2. Clasifica la figura de la derecha de tantas maneras como sea posible. Explica tu estrategia.

_____
_____
_____

3. Dibuja dos polígonos que tengan el mismo número de lados y ángulos. Dibuja uno que sea regular y el otro no. ¿Son congruentes las figuras? **Explica** tu respuesta.

_____
_____

4. Combina los dos trapecios congruentes de la derecha para formar polígonos nuevos. Dibuja los polígonos nuevos y clasifícalos.

_____

Resolución de problemas En el mundo

5. Sasha dibuja un cuadrado. ¿Qué polígonos puede formar si traza una línea que corta el cuadrado por la mitad? **Explica** tu respuesta.

_____
_____

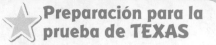
Rellena el círculo completamente para mostrar tu respuesta.

6. Un octágono regular tiene un perímetro total de 24 pulgadas. ¿Cuál es la longitud de un lado del octágono?

Ⓐ 8 pulgadas

Ⓑ 1 pulgada

Ⓒ 4 pulgadas

Ⓓ 3 pulgadas

7. Adolfo dibujó un cuadrilátero. Dice que al menos uno de los ángulos es agudo. ¿Qué polígono podría haber dibujado Adolfo?

Ⓐ paralelogramo

Ⓑ cuadrado

Ⓒ rectángulo

Ⓓ triángulo isósceles

8. Clasifica el polígono *MNPR* de la siguiente figura.

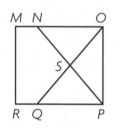

Ⓐ trapecio

Ⓑ triángulo

Ⓒ rectángulo

Ⓓ paralelogramo

9. ¿Cuál de las opciones describe el cuadrilátero?

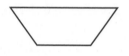

Ⓐ 2 pares de lados paralelos

Ⓑ 2 pares de lados perpendiculares

Ⓒ 1 par de lados paralelos

Ⓓ No tiene pares de lados paralelos.

10. **Múltiples pasos** Verónica dobló un triángulo equilátero por la mitad y cortó por el doblez para hacer dos figuras congruentes. ¿Qué figuras hizo Verónica?

Ⓐ dos triángulos rectángulos escalenos

Ⓑ un triángulo y un trapecio

Ⓒ dos triángulos acutángulos isósceles

Ⓓ dos triángulos equiláteros

11. **Múltiples pasos** Rocco coloca cuatro cuadrados congruentes uno al lado del otro en una hilera. La longitud de un lado de un cuadrado es 2 cm. ¿Cuál es el perímetro y el área del rectángulo más grande que hace Rocco?

Ⓐ $P = 32$ cm; $A = 16$ cm cuad

Ⓑ $P = 20$ cm; $A = 8$ cm cuad

Ⓒ $P = 10$ cm; $A = 4$ cm cuad

Ⓓ $P = 20$ cm; $A = 16$ cm cuad

✓ Evaluación del Módulo 11

Vocabulario

Elige el término correcto del recuadro.

1. Una figura plana cerrada cuyos lados y ángulos son

   congruentes es un _____. (pág. 410)

2. Los segmentos que tienen la misma longitud o los ángulos que tienen la

   misma medida son _____. (pág. 410)

Conceptos y destrezas

Dibuja el triángulo en el grupo correcto. 🔺 TEKS 5.5.A

3. Los tres lados miden 2 cm de largo.

4. Dos lados miden 2 cm de largo. El tercer lado
   mide 1 cm de largo.

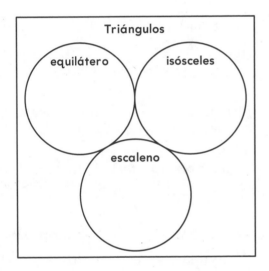

Clasifica cada triángulo. Escribe *isósceles, escaleno* o *equilátero*.
Luego escribe *acutángulo, obtusángulo* o *rectángulo*. 🔺 TEKS 5.5.A

5. _____
   _____

6. 120° 30° 30° _____
   _____

Clasifica el cuadrilátero de tantas maneras como sea posible. Escribe *cuadrilátero,*
***paralelogramo, rectángulo, rombo, cuadrado* o *trapecio*.** 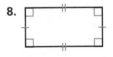 TEKS 5.5.A

7. _____
   _____

8. _____
   _____

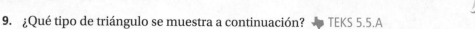
9. ¿Qué tipo de triángulo se muestra a continuación? 🐾 TEKS 5.5.A

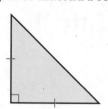

Ⓐ isósceles rectángulo

Ⓑ escaleno rectángulo

Ⓒ equilátero

Ⓓ escaleno obtusángulo

10. ¿Cuál de las siguientes figuras nunca se podría clasificar como un cuadrado? 🐾 TEKS 5.5.A

Ⓐ rectángulo   Ⓒ rombo

Ⓑ paralelogramo   Ⓓ trapecio

11. ¿Cuál de las siguientes opciones NO SE PUEDE usar para la figura desconocida del organizador gráfico? 🐾 TEKS 5.5.A

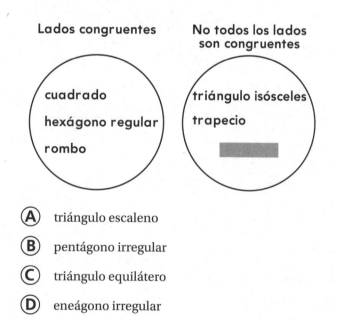

Ⓐ triángulo escaleno

Ⓑ pentágono irregular

Ⓒ triángulo equilátero

Ⓓ eneágono irregular

TEKS Geometría y medición: 5.6.A
PROCESOS MATEMÁTICOS
5.1.E, 5.1.F

12.1 Cubos de una unidad y cuerpos geométricos

Pregunta esencial

¿Qué es un cubo de una unidad y cómo puedes usarlo para construir un cuerpo geométrico?

Investiga

Puedes construir prismas rectangulares con cubos de una unidad. ¿Cuántos prismas rectangulares diferentes puedes construir con un número determinado de cubos de una unidad?

Materiales ■ cubos de un centímetro

Un **cubo de una unidad** es un cubo que tiene 1 unidad de longitud,

ancho y altura. El cubo tiene _____ caras cuadradas. Todas sus

caras son congruentes. Tiene _____ aristas.

Todas sus aristas tienen igual longitud.

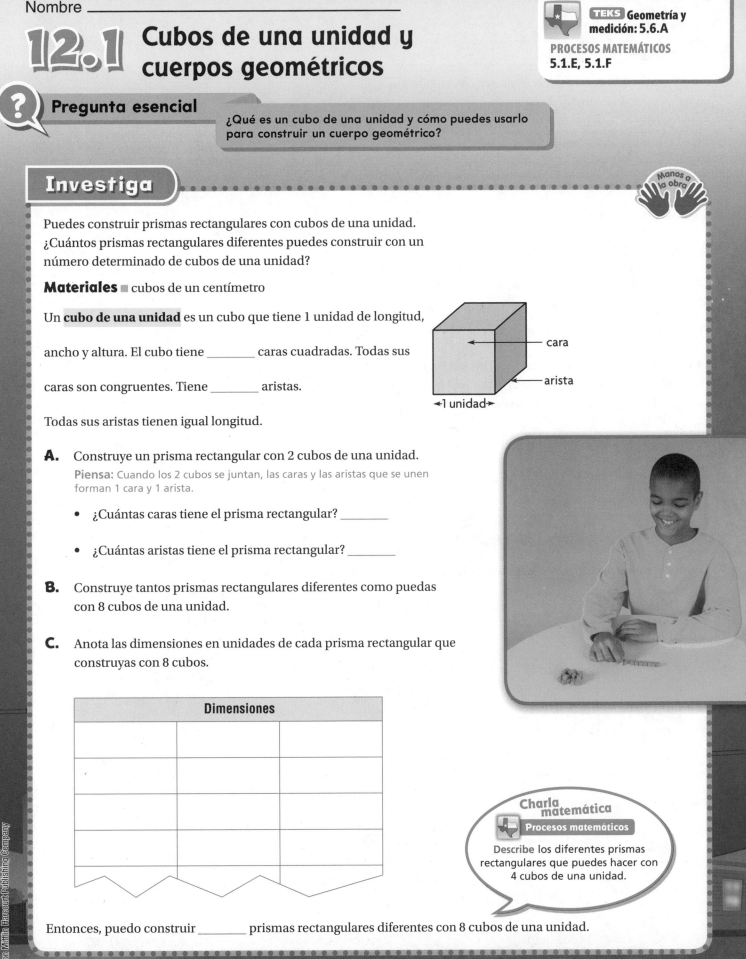

cara

arista

◄1 unidad►

A. Construye un prisma rectangular con 2 cubos de una unidad.

Piensa: Cuando los 2 cubos se juntan, las caras y las aristas que se unen forman 1 cara y 1 arista.

• ¿Cuántas caras tiene el prisma rectangular? _____

• ¿Cuántas aristas tiene el prisma rectangular? _____

B. Construye tantos prismas rectangulares diferentes como puedas con 8 cubos de una unidad.

C. Anota las dimensiones en unidades de cada prisma rectangular que construyas con 8 cubos.

Dimensiones		

Charla matemática

Procesos matemáticos

Describe los diferentes prismas rectangulares que puedes hacer con 4 cubos de una unidad.

Entonces, puedo construir _____ prismas rectangulares diferentes con 8 cubos de una unidad.

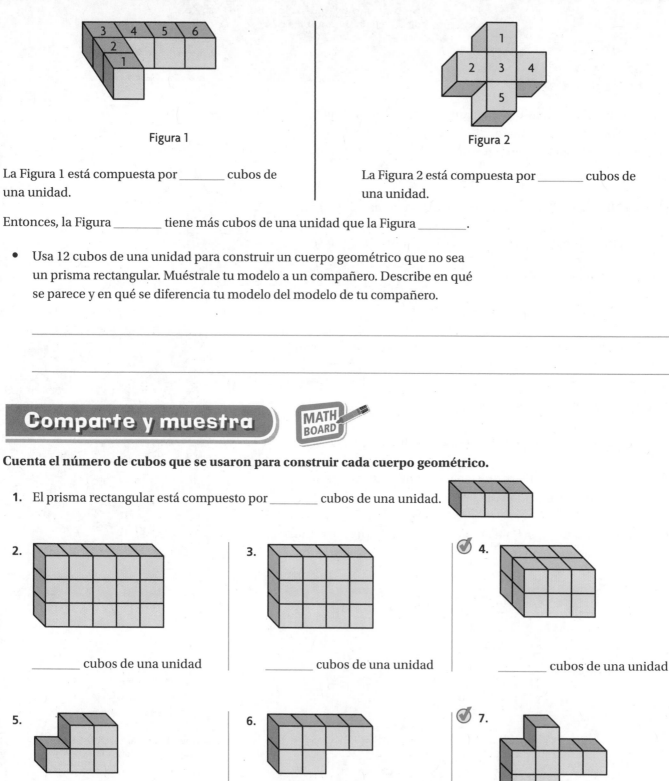

Conecta

Puedes construir otros cuerpos geométricos y compararlos cuando cuentas el número de cubos de una unidad.

Figura 1

Figura 2

La Figura 1 está compuesta por _____ cubos de una unidad.

La Figura 2 está compuesta por _____ cubos de una unidad.

Entonces, la Figura _____ tiene más cubos de una unidad que la Figura _____.

• Usa 12 cubos de una unidad para construir un cuerpo geométrico que no sea un prisma rectangular. Muéstrale tu modelo a un compañero. Describe en qué se parece y en qué se diferencia tu modelo del modelo de tu compañero.

_____

_____

Comparte y muestra

Cuenta el número de cubos que se usaron para construir cada cuerpo geométrico.

1. El prisma rectangular está compuesto por _____ cubos de una unidad.

2. _____ cubos de una unidad

3. _____ cubos de una unidad

4. _____ cubos de una unidad

5. _____ cubos de una unidad

6. _____ cubos de una unidad

7. _____ cubos de una unidad

436

© Houghton Mifflin Harcourt Publishing Company

Nombre _____

8. **H.O.T.** ¿Cómo se relacionan los prismas rectangulares de los Ejercicios 3 y 4? ¿Hay un prisma rectangular diferente que tenga la misma relación? Usa un modelo o un diagrama para mostrar tu respuesta.

_____

_____

_____

9. **Escribe** ▶ **Explica** por qué un prisma rectangular compuesto por 2 cubos de una unidad tiene 6 caras. Compara sus dimensiones con las de un cubo de una unidad.

_____

_____

_____

_____

10. **Escribe** ▶ **Explica** las semejanzas entre el número de aristas del prisma rectangular y el número de aristas del cubo de una unidad.

_____

_____

11. **H.O.T.** **Múltiples pasos** La torre Nakagin Capsule tiene 140 módulos y 14 pisos de altura. Si todos los módulos se dividieran igualmente entre el número de pisos, ¿cuántos módulos habría en cada piso? ¿Cuántos prismas rectangulares diferentes se podrían hacer de ese número?

_____

12. **H.O.T.** Una casa en forma de cubo tiene capacidad para 1,000 cubos de una unidad que miden 1 metro por 1 metro por 1 metro. Describe las dimensiones de la casa usando cubos de una unidad.

_____

_____

Tarea diaria de evaluación

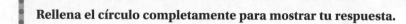

Rellena el círculo completamente para mostrar tu respuesta.

13. **Múltiples pasos** Seth hace 3 figuras más como la que se muestra a continuación para construir un fuerte. ¿Cuántos cubos usa?

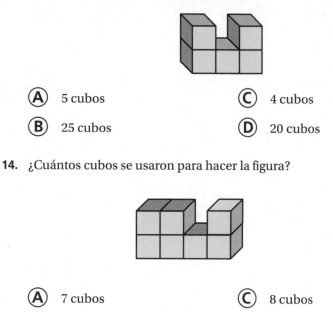

(A) 5 cubos

(C) 4 cubos

(B) 25 cubos

(D) 20 cubos

14. ¿Cuántos cubos se usaron para hacer la figura?

(A) 7 cubos

(C) 8 cubos

(B) 9 cubos

(D) 10 cubos

15. **Múltiples pasos** Alexandra construyó estas dos figuras. ¿Cuántos cubos usó en total?

(A) 9 cubos

(B) 6 cubos

(C) 15 cubos

(D) 30 cubos

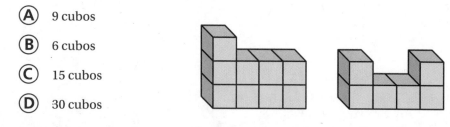

⭐ Preparación para la prueba de TEXAS

16. **Múltiples pasos** ¿Cuántos cubos más puede usar Marcy para convertir la figura de abajo en un prisma rectangular?

(A) 5 cubos

(C) 2 cubos

(B) 13 cubos

(D) 7 cubos

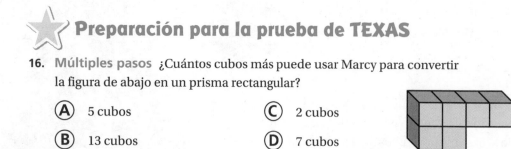

Tarea y práctica

Nombre _____

12.1 Cubos de una unidad y cuerpos geométricos

Cuenta el número de cubos que se usaron para construir cada cuerpo geométrico.

1.

_____ cubos de una unidad

2.

_____ cubos de una unidad

3.

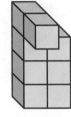

_____ cubos de una unidad

4.

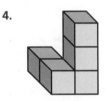

_____ cubos de una unidad

5.

_____ cubos de una unidad

6.

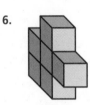

_____ cubos de una unidad

7.

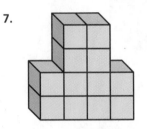

_____ cubos de una unidad

8.

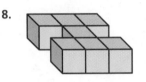

_____ cubos de una unidad

9.

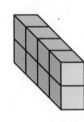

_____ cubos de una unidad

Resolución de problemas En el mundo

10. Jen usó cubos de una unidad para construir un prisma rectangular con una longitud de 4 cubos, un ancho de 3 cubos y una altura de 5 cubos. Ethan construyó un prisma rectangular con una longitud de 3 cubos, un ancho de 3 cubos y una altura de 6 cubos. ¿Quién usó más cubos? **Explica** tu respuesta.

_____

_____

11. La Sra. Hernández guarda los cubos de un centímetro del salón de clases en una caja que mide 20 cm por 6 cm por 3 cm. ¿Cuántos cubos de un centímetro caben en la caja?

Rellena el círculo completamente para mostrar tu respuesta.

12. Blaine hace la siguiente figura con cubos de una unidad. ¿Cuántos cubos usa Blaine?

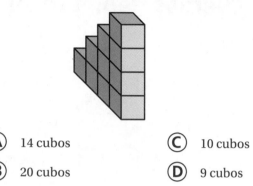

- (A) 14 cubos
- (B) 20 cubos
- (C) 10 cubos
- (D) 9 cubos

13. Lucas cubre un rectángulo con 5 hileras de 4 cubos de una unidad. Luego apila capas idénticas para hacer un prisma. ¿Cuántos cubos usa Lucas para hacer 4 capas?

- (A) 80 cubos
- (B) 20 cubos
- (C) 100 cubos
- (D) 24 cubos

14. Lola tiene 30 cubos. Quiere usar todos los cubos para hacer un prisma rectangular. ¿Cuáles podrían ser las dimensiones de su prisma?

- (A) $5 \times 2 \times 3$
- (B) $3 \times 3 \times 3$
- (C) $4 \times 5 \times 2$
- (D) $3 \times 10 \times 2$

15. **Múltiples pásos** ¿Cuántos cubos habrá en la figura que se muestra a continuación si se agregan 12 cubos?

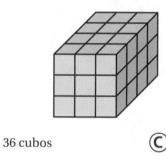

- (A) 36 cubos
- (B) 24 cubos
- (C) 48 cubos
- (D) 60 cubos

16. **Múltiples pasos** Stella construyó estas dos figuras. ¿Cuántos cubos más usó en la Figura A que en la Figura B?

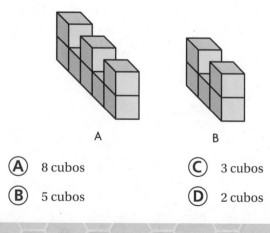

A   B

- (A) 8 cubos
- (B) 5 cubos
- (C) 3 cubos
- (D) 2 cubos

17. **Múltiples pasos** Owen quiere hacer un prisma rectangular con una longitud de 6 cubos, un ancho de 3 cubos y una altura de 4 cubos. Tiene 54 cubos. ¿Cuántos cubos más necesita Owen?

- (A) 36 cubos
- (B) 42 cubos
- (C) 22 cubos
- (D) 18 cubos

440

12.2 Comprender el volumen

TEKS Geometría y medición: 5.6.A, 5.6.B

PROCESOS MATEMÁTICOS
5.1.C, 5.1.D

? **Pregunta esencial**

¿Cómo puedes usar cubos de una unidad para hallar el volumen de un prisma rectangular?

Investiga

Manos a la obra

Conecta Puedes hallar el volumen de un prisma rectangular si cuentas los cubos de una unidad. El **volumen** es la medida de la cantidad de espacio que ocupa un cuerpo geométrico y se mide en **unidades cúbicas**. Cada cubo de una unidad tiene un volumen de 1 unidad cúbica.

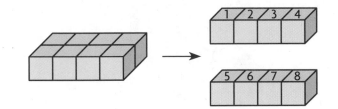

El prisma rectangular anterior está compuesto por _____ cubos de

una unidad y tiene un volumen de _____ unidades cúbicas.

Materiales ■ plantilla de un prisma rectangular A ■ cubos de un centímetro

A. Recorta, dobla y pega la plantilla para formar un prisma rectangular.

B. Usa cubos de un centímetro para llenar la base del prisma rectangular sin espacios ni traslapos. Cada cubo de un centímetro tiene una longitud, un ancho y una altura de 1 centímetro, y un volumen de 1 centímetro cúbico.

- ¿Cuántos cubos de un centímetro componen la longitud, el ancho y la altura de la primera capa?

    longitud: _____ ancho: _____ altura: _____

- ¿Cuántos cubos de un centímetro se usan para llenar la base? _____

C. Sigue llenando el prisma rectangular, capa por capa. Cuenta el número de cubos de un centímetro que usas en cada capa.

- ¿Cuántos cubos de un centímetro hay en cada capa? _____

- ¿Cuántas capas de cubos llenan el prisma rectangular? _____

- ¿Cuántos cubos de un centímetro llenan el prisma? _____

Entonces, el volumen del prisma rectangular es _____ centímetros cúbicos.

Conecta

Para hallar el volumen de las figuras de tres dimensiones, mides en tres direcciones. Para un prisma rectangular, mides su longitud, ancho y altura. El volumen se mide en unidades cúbicas, como centímetros cúbicos o pulgadas cúbicas. Estas unidades también se pueden escribir cm cub o pulg cub.

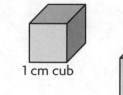

1 cm cub

1 pulg cub

- ¿Cuál tiene un mayor volumen: 1 cm cub o 1 pulg cub? **Explica** tu respuesta.

_____

_____

Halla el volumen del prisma si cada cubo representa 1 cm cub, 1 pulg cub y 1 pie cub.

_____ cm cub

_____ pulg cub

_____ pies cub

2 unidades

6 unidades

3 unidades

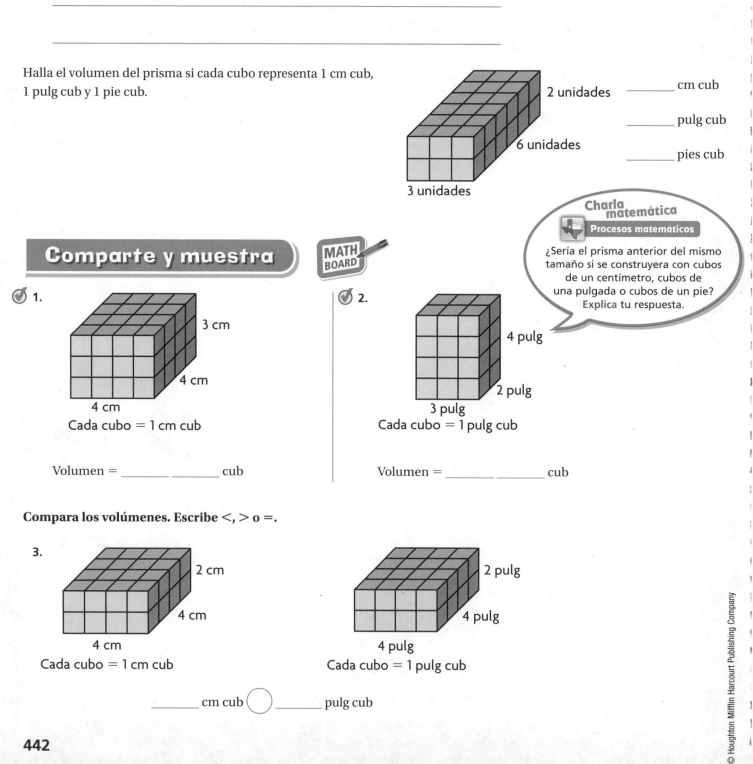

Comparte y muestra

MATH BOARD

Charla matemática
Procesos matemáticos

¿Sería el prisma anterior del mismo tamaño si se construyera con cubos de un centímetro, cubos de una pulgada o cubos de un pie? **Explica** tu respuesta.

1.

3 cm

4 cm

4 cm

Cada cubo = 1 cm cub

Volumen = _____ _____ cub

2.

4 pulg

2 pulg

3 pulg

Cada cubo = 1 pulg cub

Volumen = _____ _____ cub

Compara los volúmenes. Escribe <, > o =.

3.

2 cm

4 cm

4 cm

Cada cubo = 1 cm cub

2 pulg

4 pulg

4 pulg

Cada cubo = 1 pulg cub

_____ cm cub ⬭ _____ pulg cub

Nombre _____

4. **H.O.T.** **Conecta** ¿Cuál es la relación entre el número de cubos de un centímetro que usaste para llenar cada capa, el número de capas y el volumen del prisma de la página 441?

_____

_____

_____

5. **H.O.T.** Si tuvieras un prisma rectangular con una longitud de 3 unidades, un ancho de 4 unidades y una altura de 2 unidades, ¿cuántos cubos de una unidad necesitarías para cada capa? ¿Cuántos cubos de una unidad necesitarías para llenar el prisma rectangular?

_____

_____

6. **H.O.T.** ¿Cuál es el error? Alan dice que un cubo con aristas que miden 10 cm tiene un volumen que es dos veces el volumen de un cubo con aristas que miden 5 cm. **Explica** y corrige el error de Alan.

_____

_____

_____

7. **H.O.T.** Pilar construyó un prisma rectangular con cubos. La base de su prisma tiene 12 cubos de un centímetro. Si el prisma se construyó con 108 cubos de un centímetro, ¿cuál es la altura del prisma?

_____

8. **Múltiples pasos** Una compañía de empaque hace cajas cuyas aristas miden 3 pies cada una. ¿Cuál es el volumen de una caja? Si 10 cajas se colocan dentro de un contenedor y se llena completamente sin espacios ni traslapos, ¿cuál es el volumen del contenedor?

_____

Tarea diaria de evaluación

Rellena el círculo completamente para mostrar tu respuesta.

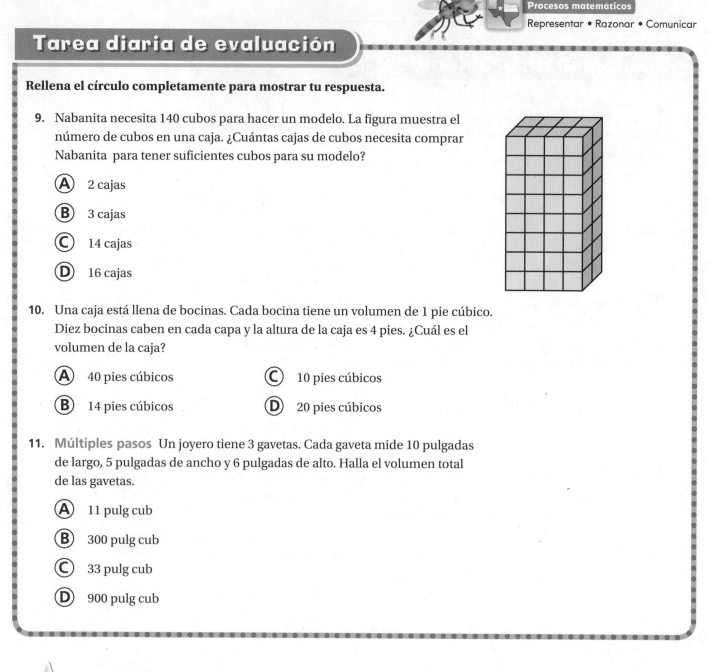

9. Nabanita necesita 140 cubos para hacer un modelo. La figura muestra el número de cubos en una caja. ¿Cuántas cajas de cubos necesita comprar Nabanita para tener suficientes cubos para su modelo?

(A) 2 cajas

(B) 3 cajas

(C) 14 cajas

(D) 16 cajas

10. Una caja está llena de bocinas. Cada bocina tiene un volumen de 1 pie cúbico. Diez bocinas caben en cada capa y la altura de la caja es 4 pies. ¿Cuál es el volumen de la caja?

(A) 40 pies cúbicos

(C) 10 pies cúbicos

(B) 14 pies cúbicos

(D) 20 pies cúbicos

11. **Múltiples pasos** Un joyero tiene 3 gavetas. Cada gaveta mide 10 pulgadas de largo, 5 pulgadas de ancho y 6 pulgadas de alto. Halla el volumen total de las gavetas.

(A) 11 pulg cub

(B) 300 pulg cub

(C) 33 pulg cub

(D) 900 pulg cub

⭐ Preparación para la prueba de TEXAS

12. Halla el volumen del prisma rectangular.

(A) 25 pies cúbicos

(B) 25 metros cúbicos

(C) 75 metros cúbicos

(D) 75 centímetros cúbicos

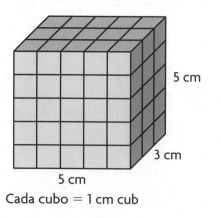

5 cm

3 cm

5 cm

Cada cubo = 1 cm cub

Tarea
y práctica

Nombre _____

12.2 Comprender el volumen

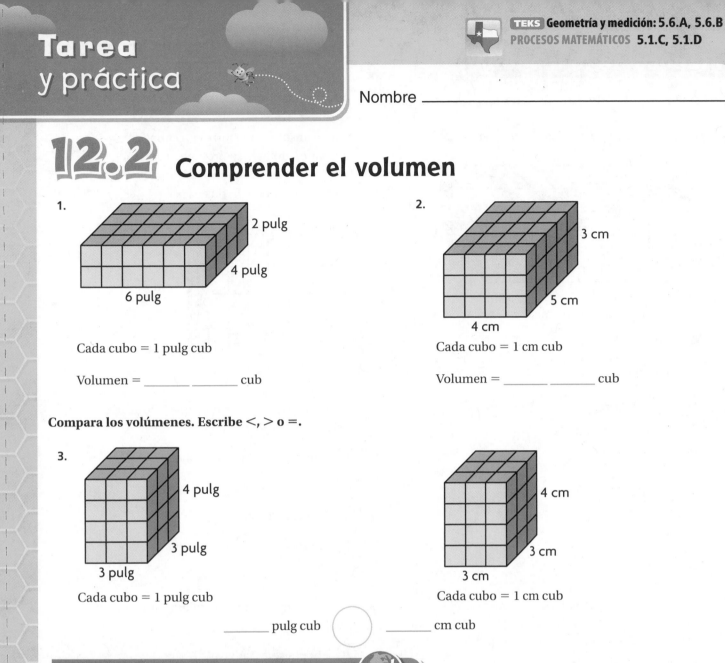

1.

2 pulg
4 pulg
6 pulg

Cada cubo = 1 pulg cub

Volumen = _____ _____ cub

2.

3 cm
5 cm
4 cm

Cada cubo = 1 cm cub

Volumen = _____ _____ cub

Compara los volúmenes. Escribe <, > o =.

3.

4 pulg
3 pulg
3 pulg

Cada cubo = 1 pulg cub

4 cm
3 cm
3 cm

Cada cubo = 1 cm cub

_____ pulg cub ◯ _____ cm cub

Resolución de problemas En el mundo

4. Salim construyó un prisma rectangular con una longitud de 5 pulgadas, un ancho de 4 pulgadas y una altura de 3 pulgadas. ¿Tendría el prisma que construyó Natalie con una longitud de 3 pulgadas, un ancho de 4 pulgadas y una altura de 5 pulgadas un volumen diferente o igual al volumen del prisma de Salim? **Explica** tu respuesta.

_____

_____

_____

5. Oliver y Layla construyeron un prisma rectangular con cubos de un centímetro. Ambos prismas tienen un volumen de 24 centímetros cúbicos, pero no son iguales. Da las posibles dimensiones de cada prisma.

_____

_____

_____

_____

Rellena el círculo completamente para mostrar tu respuesta.

6. Halla el volumen del prisma rectangular.

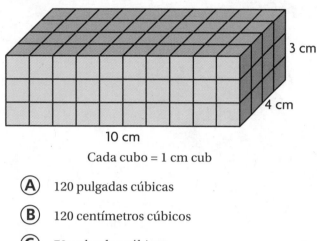

3 cm

4 cm

10 cm

Cada cubo = 1 cm cub

- Ⓐ 120 pulgadas cúbicas
- Ⓑ 120 centímetros cúbicos
- Ⓒ 70 pulgadas cúbicas
- Ⓓ 70 centímetros cúbicos

7. Mario construye una torre con cubos de un centímetro para su proyecto de diseño. La siguiente figura muestra la parte de la torre que ha completado hasta ahora.

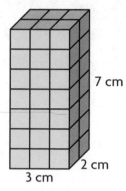

7 cm

2 cm

3 cm

¿Qué debe hacer Mario para que la torre tenga un volumen de 54 centímetros cúbicos?

- Ⓐ Agregar una capa de cubos.
- Ⓑ Agregar 33 cubos.
- Ⓒ Agregar 2 cubos.
- Ⓓ Agregar dos capas de cubos.

8. Un baúl está lleno de bloques de juguete. Cada bloque tiene un volumen de 1 pie cúbico. En el fondo del baúl caben veinticinco bloques y la altura del baúl es 3 pies. ¿Cuál es el volumen del baúl?

- Ⓐ 75 pies cúbicos
- Ⓑ 60 pies cúbicos
- Ⓒ 28 pies cúbicos
- Ⓓ 25 pies cúbicos

9. ¿Cuál de las siguientes medidas representa el volumen mayor?

- Ⓐ 14 pulgadas cúbicas
- Ⓑ 14 pies cúbicos
- Ⓒ 14 centímetros cúbicos
- Ⓓ 14 metros cúbicos

10. Múltiples pasos Lily sirve cubos de queso de 1 pulgada a sus invitados en una bandeja rectangular que mide 6 pulgadas de largo, 4 pulgadas de ancho y 2 pulgadas de alto. Si solo la mitad de la bandeja está llena, ¿cuál es el volumen de los cubos de queso?

- Ⓐ 96 pulg cub
- Ⓑ 12 pulg cub
- Ⓒ 48 pulg cub
- Ⓓ 24 pulg cub

11. Múltiples pasos Fernando construye un prisma rectangular con cubos de un centímetro. La longitud del prisma es 2 centímetros. El ancho es dos veces la longitud y la altura es dos veces el ancho. ¿Cuál es el volumen del prisma de Fernando?

- Ⓐ 48 cm cub
- Ⓑ 16 cm cub
- Ⓒ 8 cm cub
- Ⓓ 64 cm cub

12.3 El volumen de los prismas rectangulares

TEKS Geometría y medición: 5.6.B
También 5.4.G
PROCESOS MATEMÁTICOS
5.1.F, 5.1.G

? Pregunta esencial

¿Cómo puedes hallar el volumen de un prisma rectangular?

Conecta La base de un prisma rectangular es un rectángulo. Sabes que el área se mide en unidades cuadradas y que el área de un rectángulo se puede hallar si multiplicas la longitud por el ancho.

El volumen se mide en unidades cúbicas, como pies cúbicos o pies cub. Cuando construyes un prisma y agregas capas de cubos, agregas una tercera dimensión: altura.

El área de la base

es _____ unidades cuad.

? Soluciona el problema En el mundo

Sid construyó el prisma rectangular que se muestra a la derecha con cubos de 1 pulgada. El prisma tiene una base que es un rectángulo y una altura de 4 cubos. ¿Cuál es el volumen del prisma rectangular que construyó Sid?

Puedes hallar el volumen de un prisma en unidades cúbicas si multiplicas el número de unidades cuadradas de la figura de la base por el número de capas o su altura.

Cada capa del prisma rectangular de Sid

está compuesta por _____ cubos de una unidad.

+12
+12
+12
12

Altura (en capas)	1	2	3	4
Volumen (en pulgadas cúbicas)	12	24		

Multiplica la altura por _____.

1. ¿Cómo cambia el volumen a medida que se agrega cada capa?

_____

_____

2. ¿Qué representa el número por el cual multiplicas la altura?

_____

_____

Entonces, el volumen del prisma rectangular de Sid es _____ pulg cub.

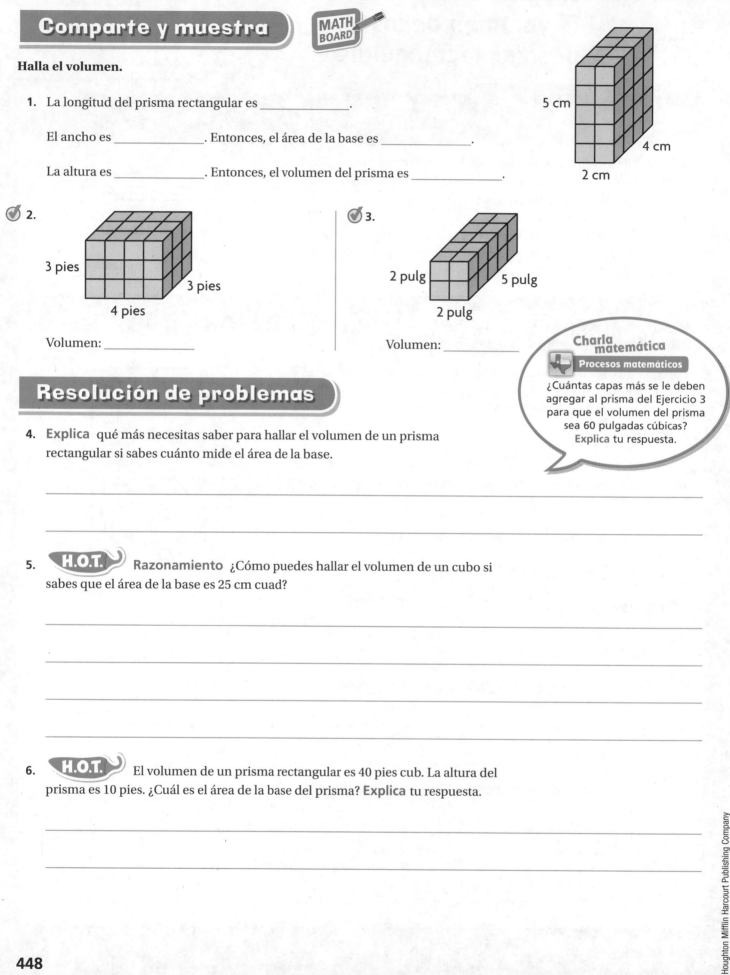

Comparte y muestra

MATH BOARD

Halla el volumen.

1. La longitud del prisma rectangular es _____.

   El ancho es _____. Entonces, el área de la base es _____.

   La altura es _____. Entonces, el volumen del prisma es _____.

5 cm

4 cm

2 cm

2. 3 pies

   3 pies

   4 pies

   Volumen: _____

3. 2 pulg

   5 pulg

   2 pulg

   Volumen: _____

Resolución de problemas

Charla matemática

Procesos matemáticos

¿Cuántas capas más se le deben agregar al prisma del Ejercicio 3 para que el volumen del prisma sea 60 pulgadas cúbicas? **Explica** tu respuesta.

4. **Explica** qué más necesitas saber para hallar el volumen de un prisma rectangular si sabes cuánto mide el área de la base.

   _____

   _____

5. **H.O.T.** **Razonamiento** ¿Cómo puedes hallar el volumen de un cubo si sabes que el área de la base es 25 cm cuad?

   _____

   _____

   _____

   _____

6. **H.O.T.** El volumen de un prisma rectangular es 40 pies cub. La altura del prisma es 10 pies. ¿Cuál es el área de la base del prisma? **Explica** tu respuesta.

   _____

   _____

Nombre _____

7. Kayan diseña una caja para cubos de azúcar. Cada cubo de azúcar tiene un volumen de 1 pulgada cúbica. Kayan quiere que cada capa tenga 12 cubos. Si quiere colocar 60 cubos en cada caja, ¿qué altura debe tener la caja?

_____

_____

_____

8. **H.O.T.** **Múltiples pasos** Las pelotas de golf se empacan en cajas de cartón que miden 2 pulgadas de largo, 2 pulgadas de ancho y 2 pulgadas de alto. Las cajas se empacan en envases más grandes que miden 20 pulgadas de largo, 30 pulgadas de ancho y 20 pulgadas de alto ¿Cuántas pelotas de golf cabrán en el envase más grande?

20 pulg   2 pulg
30 pulg
20 pulg

_____

_____

_____

_____

9. **Múltiples pasos** Yvette usa cubos de un centímetro para hacer una cama para su muñeca. La cama tiene forma de un prisma rectangular. Ella quiere que la longitud del prisma sea 15 cm. El ancho debe ser 5 cm y la altura 5 cm. ¿Cuántos cubos de un centímetro necesita Yvette?

_____

_____

_____

10. **H.O.T.** **Múltiples pasos** Cameron usa una bandeja para hornear rectangular cuya base mide 12 pulgadas cuadradas. Cameron vierte la mezcla en la bandeja de modo que haya 2 pulgadas de profundidad. El pastel cocido será 3 veces más alto que la mezcla. ¿Cuál es el volumen del pastel?

_____

_____

Tarea diaria de evaluación

Rellena el círculo completamente para mostrar tu respuesta.

11. Los lados de un bloque de queso con forma de cubo tienen una longitud de 6 pulgadas. El bloque de queso se corta en pedazos más pequeños. Cada pedazo tiene un volumen de 1 pulgada cúbica. ¿Cuántos pedazos de queso habrá?

   Ⓐ 18 pedazos

   Ⓑ 36 pedazos

   Ⓒ 216 pedazos

   Ⓓ 72 pedazos

12. Frank empaca recipientes con forma de cubo en cajas más grandes. Puede colocar 15 recipientes en cada capa. Si apila 8 capas en una caja, ¿cuál es el volumen de la caja?

   Ⓐ 64 cubos   Ⓒ 128 cubos

   Ⓑ 120 cubos   Ⓓ 256 cubos

13. **Múltiples pasos** Un bloque de queso rectangular tiene una longitud de 8 centímetros, un ancho de 4 centímetros y una altura de 3 centímetros. Si el bloque se corta en dos pedazos iguales, ¿cuál será el volumen de cada pedazo?

   Ⓐ 15 cm cúbicos

   Ⓑ 28 cm cúbicos

   Ⓒ 48 cm cúbicos

   Ⓓ 96 cm cúbicos

⭐ Preparación para la prueba de TEXAS

14. ¿Cuál es el volumen del prisma rectangular de la derecha?

   Ⓐ 28 cm cuad

   Ⓑ 140 cm cuad

   Ⓒ 28 cm cub

   Ⓓ 140 cm cub

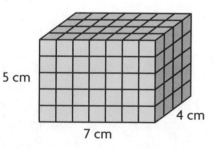

5 cm
4 cm
7 cm

Tarea y práctica

Nombre _____

12.3 El volumen de los prismas rectangulares

Halla el volumen.

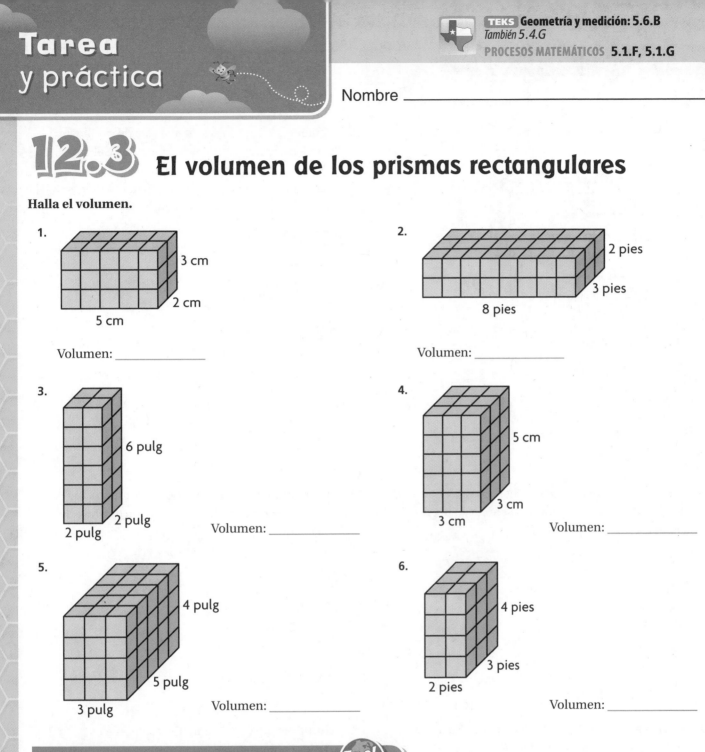

1.

3 cm
2 cm
5 cm

Volumen: _____

2.

2 pies
3 pies
8 pies

Volumen: _____

3.

6 pulg
2 pulg
2 pulg

Volumen: _____

4.

5 cm
3 cm
3 cm

Volumen: _____

5.

4 pulg
5 pulg
3 pulg

Volumen: _____

6.

4 pies
3 pies
2 pies

Volumen: _____

Resolución de problemas *En el mundo*

7. Lino tiene una colección de 50 cubos numerados que miden 1 pulgada cúbica cada uno. Encuentra una caja que tiene 4 pulgadas de alto. Llena el fondo de la caja con 12 cubos. ¿Puede Lino poner todos sus cubos numerados en la caja? **Explica** tu respuesta.

_____

_____

8. Maya quiere usar cubos de 1 centímetro para hacer un cubo más grande con lados de 3 centímetros de longitud. ¿Cuántos cubos de 1 centímetro necesitará Maya?

Rellena el círculo completamente para mostrar tu respuesta.

9. ¿Cuál es el volumen del siguiente prisma rectangular?

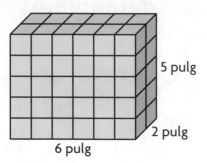

5 pulg

2 pulg

6 pulg

- Ⓐ 12 pulg cuad
- Ⓑ 60 pulg cuad
- Ⓒ 12 pulg cub
- Ⓓ 60 pulg cub

10. Miranda empaca cofres en una caja de exhibición que tiene forma de prisma rectangular. Coloca 4 hileras de 7 cofres en la capa inferior. Si coloca 6 capas en la caja de exhibición, ¿cuál es el volumen de la caja de exhibición?

- Ⓐ 168 cubos
- Ⓑ 28 cubos
- Ⓒ 196 cubos
- Ⓓ 66 cubos

11. Jaden llena una caja con 32 cubos. La caja tiene 4 cubos de largo y 2 cubos de ancho. ¿Cuántas capas de cubos hay en la caja?

- Ⓐ 3
- Ⓑ 4
- Ⓒ 8
- Ⓓ 5

12. Javier tiene cuarenta cubos de 1 centímetro. Construye un prisma rectangular con 6 cubos en la capa inferior. Quiere que le sobren pocos cubos. ¿Cuántas capas puede hacer Javier?

- Ⓐ 7
- Ⓑ 5
- Ⓒ 6
- Ⓓ 8

13. Múltiples pasos El despachador empaca un cubo cuyos lados miden 8 pulgadas de longitud en una caja cuyos lados miden 10 pulgadas de longitud. ¿Cuál es el volumen del espacio que queda en la caja para empacar materiales?

- Ⓐ 598 pulgadas cúbicas
- Ⓑ 1,000 pulgadas cúbicas
- Ⓒ 512 pulgadas cúbicas
- Ⓓ 488 pulgadas cúbicas

14. Múltiples pasos El volumen del cubo *A* es 64 pies cúbicos. ¿Cuál es el volumen del cubo *B* si la longitud de sus lados es la mitad de la longitud de los lados del cubo *A*?

- Ⓐ 8 pies cúbicos
- Ⓑ 32 pies cúbicos
- Ⓒ 16 pies cúbicos
- Ⓓ 4 pies cúbicos

12.4 Aplicar fórmulas de volumen

ÁLGEBRA

TEKS Geometría y medición: **5.6.B**
También 5.4.H
PROCESOS MATEMÁTICOS
5.1.A

? Pregunta esencial

¿Cómo puedes usar una fórmula para hallar el volumen de un prisma rectangular?

Conecta Ambos prismas muestran las mismas dimensiones y tienen el mismo volumen.

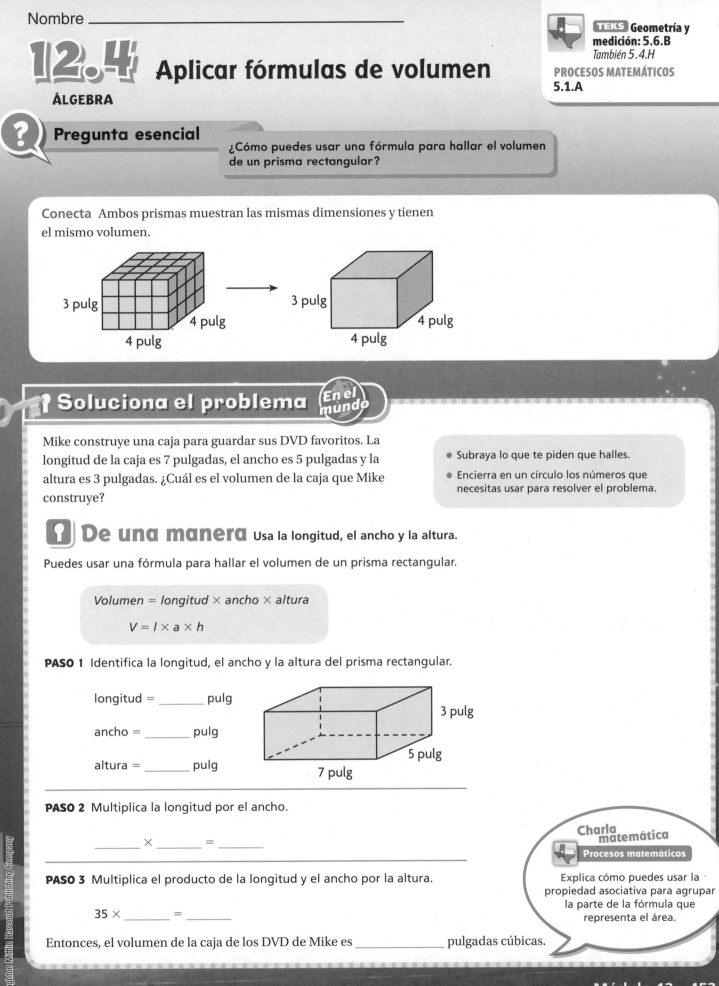

3 pulg
4 pulg
4 pulg

3 pulg
4 pulg
4 pulg

Soluciona el problema *En el mundo*

Mike construye una caja para guardar sus DVD favoritos. La longitud de la caja es 7 pulgadas, el ancho es 5 pulgadas y la altura es 3 pulgadas. ¿Cuál es el volumen de la caja que Mike construye?

- Subraya lo que te piden que halles.
- Encierra en un círculo los números que necesitas usar para resolver el problema.

De una manera Usa la longitud, el ancho y la altura.

Puedes usar una fórmula para hallar el volumen de un prisma rectangular.

$$Volumen = longitud \times ancho \times altura$$
$$V = l \times a \times h$$

PASO 1 Identifica la longitud, el ancho y la altura del prisma rectangular.

longitud = _____ pulg

ancho = _____ pulg

altura = _____ pulg

3 pulg
5 pulg
7 pulg

_____

PASO 2 Multiplica la longitud por el ancho.

_____ × _____ = _____

_____

PASO 3 Multiplica el producto de la longitud y el ancho por la altura.

35 × _____ = _____

Entonces, el volumen de la caja de los DVD de Mike es _____ pulgadas cúbicas.

Charla matemática

Procesos matemáticos

Explica cómo puedes usar la propiedad asociativa para agrupar la parte de la fórmula que representa el área.

Has aprendido una fórmula para hallar el volumen de un prisma rectangular. También puedes usar otra fórmula.

Volumen = *área de la base* × *altura*

$$V = B \times h$$

B = área de la figura de la base

h = altura del cuerpo geométrico

De otra manera Usa el área de la figura de la base y la altura.

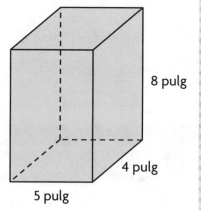

8 pulg
4 pulg
5 pulg

La familia de Emilio tiene un kit para hacer castillos en la arena. El kit contiene moldes de diferentes cuerpos geométricos que se pueden usar para construir castillos de arena. Uno de los moldes es un prisma rectangular como el que se muestra a la derecha. ¿Cuánta arena se necesitará para llenar el molde?

$V =$ B × h

Reemplaza B por una expresión para el área de la figura de la base. Reemplaza h por la altura del cuerpo geométrico.

$V = ($_____ × _____$) ×$ _____

Multiplica.

$V =$ _____ × _____

$V =$ _____ pulg cub.

Entonces, se necesitarán _____ pulgadas cúbicas de arena para llenar el molde del prisma rectangular.

Comparte y muestra

MATH BOARD

Halla el volumen.

1.

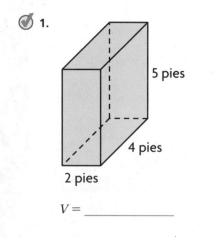

5 pies
4 pies
2 pies

$V =$ _____

2.

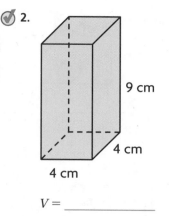

9 cm
4 cm
4 cm

$V =$ _____

454

Nombre _____

Resolución de problemas

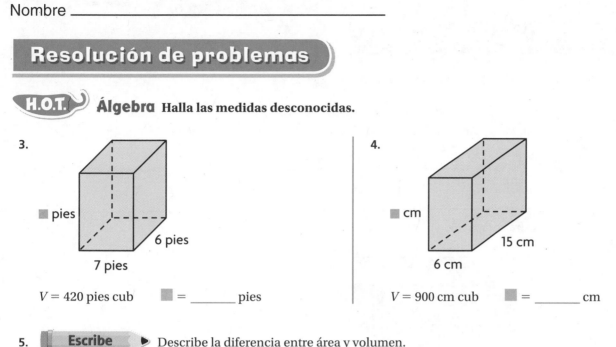

H.O.T. **Álgebra** Halla las medidas desconocidas.

3.

■ pies

6 pies

7 pies

V = 420 pies cub   ■ = _____ pies

4.

■ cm

15 cm

6 cm

V = 900 cm cub   ■ = _____ cm

5. **Escribe** ▶ Describe la diferencia entre área y volumen.

_____

_____

Resolución de problemas *En el mundo*

6. **Aplica** El restaurante Jade tiene un acuario grande en la entrada. La base del acuario es 5 pies por 2 pies. La altura del acuario es 4 pies. ¿Cuántos pies cúbicos de agua se necesitan para llenar completamente el acuario?

_____

7. **Múltiples pasos** El restaurante Pearl puso un acuario en la entrada más grande que el acuario del restaurante Jade. La base del acuario es 6 pies por 3 pies y la altura es 4 pies. ¿Cuántos pies cúbicos más de agua le caben al acuario del restaurante Pearl que al del restaurante Jade?

_____

8. **H.O.T.** Eddie midió su acuario con una caja pequeña de comida para peces. El área de la base de la caja es 6 pulgadas y la altura es 4 pulgadas. Eddie halló el volumen de su acuario, que es 3,456 pulgadas cúbicas. ¿Cuántas cajas de comida para peces podrían caber en el acuario? **Explica** tu respuesta.

_____

_____

_____

Tarea diaria de evaluación

Rellena el círculo completamente para mostrar tu respuesta.

9. Una caja de cartón tiene una longitud de 12 pulgadas, un ancho de 7 pulgadas y una altura de 4 pulgadas. ¿Cuál es el volumen de la caja?

   (A) 23 pulgadas cúbicas   (C) 46 pulgadas cúbicas

   (B) 84 pulgadas cúbicas   (D) 336 pulgadas cúbicas

10. ¿Qué expresión muestra cómo hallar el volumen del siguiente prisma?

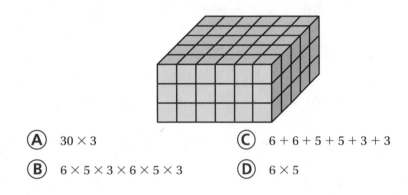

   (A) 30×3

   (B) $6 \times 5 \times 3 \times 6 \times 5 \times 3$

   (C) $6 + 6 + 5 + 5 + 3 + 3$

   (D) 6×5

11. **Múltiples pasos** Jumana construyó estos prismas con bloques en forma de cubo. ¿Cuántos bloques usó?

   (A) 120 bloques

   (B) 84 bloques

   (C) 21 bloques

   (D) 1,440 bloques

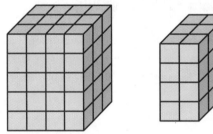

⭐ Preparación para la prueba de TEXAS

12. Adam guarda sus CD favoritos en una caja como la que se muestra a continuación. ¿Cuál es el volumen de la caja?

   (A) 750 centímetros cúbicos

   (B) 150 centímetros cúbicos

   (C) 1,050 centímetros cúbicos

   (D) 1,150 centímetros cúbicos

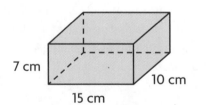

7 cm

10 cm

15 cm

Nombre _____

12.4 Aplicar fórmulas de volumen

Halla las medidas desconocidas.

1.

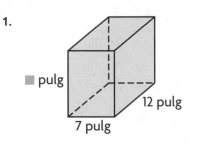

■ pulg
12 pulg
7 pulg

$V = 840$ pulg cub

■ = _____ pulg

2.

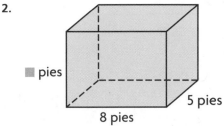

■ pies
5 pies
8 pies

$V = 240$ pies cub

■ = _____ pies

3.

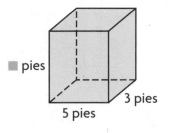

■ pies
3 pies
5 pies

$V = 90$ pies cub

■ = _____ pies

4.

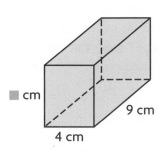

■ cm
9 cm
4 cm

$V = 180$ cm cub

■ = _____ cm

5.

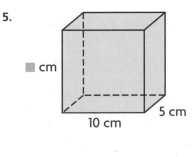

■ cm
5 cm
10 cm

$V = 500$ cm cub

■ = _____ cm

6.

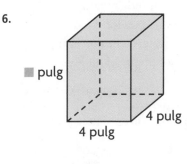

■ pulg
4 pulg
4 pulg

$V = 80$ pulg cub

■ = _____ pulg

Resolución de problemas

7. En el centro comunitario, el equipo para atletismo se guarda en un armario grande. El piso del armario mide 10 pies por 9 pies. La altura del armario es 8 pies. ¿Cuánto espacio tiene el armario?

8. Un armario de almacén mide 15 pies de largo, 2 pies de ancho y 4 pies de alto. ¿Cuántas cajas que miden 3 pies de largo, 2 pies de ancho y 1 pie de alto se pueden guardar en el armario?

Rellena el círculo completamente para mostrar tu respuesta.

9. ¿Qué expresión muestra cómo hallar el volumen del prisma que se muestra a continuación?

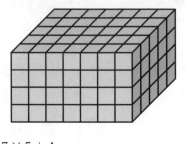

- Ⓐ $7 \times 5 + 4$
- Ⓑ 35×4
- Ⓒ $7 + 7 + 7 + 7 \times 5$
- Ⓓ $7 + 5 \times 4$

10. Jack construye una caja para una pajarera como la que se muestra a continuación.

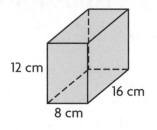

12 cm
16 cm
8 cm

¿Cuál es el volumen de la caja?

- Ⓐ 1,426 centímetros cúbicos
- Ⓑ 288 centímetros cúbicos
- Ⓒ 1,536 centímetros cúbicos
- Ⓓ 140 centímetros cúbicos

11. Un molde rectangular para hornear pasteles tiene una longitud de 13 pulgadas, un ancho de 9 pulgadas y una altura de 3 pulgadas. ¿Cuál es el volumen del molde?

- Ⓐ 117 pulgadas cúbicas
- Ⓑ 351 pulgadas cúbicas
- Ⓒ 120 pulgadas cúbicas
- Ⓓ 66 pulgadas cúbicas

12. Jada guarda su ropa de invierno en un baúl de madera que tiene una base con un área de 8 pies cuadrados y una altura de 2 pies. ¿Cuántos pies cúbicos de espacio contiene el baúl?

- Ⓐ 128 pies cúbicos
- Ⓒ 32 pies cúbicos
- Ⓑ 10 pies cúbicos
- Ⓓ 16 pies cúbicos

13. **Múltiples pasos** Malaya empaca dos maletas pequeñas. Cada una tiene una longitud de 2 pies, un ancho de 2 pies y una altura de 1 pie. ¿Cuál es la diferencia entre el volumen total de ambas maletas y el volumen de una maleta grande con una longitud de 4 pies, un ancho de 3 pies y una altura de 2 pies?

- Ⓐ 20 pies cúbicos
- Ⓑ 16 pies cúbicos
- Ⓒ 19 pies cúbicos
- Ⓓ 14 pies cúbicos

14. **Múltiples pasos** Candance y Trevor construyeron los prismas que se muestran a continuación con bloques en forma de cubo.

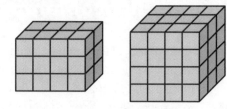

¿Cuántos bloques más se usaron en el prisma de mayor volumen?

- Ⓐ 24 bloques
- Ⓒ 12 bloques
- Ⓑ 48 bloques
- Ⓓ 36 bloques

12.5 RESOLUCIÓN DE PROBLEMAS
• Comparar volúmenes

TEKS Geometría y medición: 5.6.B

PROCESOS MATEMÁTICOS 5.1.B

? Pregunta esencial

¿Cómo puedes usar la estrategia *hacer una tabla* para comparar prismas rectangulares diferentes que tienen el mismo volumen?

? Soluciona el problema En el mundo

Adam tiene 50 cubos de una pulgada. Los cubos miden 1 pulgada en cada arista. Adam se pregunta cuántos prismas rectangulares con una base de diferente tamaño podría construir con todos los cubos de una pulgada.

Lee

¿Qué necesito hallar?

Necesito hallar el número de _____

con una _____ de diferente tamaño, que tengan

un volumen de _____.

¿Qué información me dan?

Puedo usar la formula _____

_____ y los factores de _____.

Planea

¿Cuál es mi plan o estrategia?

Usaré la fórmula y los factores de

50 en una _____ que muestre todas las posibles combinaciones de dimensiones con un

volumen de _____ sin repetir las dimensiones de las bases.

Resuelve

Completa la tabla.

Base (pulg cuad)	Altura (pulg)	Volumen (pulg cub)
(1 × 1)	50	(1 × 1) × 50 = 50
(1 × 2)	25	(1 × 2) × 25 = 50
(1 × 5)	10	(1 × 5) × 10 = 50
(1 × 10)	5	(1 × 10) × 5 = 50
(1 × 25)	2	(1 × 25) × 2 = 50
(1 × 50)	1	(1 × 50) × 1 = 50

1. ¿Qué más necesitas hacer para resolver el problema? _____

_____

2. ¿Cuántos prismas rectangulares con una base de diferente tamaño puede construir Adam con cincuenta cubos de una pulgada? _____

Haz otro problema

La Sra. Wilton quiere hacer un florero rectangular para ponerlo en su ventana. Quiere que en el florero quepan exactamente 16 pies cúbicos de tierra. ¿Cuántos floreros diferentes con dimensiones en números enteros y una base de diferente tamaño podrán contener exactamente 16 pies cúbicos de tierra?

Usa el siguiente organizador gráfico para resolver el problema.

Lee	Resuelve
¿Qué necesito hallar?	
¿Qué información me dan?	
Planea	
¿Cuál es mi plan o estrategia?	

Charla matemática

Procesos matemáticos

Explica en qué se diferencia un florero rectangular con dimensiones de (1 × 2) × 8 de uno con dimensiones de (2 × 8) × 1.

3. ¿Cuántos floreros con una base de diferente tamaño contendrán exactamente 16 pies cúbicos de tierra con dimensiones en números enteros?

_____

Nombre _____

Comparte y muestra

1. El Sr. Price hace pasteles que tienen un volumen de 360 pulgadas cúbicas. Los pasteles tienen 3 pulgadas de alto y longitudes y anchos que son números enteros diferentes. Ningún pastel tiene una longitud o un ancho de 1 ó 2 pulgadas. ¿Cuántos pasteles diferentes con una base de diferente tamaño tienen un volumen de 360 pulgadas cúbicas?

   Primero piensa en lo que necesitas hallar y la información que tienes.

   Luego haz una tabla con la información del problema.

   Por último usa la tabla para resolver el problema.

   _____

   _____

2. **H.O.T.** ¿Y si los pasteles de 360 pulgadas cúbicas midieran 4 pulgadas de profundidad y todas las longitudes y los anchos de números enteros fueran posibles? ¿Cuántos pasteles diferentes se podrían hacer? Imagina que el precio de un pastel de ese tamaño fuera $25 más $1.99 por cada 4 pulgadas cúbicas de pastel. ¿Cuánto costaría el pastel?

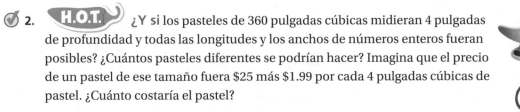

Matemáticas al instante

   _____

   _____

3. Una compañía fabrica piscinas inflables que vienen en cuatro tamaños de prismas rectangulares. La longitud de cada piscina es dos veces el ancho y dos veces la profundidad. La profundidad de cada una de las piscinas es un número entero entre 2 y 5 pies. Si las piscinas se llenan hasta arriba, ¿cuál es el volumen de cada piscina?

   _____

   _____

Resolución de problemas En el mundo

4. **H.O.T.** **Múltiples pasos** Katty tiene unas cintas que miden 7 pulgadas, 10 pulgadas y 12 pulgadas de longitud. **Explica** cómo puede usar estas cintas para medir una longitud de 15 pulgadas.

   _____

   _____

   _____

Tarea diaria de evaluación

Rellena el círculo completamente para mostrar tu respuesta.

5. **Analiza** Rhoda construye una plataforma con cubos de una pulgada. La plataforma tiene la forma de un prisma rectangular y necesita tener 4 pulgadas de alto. ¿Cuántas plataformas diferentes puede hacer Rhoda con solo 16 cubos de una pulgada?

(A) 2

(C) 4

(B) 3

(D) 5

6. Selena hace una escultura con 100 cubos de una pulgada. Quiere que la escultura con forma de un prisma rectangular tenga 2 pulgadas de alto. ¿Cuál de las siguientes opciones muestra la combinación de dimensiones que Selena NO debería usar?

(A) $(25 \times 2) \times 2$

(C) $(10 \times 5) \times 2$

(B) $(50 \times 1) \times 2$

(D) $(10 \times 10) \times 2$

7. **Múltiples pasos** Jonah tiene 20 cubos de una pulgada y los usa para construir un prisma rectangular. La altura del prisma es 10 pulgadas. Mila usa 20 cubos de una pulgada para construir un prisma rectangular que tiene una altura de 2 pulgadas. ¿Qué enunciado sobre el volumen de los dos prismas es verdadero?

(A) Los dos prismas no tienen el mismo volumen.

(B) Los dos prismas tienen el mismo volumen porque ambos se construyeron con 20 cubos de una pulgada.

(C) Los dos prismas tienen el mismo volumen porque Jonah y Mila usaron 20 cubos para un área de 20 pulgadas cuadradas.

(D) El volumen del primer prisma es cinco veces el volumen del segundo prisma.

⭐ Preparación para la prueba de TEXAS

8. John construye un baúl que tendrá un volumen de 1,200 pulgadas cúbicas. La longitud es 20 pulgadas y el ancho es 12 pulgadas. ¿Cuántas pulgadas de alto tendrá el baúl?

(A) 6 pulg

(C) 4 pulg

(B) 5 pulg

(D) 7 pulg

Tarea y práctica

Nombre _____

12.5 RESOLUCIÓN DE PROBLEMAS • Comparar volúmenes

1. Cole tiene un prisma rectangular que mide 4 pulgadas por 5 pulgadas por 6 pulgadas. Él dice que si cambia una dimensión, puede construir un prisma con un volumen de 240 pulgadas cúbicas. ¿Cuáles son las tres maneras en que Cole lo puede hacer?

   _____

2. Sydney quiere usar cubos de un centímetro para construir un prisma rectangular con una longitud de 8 centímetros, un ancho de 10 centímetros y una altura de 6 centímetros. Si los cubos de un centímetro vienen en paquetes de 100, ¿cuántos paquetes necesita Sydney para construir el prisma?

   _____

3. Rhoda tiene 27 cubos de una unidad. ¿Cuántos prismas rectangulares con una base de diferente tamaño puede hacer si usa todos los cubos de una unidad en cada prisma?

   _____

   _____

4. Alejandro tiene 64 cubos de 1 centímetro. Los usa para construir cubos cuyos lados tienen longitudes diferentes. ¿Cuántos cubos diferentes puede hacer? **Explica** tu respuesta.

   _____

   _____

Resolución de problemas En el mundo

5. Ava construye una caja para guardar cosas que mide 10 cm de largo, 12 cm de ancho y 10 cm de alto. Ava quiere construir otra caja que mida 10 cm de largo y 20 cm de alto. Si el volumen de las dos cajas es el mismo, ¿cuál es el ancho de la segunda caja?

   _____

Repaso de la lección

★ **Preparación para la prueba de TEXAS**

Rellena el círculo completamente para mostrar tu respuesta.

6. Dominic construye un prisma rectangular con cubos de un centímetro. El volumen de su prisma es 60 centímetros cúbicos. ¿Cuál de las siguientes opciones NO es una combinación de dimensiones posible para el prisma?

(A) $(5 \times 6) \times 3$

(B) $(2 \times 15) \times 2$

(C) $(6 \times 10) \times 1$

(D) $(4 \times 5) \times 3$

7. Un arquitecto construye un modelo de un edificio con un volumen de 1,440 centímetros cúbicos. La longitud del modelo es 15 centímetros y el ancho es 12 centímetros. ¿Cuántos centímetros de altura mide el modelo?

(A) 10 cm

(B) 8 cm

(C) 7 cm

(D) 12 cm

8. Erin diseña un mueble para sus trofeos con cubos de una pulgada. El mueble tiene forma de un prisma rectangular. ¿Cuántos muebles diferentes puede diseñar Erin con exactamente 12 cubos de una pulgada?

(A) 8

(B) 3

(C) 5

(D) 2

9. El volumen de un prisma rectangular es 140 pulgadas cúbicas. ¿Cómo se compara ese volumen con el volumen de un cubo que mide 5 pulgadas en cada lado?

(A) El volumen del prisma rectangular es mayor que el volumen del cubo.

(B) El volumen del cubo es mayor que el volumen del prisma rectangular.

(C) Los volúmenes son iguales.

(D) El volumen del prisma rectangular es menor que el volumen del cubo.

10. **Múltiples pasos** Se construyeron tres prismas rectangulares con cubos de un centímetro que tienen las siguientes dimensiones: Prisma A: $(6 \times 7) \times 5$; Prisma B: $(7 \times 4) \times 6$; Prisma C: $(6 \times 8) \times 4$. ¿Cuál de las siguientes opciones muestra los prismas en orden de mayor a menor volumen?

(A) $A; B; C$

(B) $B; C; A$

(C) $A; C; B$

(D) $C; A; B$

11. **Múltiples pasos** Seth construye un prisma rectangular con cubos de un centímetro que tiene una longitud de 12 centímetros, un ancho de 6 centímetros y una altura de 4 centímetros. Seth le agrega más cubos a su prisma y ahora el prisma tiene una altura de 6 centímetros. Si las medidas de la base son las mismas, ¿cuántos cubos más usó Seth?

(A) 72 cubos

(B) 288 cubos

(C) 144 cubos

(D) 78 cubos

☑ Evaluación del Módulo 12

Vocabulario

Elige el término correcto del recuadro.

Vocabulario
unidad cúbica
cubo de una unidad
prisma rectangular

1. Un _____ tiene una longitud, un ancho y una altura de 1 unidad. (pág. 435)

2. El volumen se mide en _____. (pág. 441)

Conceptos y destrezas

Cuenta el número de cubos que se usaron para construir cada cuerpo geométrico. ◆ TEKS 5.6.A

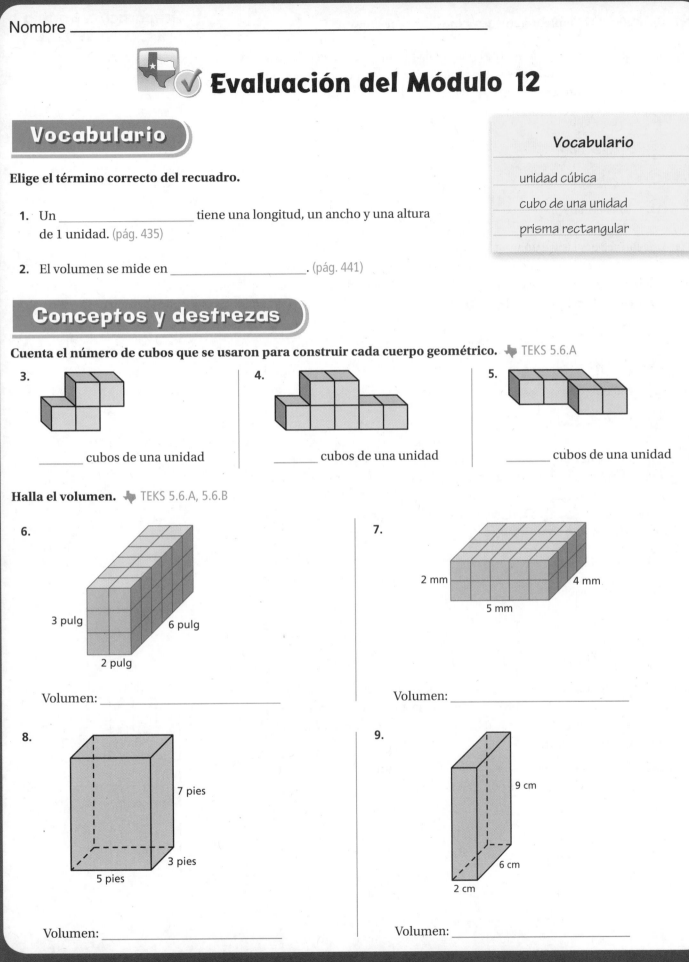

3.

_____ cubos de una unidad

4.

_____ cubos de una unidad

5.

_____ cubos de una unidad

Halla el volumen. ◆ TEKS 5.6.A, 5.6.B

6.

3 pulg
6 pulg
2 pulg

Volumen: _____

7.

2 mm
4 mm
5 mm

Volumen: _____

8.

7 pies
3 pies
5 pies

Volumen: _____

9.

9 cm
6 cm
2 cm

Volumen: _____

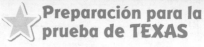
10. Sharri guardó su ropa de verano en una caja plástica que tiene una longitud de 3 pies, un ancho de 4 pies y una altura de 3 pies. ¿Cuál es el volumen de la caja plástica que usó Sharri? 🔻 TEKS 5.6.B

Ⓐ 36 pies cub

Ⓑ 21 pies cub

Ⓒ 24 pies cub

Ⓓ 10 pies cub

11. Una fábrica construye una caja de embalaje para enviar sus cajas de cereal. Cada caja de cereal tiene un volumen de 40 pulgadas cúbicas. Si a la caja de embalaje le caben 8 capas con 4 cajas de cereal en cada una, ¿cuál es el volumen de la caja de embalaje? 🔻 TEKS 5.6.B

Ⓐ 160 pulg cub

Ⓑ 320 pulg cub

Ⓒ 480 pulg cub

Ⓓ 1,280 pulg cub

12. Angela tiene que elegir entre dos acuarios. Un acuario tiene una base que mide 18 pulgadas por 14 pulgadas y una altura de 12 pulgadas. El otro acuario tiene una base que mide 25 pulgadas por 9 pulgadas y una altura de 14 pulgadas. ¿Cuál es la diferencia entre el volumen de los dos acuarios?
🔻 TEKS 5.6.B

Ⓐ 3,024 pulg cub

Ⓑ 3,150 pulg cub

Ⓒ 126 pulg cub

Ⓓ 150 pulg cub

13. Roberto quiere construir una caja de madera con un volumen de 8 pies cúbicos. ¿Cuántas cajas diferentes con dimensiones en números enteros y una base de diferente tamaño tendrán un volumen de 8 pies cúbicos? 🔻 TEKS 5.6.B

Anota tu resultado y rellena los círculos en la cuadrícula.
Asegúrate de usar el valor de posición correcto.

			.
⓪	⓪	⓪	
①	①	①	
②	②	②	
③	③	③	
④	④	④	
⑤	⑤	⑤	
⑥	⑥	⑥	
⑦	⑦	⑦	
⑧	⑧	⑧	
⑨	⑨	⑨	

13.1 Herramientas y unidades adecuadas

TEKS **Geometría y medición: 5.7**

PROCESOS MATEMÁTICOS
5.1.A, 5.1.C

? Pregunta esencial

¿Qué herramientas y unidades usarías para medir longitud, capacidad y peso o masa?

🔑 Soluciona el problema En el mundo

El Sr. Loren quiere medir la estatura de Eric. ¿Qué herramienta y unidad debe usar para medir la estatura de Eric?

🔒 **Di qué unidades se miden con cada herramienta.**

Unidades de longitud del sistema inglés (usual): pulgada, pie, yarda y milla		
regla _____	podómetro de rueda _____	podómetro _____
regla de 1 yarda _____		

Entonces, el Sr. Loren debe usar una _____ para medir la estatura de Eric y la

unidad que debe usar es _____.

Di qué unidades se miden con cada herramienta.

Unidades de capacidad del sistema inglés (usual): cucharadita, cucharada, taza, pinta, cuarto y galón		
_____	_____	_____

Peso: onza y libra	
balanza de resorte _____	báscula _____

Charla matemática

Procesos matemáticos

Explica cómo un agricultor podría pesar las ovejas para llevarlas a una feria.

🔑 Ejemplo

El Sr. Wilkins lleva su perro al veterinario. ¿Qué instrumento y unidad usaría el veterinario para medir la masa del perro?

Algunas unidades métricas para medir la masa son gramos, kilogramos y miligramos. Algunos instrumentos que se pueden usar son una balanza de platillos y una báscula.

Entonces, el veterinario usaría una _____ para medir la masa del

perro y la unidad que usaría es _____.

balanza de platillos

báscula

¡Inténtalo! Di qué unidades se miden con cada instrumento.

Unidades de longitud del sistema métrico: milímetro, centímetro, metro y kilómetro

regla métrica

metro

podómetro de rueda

podómetro

Idea matemática

El milímetro (mm), el mililitro (ml) y el miligramo (mg) son unidades métricas de longitud, capacidad y masa muy pequeñas.

Unidades de capacidad del sistema métrico: mililitro y litro

Comparte y muestra

Elige el instrumento y la unidad métrica adecuados.

1. longitud de un lápiz

   _____   _____

2. masa de una fresa

   _____   _____

3. capacidad de un frasco de medicina

   _____   _____

Sistema métrico	
Instrumentos	**Unidades**
regla métrica	milímetro
cuchara de medicamentos	metro
taza graduada	kilómetro
balanza de platillos	gramo
metro	kilogramo
podómetro	litro
podómetro de rueda	mililitro

Nombre _____

4.  **H.O.T.** **Múltiples pasos** María usó una unidad del sistema inglés (usual) para medir la altura de una planta de tomates recién sembrada y otra unidad del sistema inglés (usual) para medir la planta totalmente desarrollada. Usó la misma herramienta de medición las dos veces. ¿Qué herramienta usó? ¿Qué unidades usó?

_____

5. Jill desea saber la longitud de un carrito de juguete en unidades métricas. ¿Qué herramienta y unidad usará?

_____

6. **Usa herramientas** Glen usó onzas para medir el peso de un objeto. ¿Qué herramienta usó? ¿Cuál podría ser el objeto?

_____

Resolución de problemas En el mundo

7. **H.O.T.** **Razonamiento** ¿Sería una regla en pulgadas una herramienta razonable para medir la altura de una torre de agua que mide más de 68 pies de altura? **Explica** tu respuesta.

_____

_____

8. **Explica** ¿Qué unidad del sistema inglés (usual) es más probable que se use para medir la capacidad de una torre de agua? ¿Por qué?

_____

_____

9. **H.O.T.** **Múltiples pasos** ¿Qué herramienta usarías para hallar el perímetro de un patio rectangular? ¿Qué unidad usarías?

_____

▲ La torre de agua de Luling, Texas, se construyó y se pintó para que pareciera una sandía en honor del festival anual Thump de sandías del pueblo.

Tarea diaria de evaluación

Rellena el círculo completamente para mostrar tu respuesta.

10. Pablo nada 1 longitud de la piscina. ¿Qué unidad sería la mejor para medir la longitud de la piscina?

    (A) pulgada   (C) pie

    (B) centímetro   (D) kilómetro

11. ¿Cuál de las siguientes opciones probablemente medirías en gramos?

    (A) la masa de un arándano

    (B) la masa de una sandía

    (C) la longitud de un arándano

    (D) la altura de una sandía

12. **Múltiples pasos** Mila usó una taza graduada para hallar una medida en particular. Anotó la medida como 5 litros. ¿Qué pudo haber medido Mila?

    (A) el peso de un tazón de jugo

    (B) la capacidad de un tazón de jugo

    (C) el peso de un tazón de cereal

    (D) la capacidad de un tazón de cereal

⭐ Preparación para la prueba de TEXAS

13. **Usa herramientas** ¿Qué herramienta usarías para medir la capacidad de una taza de café?

    (A) regla métrica

    (B) balanza de resorte

    (C) taza graduada

    (D) recipiente de 1 litro

Tarea y práctica

Nombre _____

13.1 Herramientas y unidades adecuadas

Elige la herramienta y la unidad métrica adecuadas.

Sistema métrico	
Herramientas	**Unidades**
regla métrica	centímetro
cuchara de medicamentos	metro
taza graduada	kilómetro
balanza de platillos	gramo
metro	kilogramo
podómetro	litro
podómetro de rueda	mililitro

1. altura de un trofeo de fútbol

_____ _____

2. distancia recorrida desde la casa hasta el campo de fútbol

_____ _____

3. longitud del campo de fútbol

_____ _____

4. capacidad de un cubo

_____ _____

5. masa de una moneda

_____ _____

6. longitud de un auto

_____ _____

7. capacidad de un gotero

_____ _____

8. masa de una naranja

_____ _____

9. longitud del edificio de la escuela

_____ _____

Resolución de problemas

10. El río Guadalupe es un lugar muy popular entre los balseros y canoeros. ¿Cuál unidad del sistema inglés (usual) sería más probable que se usara para medir la longitud del río? ¿Por qué?

_____

_____

_____

11. ¿Sería una regla de una yarda una herramienta razonable para medir la longitud de un remo? **Explica** tu respuesta.

_____

_____

_____

_____

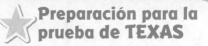
Rellena el círculo completamente para mostrar tu respuesta.

12. ¿Cuál de las opciones siguientes sería más probable que midieras en kilogramos?

(A) la masa de un clip

(B) la longitud de una herradura

(C) la longitud de una vaca *longhorn*

(D) la masa de una vaca *longhorn*

13. ¿Qué herramienta usarías para medir la masa de un teléfono celular?

(A) metro

(B) podómetro de rueda

(C) balanza de platillos

(D) podómetro

14. Cada primavera, los ciclistas participan en una carrera de dos días desde Houston hasta Austin para recolectar fondos. ¿Qué unidad sería la mejor para medir la distancia que recorren?

(A) metro

(B) kilómetro

(C) pie

(D) yarda

15. Kaylee mide la miel que vierte en un tazón que contiene los ingredientes para hacer una tanda de *muffins*. ¿Cuál es la medida más probable de la miel?

(A) 3 cucharadas

(B) 3 galones

(C) 3 litros

(D) 3 kilogramos

16. Brian le sirve helado a su familia. ¿Cuál es la medida más probable para la capacidad del recipiente de helado?

(A) 1 taza

(B) 1 galón

(C) 1 cucharadita

(D) 1 mililitro

17. ¿Qué recipiente probablemente tenga una capacidad que se mide en litros?

(A) un vaso

(B) una regadera

(C) un biberón

(D) una cuchara sopera

18. **Múltiples pasos** Tristan usó una taza graduada para hallar una medida en particular. Anotó la medida como 6 tazas. ¿Qué pudo haber medido Tristan?

(A) la capacidad de un tazón de mezclar

(B) el peso de un tazón de mezclar

(C) la capacidad de un vaso de jugo

(D) el peso de un vaso de jugo

19. **Múltiples pasos** Una científica mide un espécimen del museo. Anota la medida como 75 centímetros. ¿Qué pudo haber medido la científica?

(A) la longitud de un hueso de dinosaurio

(B) la masa de un hueso de dinosaurio

(C) la longitud de una piedra preciosa

(D) la masa de una piedra preciosa

13.2 Unidades de longitud del sistema inglés (usual)

TEKS Geometría y medición: 5.7.A
PROCESOS MATEMÁTICOS 5.1.D

? Pregunta esencial

¿Cómo puedes comparar y convertir unidades de longitud del sistema inglés (usual)?

🔑 Soluciona el problema En el mundo

Para construir un columpio nuevo, el Sr. Mattson necesita 9 pies de cuerda para cada lado del columpio y 6 pies más para las barras. En la ferretería se vende la cuerda por yardas.

- ¿Cuántos pies de cuerda necesita el Sr. Mattson

  para el columpio? _____

- ¿Cuántos pies necesita el Sr. Mattson para el

  columpio y las barras? _____

El Sr. Mattson necesita hallar cuántas yardas de cuerda debe comprar. Necesitará convertir 24 pies a yardas. ¿Cuántos grupos de 3 pies hay en 24 pies?

Una regla de 12 pulgadas es 1 pie.		

Una regla de 1 yarda es 1 yarda.

_____ pies = 1 yarda

🔑 Usa un diagrama de tiras para escribir una ecuación.

REPRESENTA

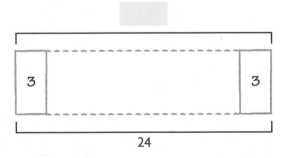

Entonces, el Sr. Mattson necesita comprar _____ yardas de cuerda.

ANOTA

total de pies	pies en 1 yarda	total de yardas
↓	↓	↓
24 ÷	_____ =	_____

Charla matemática
Procesos matemáticos

¿Qué operación usaste para hallar los grupos de 3 pies en 24 pies? ¿Multiplicas o divides cuando conviertes una unidad más pequeña a una unidad más grande? Explica tu respuesta.

🔑 Ejemplo

Usa la tabla para hallar la relación entre millas y pies.

La distancia entre la escuela secundaria nueva y el campo de fútbol americano es 2 millas. ¿En qué se parece esta distancia a 10,000 pies?

Cuando conviertes unidades más grandes a unidades más pequeñas, necesitas multiplicar.

Unidades de longitud del sistema inglés (usual)
1 pie (pie) = 12 pulgadas (pulg)
1 yarda (yd) = 3 pies
1 milla (mi) = 5,280 pies
1 milla = 1,760 yd

PASO 1   Convierte 2 millas a pies.

Piensa: 1 milla es igual a 5,280 pies.

Necesito _____ el número

total de millas por _____ .

total de millas	pies en 1 milla	total de pies
↓	↓	↓
2 ×	_____ =	_____

2 millas = _____ pies

PASO 2   Compara. Escribe <, > o =.

_____ pies ◯ 10,000 pies

Como _____ es _____ que 10,000, la distancia entre la escuela secundaria

nueva y el campo de fútbol americano es _____ que 10,000 pies.

- A veces necesitas convertir una unidad de medida en medidas mixtas. Convierte 62 pulgadas a pies y pulgadas.

Piensa: 1 pie es igual a 12 pulgadas.

62 ÷ _____ = _____ r _____ ó _____ pies _____ pulg

Comparte y muestra   MATH BOARD

Convierte.

1. 2 mi = _____ yd

✓ 2. 6 yd = _____ pies

✓ 3. 90 pulg = _____ pies _____ pulg

Charla matemática
Procesos matemáticos

Explica cómo sabes cuando tienes que multiplicar para convertir una medida.

474

Nombre _____

Resolución de problemas

Práctica: Copia y resuelve Convierte.

4. 60 pulg = ▓ pies

5. ▓ pies = 7 yd

6. 4 mi = ▓ yd

7. 120 pulg = ▓ pies

8. 46 pies = ▓ yd ▓ pies

9. 42 yd = ▓ pies

Usa los símbolos Compara. Escribe <, > o =.

10. 8 pies ◯ 3 yd

11. 2 mi ◯ 10,500 pies

12. 3 yd 2 pies ◯ 132 pulg

13. **H.O.T.** **Representaciones** Haz una tabla que muestre el número de pies y pulgadas en 1, 2, 3 y 4 yardas. ¿Qué notas en la relación entre el número de unidades más grandes y el número de unidades más pequeñas a medida que aumenta la longitud?

_____

_____

_____

Resolución de problemas En el mundo

14. **H.O.T.** **Múltiples pasos** Jason ayuda a su papá a construir una casa en un árbol. Tiene un pedazo de madera de 13 pies de longitud. ¿Cuántos pedazos puede cortar Jason que midan 1 yarda de longitud? ¿Cuánto le sobrará de una yarda?

_____

15. **H.O.T.** **Múltiples pasos** Patty construye una escalera de cuerda para una casa en un árbol. Necesita dos pedazos de cuerda de 5 pies para los lados de la escalera y 7 pedazos de cuerda de 18 pulgadas para los escalones. ¿Cuántos pies de cuerda necesita Patty para hacer la escalera? Escribe tu respuesta como un número mixto y como una medida mixta en pies y pulgadas.

Matemáticas al instante

_____

Tarea diaria de evaluación

Rellena el círculo completamente para mostrar tu respuesta.

16. Kelly vive a 2 millas de la escuela. Harry vive más cerca de la escuela que Kelly.
    ¿Cuál podría ser la distancia a la que vive Harry de la escuela?

    (A) 3,800 yardas

    (B) 10,560 pies

    (C) 10,600 pies

    (D) 3,461 yardas

17. Bart midió un pedazo de madera de 9 pies de longitud. ¿Cómo podría
    calcular la longitud de la madera en pulgadas?

    (A) $9 \div 12$

    (B) 9×12

    (C) $12 + 9$

    (D) $12 \div 9$

18. **Múltiples pasos** Aliesha tiene una cuerda de 55 pulgadas. Mike tiene una
    cuerda de 17 pulgadas más de largo. ¿Cuál es la longitud de la cuerda de Mike?

    (A) 1 yarda

    (B) 5 pies

    (C) 2 yardas

    (D) 7 pies

⭐ Preparación para la prueba de TEXAS

19. La entrada del estacionamiento de Katy mide 120 pies de longitud.
    ¿Cuántas yardas de longitud mide la entrada del estacionamiento de Katy?

    (A) 60 yardas

    (B) 40 yardas

    (C) 20 yardas

    (D) 10 yardas

Tarea y práctica

Nombre _____

13.2 Unidades de longitud del sistema inglés (usual)

Convierte.

1. 3 mi = ■ yd

2. 72 pulg = ■ pies

3. ■ pies = 8 yd

4. 132 pulg = ■ pies

5. 36 pies = ■ yd

6. 46 yd = ■ pies

7. 15 pies = ■ pulg

8. ■ pies = 24 yd 2 pies

9. ■ pies = 7 mi

Compara. Escribe <, > o =.

10. 2 mi ◯ 3,526 yd

11. 4 yd ◯ 13 pies

12. 5 mi ◯ 26,300 pies

13. 90 pies ◯ 32 yd

14. 27 pies ◯ 324 pulg

15. 5 yd 2 pies ◯ 200 pulg

Resolución de problemas En el mundo

16. Un cactus mide 1 yarda de alto. Una planta de yuca mide 35 pulgadas de alto. ¿Cuál planta es más alta? Di cómo lo sabes.

_____

_____

_____

17. La longitud de la entrada del estacionamiento de la casa de la familia Beecher es 20 yd. La longitud de su auto SUV es un cuarto de la longitud de la entrada del estacionamiento. ¿Cuántos pies de largo tiene el auto SUV?

_____

Rellena el círculo completamente para mostrar tu respuesta.

18. La longitud de un crucero es 1,092 pies. ¿Cuántas yardas de largo mide el crucero?

(A) 3,276 yardas

(B) 91 yardas

(C) 330 yardas

(D) 364 yardas

19. Nadia corre 8 millas cada fin de semana. ¿Cuántas yardas corre Nadia cada fin de semana?

(A) 14,080 yardas

(B) 42,240 yardas

(C) 14,960 yardas

(D) 220 yardas

20. Desde la erupción en 1980 del monte St. Helens en el estado de Washington, la elevación de su cúspide es aproximadamente 1,300 pies más baja. ¿Cómo puedes calcular la diferencia de elevación en pulgadas?

(A) $1,300 \times 12$

(B) $1,300 \div 12$

(C) $1,300 \times 3$

(D) $1,300 - 12$

21. La altura del Capitolio de Estados Unidos desde el suelo hasta el tope de la estatua de la libertad es 96 yardas. La altura del Capitolio de Texas es mayor que la del Capitolio de Estados Unidos. ¿Cuál podría ser la altura del Capitolio de Texas?

(A) 310 pies

(B) 288 pies

(C) 3,452 pulgadas

(D) 3,420 pulgadas

22. **Múltiples pasos** Joseph, el hermano mayor de Tyler, mide 5 pies 6 pulgadas de estatura. Joseph mide 16 pulgadas más que Tyler. ¿Cuánto mide Tyler?

(A) 4 pies 2 pulg

(B) 4 pies

(C) 6 pies 10 pulg

(D) 6 pies 4 pulg

23. **Múltiples pasos** Calvin pesca en un muelle que tiene 85 pulgadas de largo. ¿Cuál de las siguientes opciones es igual a 85 pulgadas?

(A) 2 yd 12 pies 1 pulg

(B) 2 yd 1 pie 1 pulg

(C) 1 yd 3 pies 1 pulg

(D) 1 yd 4 pies 3 pulg

13.3 Unidades de capacidad del sistema inglés (usual)

TEKS Geometría y medición: 5.7.A
PROCESOS MATEMÁTICOS
5.1.D, 5.1.G

? Pregunta esencial

¿Cómo puedes comparar y convertir unidades de capacidad del sistema inglés (usual)?

Soluciona el problema *En el mundo*

Mara tiene una lata de pintura con 3 tazas de pintura morada. También tiene un cubo con una capacidad de 26 onzas fluidas. ¿Le cabrá al cubo toda la pintura que tiene Mara?

La capacidad de un recipiente es la cantidad que le cabe al recipiente.

- ¿Qué capacidad necesita convertir Mara?

  _____

- Después de que Mara convierta las unidades, ¿qué debe hacer?

  _____

  _____

1 taza (tz) = _____ onzas fluidas (oz fl)

🔒 **Usa un diagrama de tiras para escribir una ecuación.**

PASO 1 Convierte 3 tazas a onzas fluidas.

REPRESENTA	ANOTA

REPRESENTA

8	8	8

ANOTA

total de tazas	onzas fluidas en 1 taza	total de oz fl
↓	↓	↓
3 ×	_____ =	_____

PASO 2 Compara. Escribe <, > o =.   _____ oz fl ◯ 26 oz fl

Como _____ onzas fluidas es _____ que 26 onzas fluidas, al

cubo de Mara _____ cabrá toda la pintura.

- ¿Y si Mara tuviera 7 tazas de pintura verde y un recipiente lleno con 64 onzas fluidas de pintura amarilla? ¿De qué color de pintura tendría más? **Explica** tu razonamiento.

  _____

  _____

🔑 Ejemplo

Coral hizo 32 pintas de refresco de frutas para una fiesta. Necesita transportar el refresco en recipientes de 1 galón. ¿Cuántos recipientes necesita Coral?

Unidades de capacidad del sistema inglés (usual)
1 taza (tz) = 8 onzas fluidas (oz fl)
1 pinta (pt) = 2 tazas
1 cuarto (ct) = 2 pintas
1 galón (gal) = 4 cuartos

Para convertir una unidad más pequeña a una unidad más grande, necesitas dividir. En ocasiones deberás convertir más de una vez.

Convierte 32 pintas a galones.

PASO 1 Escribe una ecuación para convertir pintas a cuartos.

total de pintas   pintas en 1 ct   total de cuartos

↓   ↓   ↓

32 ◯ _____ ◯ _____

PASO 2 Escribe una ecuación para convertir cuartos a galones.

total de cuartos   cuartos en 1 gal   total de galones

↓   ↓   ↓

_____ ◯ _____ ◯ _____

Entonces, Coral necesita _____ recipientes de 1 galón para transportar el refresco.

Comparte y muestra

MATH BOARD

1. Usa la ilustración para completar los enunciados y convertir 3 cuartos a pintas.

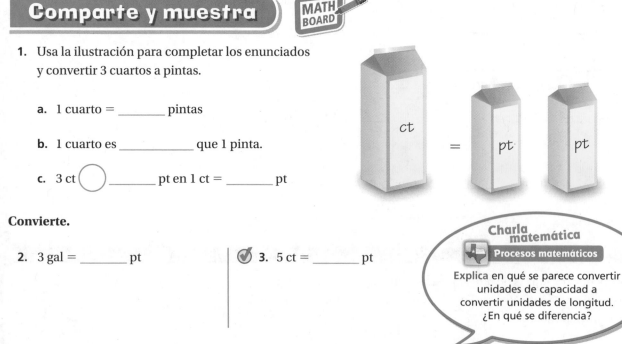

    a. 1 cuarto = _____ pintas

    b. 1 cuarto es _____ que 1 pinta.

    c. 3 ct ◯ _____ pt en 1 ct = _____ pt

Convierte.

2. 3 gal = _____ pt

3. 5 ct = _____ pt

Charla matemática

Procesos matemáticos

Explica en qué se parece convertir unidades de capacidad a convertir unidades de longitud. ¿En qué se diferencia?

4. 6 ct = _____ tz

Nombre _____

Resolución de problemas

Práctica: Copia y resuelve Compara. Escribe <, > o =.

5. 28 tz ◯ 14 pt

6. 25 pt ◯ 13 ct

7. 20 ct ◯ 80 tz

8. **Escribe** ▶ ¿Cuál de los Ejercicios del 5 al 7 puedes resolver mentalmente? **Explica** tu respuesta para un ejercicio.

_____

_____

Resolución de problemas *En el mundo*

Muestra tu trabajo. Usa la tabla para los ejercicios 9 a 11.

9. **H.O.T.** **Usa gráficas** Completa la tabla y haz una gráfica que muestre la relación entre cuartos y pintas.

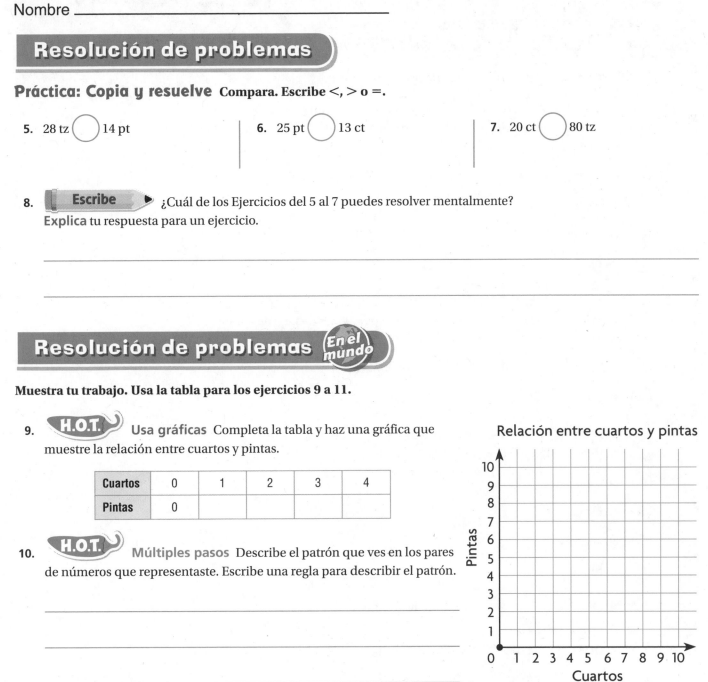

Relación entre cuartos y pintas

Cuartos	0	1	2	3	4
Pintas	0				

10. **H.O.T.** **Múltiples pasos** Describe el patrón que ves en los pares de números que representaste. Escribe una regla para describir el patrón.

_____

_____

11. **H.O.T.** ¿Qué otro par de unidades de capacidad del sistema inglés (usual) tienen la misma relación que pintas y cuartos? **Explica** tu respuesta.

_____

_____

_____

Tarea diaria de evaluación

Rellena el círculo completamente para mostrar tu respuesta.

12. El monstruo Malcolm necesita 3 cuartos de huevos de hormiga fritos para preparar su champú favorito. ¿Cuántas pintas de huevos de hormiga fritos necesita Malcolm?

Ⓐ 3 pintas

Ⓑ $1\frac{1}{2}$ pintas

Ⓒ 6 pintas

Ⓓ $9\frac{1}{3}$ pintas

13. Gina tiene un recipiente con capacidad para 32 onzas fluidas de jugo de naranja. ¿Qué operación usaría para hallar cuántos galones de jugo de naranja le caben al recipiente?

Ⓐ división   Ⓒ multiplicación

Ⓑ suma   Ⓓ resta

14. **Múltiples pasos** Marco tiene 10 cuartos de agua y 20 tazas de leche. ¿Qué cantidad de líquido tiene en total?

Ⓐ 60 tazas

Ⓑ 15 tazas

Ⓒ 60 cuartos

Ⓓ 15 pintas

⭐ Preparación para la prueba de TEXAS

15. Shelby hizo 5 cuartos de jugo para un *picnic*. ¿Cuántas tazas de jugo preparó Shelby?

Ⓐ 1 taza

Ⓑ 5 tazas

Ⓒ 10 tazas

Ⓓ 20 tazas

Tarea y práctica

Nombre _____

13.3 Unidades de capacidad del sistema inglés (usual)

Compara. Escribe $<$, $>$ o $=$.

1. 12 tz $\bigcirc$ 98 oz fl

2. 34 tz $\bigcirc$ 18 pt

3. 16 pt $\bigcirc$ 8 ct

4. 22 ct $\bigcirc$ 90 tz

5. 19 pt $\bigcirc$ 9 ct

6. 20 gal $\bigcirc$ 75 ct

7. 65 ct $\bigcirc$ 32 gal

8. 28 tz $\bigcirc$ 6 ct

9. 15 gal $\bigcirc$ 120 pt

10. **Explica** cómo puedes resolver el Ejercicio 3 mentalmente.

_____

_____

Resolución de problemas En el mundo

11. Completa la tabla y haz una gráfica que muestre la relación entre galones y cuartos.

Galones	0	1	2	3	4
Cuartos	0				

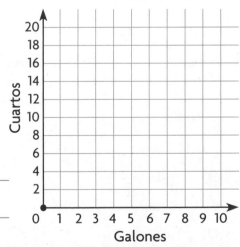

Relación entre galones y cuartos

12. Describe el patrón que ves en los pares de números que representaste. Escribe una regla para describir el patrón.

_____

_____

Rellena el círculo completamente para mostrar tu respuesta.

13. La heladería usa 1 pinta de leche en cada batido. ¿Cuántos batidos se pueden hacer con 24 cuartos de leche?

Ⓐ 96   Ⓒ 6

Ⓑ 12   Ⓓ 48

14. ¿Y si la heladería tuviera 8 galones de leche? ¿Cuántos batidos se pueden hacer con 8 galones si cada batido contiene 1 pinta de leche?

Ⓐ 64   Ⓒ 128

Ⓑ 32   Ⓓ 16

15. Allan necesita 3 cuartos de agua para llenar una olla de sopa. ¿Cuántas veces necesita llenar una taza graduada de 8 onzas para llenar la olla?

Ⓐ 16

Ⓑ 12

Ⓒ 24

Ⓓ 4

16. Noriko y sus amigos hicieron 26 pintas de limonada para vender en un evento de recaudación de fondos. ¿Qué operación usará Noriko para hallar cuántas tazas de limonada tienen para vender?

Ⓐ suma

Ⓑ resta

Ⓒ multiplicación

Ⓓ división

17. La tienda de pintura tiene 45 galones de pintura blanca en inventario. ¿Cuántos cuartos de pintura blanca hay en la tienda?

Ⓐ 90 cuartos   Ⓒ 9 cuartos

Ⓑ 360 cuartos   Ⓓ 180 cuartos

18. ¿Qué expresión puedes usar para convertir 32 tazas a pintas?

Ⓐ $32 \div 4$ Ⓒ 32×2

Ⓑ $32 \div 2$ Ⓓ 32×4

19. Múltiples pasos Los Holdbrooks ordenaron 25 galones de jugo de naranja y 16 pintas de jugo de arándano para su restaurante. ¿Qué cantidad de jugo tienen en total?

Ⓐ 57 galones

Ⓑ 29 galones

Ⓒ 216 pintas

Ⓓ 164 pintas

20. Múltiples pasos La Sra. Sullivan calcula que necesita 12 galones de pintura para pintar su casa. Ya tiene 8 cuartos de la pintura que necesita. ¿Cuántos galones de pintura necesita comprar?

Ⓐ 10 galones

Ⓑ 4 galones

Ⓒ 8 galones

Ⓓ 6 galones

13.4 Peso

TEKS Geometría y medición: 5.7.A

PROCESOS MATEMÁTICOS
5.1.D, 5.1.E

? Pregunta esencial

¿Cómo puedes comparar y convertir unidades de peso del sistema inglés (usual)?

Soluciona el problema En el mundo

La escuela de Héctor tendrá una competencia de cohetes a escala. Cada cohete debe pesar 4 libras o menos para poder calificar. El cohete de Héctor pesa 62 onzas sin pintar. ¿Cuál es el peso máximo que puede tener la pintura para que el cohete a escala de Héctor pueda calificar?

● ¿Qué peso necesita convertir Héctor?

_____

● Después de que Héctor convierta el peso, ¿qué debe hacer?

_____

1 libra = _____ onzas

Usa un diagrama de tiras para escribir una ecuación.

PASO 1   Convierte 4 libras a onzas.

REPRESENTA

| 16 | 16 | 16 | 16 |

ANOTA

total de lb   oz en 1 lb   total de oz
↓   ↓   ↓
4 ◯ _____ ◯ _____

PASO 2   Réstale el peso del cohete al total de onzas que puede pesar un cohete para calificar.

_____ − 62 = _____

Entonces, la pintura puede tener un peso máximo de _____ onzas para que el cohete a escala de Héctor pueda calificar.

Charla matemática
Procesos matemáticos
¿Cómo elegiste la operación que debías usar para convertir libras a onzas? Explica tu respuesta.

Ejemplo

Cada uno de los cohetes de lanzamiento de un transbordador espacial de Estados Unidos pesa 1,292,000 libras cuando el transbordador despega. ¿Cuántas toneladas pesa cada uno de los cohetes de lanzamiento?

Usa el cálculo mental para convertir libras a toneladas.

		Unidades de peso
PASO 1 Determina qué operación vas a usar.	Como las libras son unidades más pequeñas que las toneladas, necesito _____ el número de libras entre _____.	1 libra (lb) = 16 onzas (oz) 1 tonelada (t) = 2,000 lb
PASO 2 Separa 2,000 en dos factores que sean fáciles de dividir mentalmente.	2,000 = _____ × 2	
PASO 3 Divide 1,292,000 entre el primer factor. Luego divide el cociente entre el segundo factor.	1,292,000 ÷ _____ = _____ _____ ÷ 2 = _____	

Entonces, cada uno de los cohetes de lanzamiento pesa _____ toneladas cuando el transbordador despega.

Comparte y muestra

MATH BOARD

1. Usa la ilustración para completar cada ecuación.

   a. 1 libra = _____ onzas

   b. 2 libras = _____ onzas

   c. 3 libras = _____ onzas

   d. 4 libras = _____ onzas

   e. 5 libras = _____ onzas

Convierte.

2. 15 lb = _____ oz

3. 3 t = _____ lb

4. 320 oz = _____ lb

Charla matemática
Procesos matemáticos
Explica cómo puedes comparar mentalmente 11 libras y 175 onzas.

Nombre _____

Práctica: Copia y resuelve Convierte.

5. 23 lb = ▨ oz

6. 6 t = ▨ lb

7. 144 oz = ▨ lb

8. 15 t = ▨ lb

9. 352 oz = ▨ lb

10. 18 lb = ▨ oz

Usa los símbolos. Compara. Escribe <, > o =.

11. 130 oz ◯ 8 lb

12. 16 t ◯ 32,000 lb

13. 14 lb ◯ 229 oz

14. **Escribe** ▶ **Explica** cómo puedes usar el cálculo mental para comparar 7 libras y 120 onzas.

_____

_____

_____

_____

Escribe ▶ **Muestra tu trabajo** • • • •

Resolución de problemas En el mundo

15. **H.O.T.** **Múltiples pasos** Kia quiere tener 4 libras de bocadillos para su fiesta. Tiene 36 onzas de palomitas de maíz y quiere que el resto sean palitos de *pretzel*. ¿Cuántas onzas de palitos de *pretzel* necesita comprar?

_____

16. **H.O.T.** **Múltiples pasos** Kevin usa 36 onzas de manzanas secas y 18 onzas de arándanos secos para hacer una mezcla de frutas surtidas. Planea venderlas en bolsas de $\frac{1}{2}$ libra. ¿Cuántas bolsas llenará? ¿Sobrarán frutas surtidas?

Matemáticas al instante

Tarea diaria de evaluación

Rellena el círculo completamente para mostrar tu respuesta.

17. El cerebro de un elefante pesa aproximadamente 11 libras mientras que el cerebro de un ser humano pesa unas 48 onzas. ¿Cuántas onzas más pesa el cerebro de un elefante que el de un ser humano?

    (A) 37 onzas

    (B) 128 onzas

    (C) 4 onzas

    (D) 592 onzas

18. **Usa los símbolos** ¿Cuál de las siguientes desigualdades es correcta?

    (A) 63 onzas > 4 libras

    (B) 40 libras < 600 onzas

    (C) 3.5 toneladas > 5,000 libras

    (D) 200 libras < 3,000 onzas

19. **Múltiples pasos** Cada mañana el restaurante recibe un bloque de mantequilla de 9 libras. Para una receta de 1 olla de sopa se necesitan 6 onzas de mantequilla. Si se usa toda la mantequilla, ¿cuántas ollas de sopa puede preparar el restaurante diariamente?

    (A) 24 ollas de sopa

    (B) 18 ollas de sopa

    (C) 11 ollas de sopa

    (D) 4 ollas de sopa

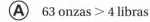

Preparación para la prueba de TEXAS

20. Carlos usó 32 onzas de nueces para una receta de pastelitos. ¿Cuántas libras de nueces usó Carlos?

    (A) 8 libras   **(C)** 2 libras

    (B) 4 libras   **(D)** 1 libra

Tarea y práctica

Nombre _____

13.4 Peso

Convierte.

1. 160 oz = ▇ lb

2. 5 t = ▇ lb

3. 16 lb = ▇ oz

4. 12 t = ▇ lb

5. 128 oz = ▇ lb

6. 26 lb = ▇ oz

Compara. Escribe <, > o =.

7. 140 oz ◯ 9 lb

8. 7 t ◯ 15,000 lb

9. 208 oz ◯ 13 lb

10. 23 lb ◯ 365 oz

11. 20 t ◯ 40,000 lb

12. 19 lb ◯ 298 oz

13. **Explica** cómo puedes usar el cálculo mental para comparar 175 onzas y 11 libras.

_____

_____

Resolución de problemas En el mundo

14. En la tienda, los cacahuates al por mayor cuestan $0.30 la onza. ¿Cuánto costarán 2 libras de cacahuate?

_____

15. En la tienda, las nueces al por mayor cuestan $0.65 la onza. ¿Cuánto gastarás si compras 1 libra 8 onzas de cacahuates y 2 libras de nueces?

_____

Rellena el círculo completamente para mostrar tu respuesta.

16. El perro *cocker spaniel* de Greg pesa 32 libras. Su gatito pesa 15 onzas. ¿Cuántas onzas más pesa el perro que el gatito?

Ⓐ 256 onzas

Ⓑ 241 onzas

Ⓒ 497 onzas

Ⓓ 512 onzas

17. La máquina de refrigerios del parque de béisbol tiene 48 onzas de papitas. ¿Cuántas libras de papitas hay en la máquina de refrigerios?

Ⓐ 4 libras

Ⓑ 2 libras

Ⓒ 6 libras

Ⓓ 3 libras

18. Una bolsa de hojuelas de maíz pesa 8 onzas. ¿Cuántas bolsas de hojuelas pesan 12 libras?

Ⓐ 24

Ⓑ 6

Ⓒ 16

Ⓓ 48

19. ¿Cuál expresión se podría usar para convertir 86,000 libras a toneladas?

Ⓐ $86,000 \div 1,000$

Ⓑ $86,000 \times 1,000$

Ⓒ $86,000 \times 2,000$

Ⓓ $86,000 \div 2,000$

20. ¿Cuál de las siguientes desigualdades es correcta?

Ⓐ 12.5 libras > 200 onzas

Ⓑ 490 onzas > 30 libras

Ⓒ 6 toneladas < 10,000 libras

Ⓓ 8,000 libras < 4 toneladas

21. Un auto pesa 2 toneladas. ¿Cuántas onzas hay en 2 toneladas?

Ⓐ 64,000

Ⓑ 4,000

Ⓒ 32,000

Ⓓ 6,400

22. **Múltiples pasos** Ocho pelotas de béisbol pesan 40 onzas. ¿Cuántas libras pesan 16 pelotas de béisbol?

Ⓐ 5 libras

Ⓑ 4 libras

Ⓒ 20 libras

Ⓓ 80 libras

23. **Múltiples pasos** Una pelota de fútbol americano pesa 14 onzas. La caja de pelotas de fútbol americano pesa 7 libras. ¿Cuántas pelotas de fútbol americano hay en la caja?

Ⓐ 12

Ⓑ 8

Ⓒ 7

Ⓓ 4

13.5 Problemas de medición de múltiples pasos

TEKS Geometría y medición: 5.7.A
PROCESOS MATEMÁTICOS 5.1.A

? Pregunta esencial

¿Cómo puedes resolver problemas de múltiples pasos que incluyan conversiones de medidas?

Soluciona el problema En el mundo

Un grifo dañado en la casa de Jarod gotea 2 tazas de agua al día. Después de gotear durante 2 semanas, arreglan el grifo. Si goteó la misma cantidad de agua cada día, ¿cuántos cuartos de agua goteó el grifo en 2 semanas?

Usa los pasos para resolver el problema de múltiples pasos.

PASO 1

Anota la información que te dan.

El grifo gotea _____ tazas de agua cada día.

El grifo gotea durante _____ semanas.

PASO 2

Halla la cantidad total de agua que el grifo goteó en 2 semanas.

Como te dan la cantidad de agua que el grifo goteó cada día, debes convertir 2 semanas en días y multiplicar.

Piensa: Hay 7 días en 1 semana.

tazas por día   días en 2 semanas   total de tazas
↓   ↓   ↓

2   ×   _____   =   _____

El grifo gotea _____ tazas en 2 semanas.

PASO 3

Convierte de tazas a cuartos.

Piensa: Hay 2 tazas en 1 pinta.

Hay 2 pintas en 1 cuarto.

_____ tazas = _____ pintas

_____ pintas = _____ cuartos

Entonces, el grifo goteó _____ cuartos de agua en 2 semanas.

• ¿Y si el grifo hubiera goteado durante 4 semanas antes de que lo arreglaran? ¿Cuántos cuartos de agua habría goteado?

_____

Ejemplo

Un cartón de huevos grandes grado A pesa aproximadamente 1.5 libras. Si a un cartón le cabe una docena de huevos, ¿cuántas onzas pesa cada huevo?

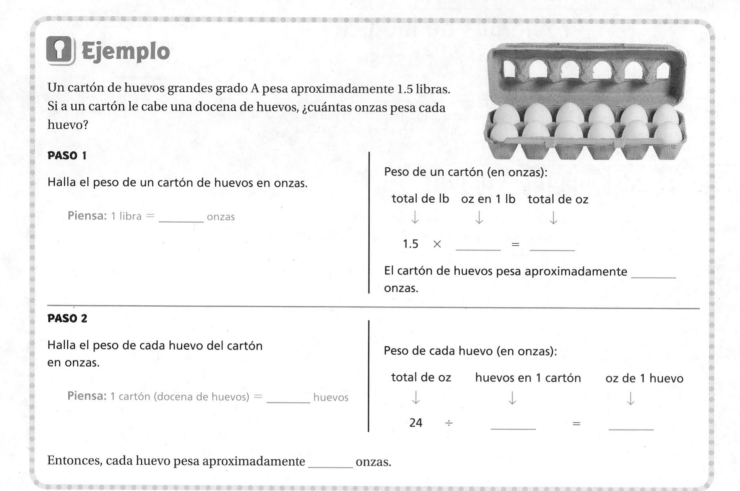

PASO 1

Halla el peso de un cartón de huevos en onzas.

Piensa: 1 libra = _____ onzas

Peso de un cartón (en onzas):

total de lb	oz en 1 lb	total de oz
↓	↓	↓
1.5 ×	_____	= _____

El cartón de huevos pesa aproximadamente _____ onzas.

PASO 2

Halla el peso de cada huevo del cartón en onzas.

Piensa: 1 cartón (docena de huevos) = _____ huevos

Peso de cada huevo (en onzas):

total de oz	huevos en 1 cartón	oz de 1 huevo
↓	↓	↓
24 ÷	_____	= _____

Entonces, cada huevo pesa aproximadamente _____ onzas.

Comparte y muestra

Resuelve.

1. Después de cada práctica de fútbol, Scott corre 4 carreras cortas de 20 yardas cada una. Si continúa esta rutina, ¿cuántas veces tendrá que repetirla para correr una distancia total de 2 millas?

   Scott corre _____ yardas en cada práctica.

   Como hay _____ yardas en 2 millas, Scott necesitará repetir la rutina

   _____ veces.

2. Un trabajador de una molinería envasa cajas con bolsas de 5 libras de harina para trasladarlas a un almacén local. A cada caja le caben 12 bolsas de harina. Si el almacén hace un pedido de 3 toneladas de harina, ¿cuántas cajas se necesitan para entregar el pedido?

3. Cory lleva cinco jarras de 1 galón de jugo a la escuela para servir durante una reunión de padres. Si en los vasos de papel que usa para servir las bebidas caben 8 onzas fluidas, ¿cuántas bebidas puede servir Cory durante la reunión de padres?

Charla matemática

Procesos matemáticos

Explica los pasos que seguiste para resolver el Ejercicio 2.

Nombre _____

Resuelve.

4. **Aplica** Una maestra de ciencias necesita recoger agua de un lago para una práctica de laboratorio que está enseñando sobre cómo purificar el agua. La práctica de laboratorio requiere que cada estudiante use 4 onzas fluidas de agua de lago. Si 68 estudiantes participan, ¿cuántas pintas de agua de lago necesitará recoger la maestra?

5. **H.O.T.** **Usa diagramas** Un cable de luces decorativas mide 28 pies de largo. La primera luz del cable está a 16 pulgadas del enchufe. Si las luces están a 4 pulgadas de separación, ¿cuántas luces hay en en el cable? Haz un dibujo para resolver el problema.

6. **Múltiples pasos** Cuando el auto de Jamie se mueve hacia delante de modo que cada rueda realiza una rotación completa, el auto ha recorrido 72 pulgadas. ¿Cuántas rotaciones completas realizan las ruedas cuando el auto de Jamie recorre 10 yardas?

7. **Múltiples pasos** Un elefante africano pesa 7 toneladas. Si un león africano del zoológico local pesa 13,650 libras menos que el elefante africano, ¿cuántas libras pesa el león?

Resolución de problemas En el mundo

8. **Múltiples pasos** Una compañía de equipo de oficina envía un cajón de lápices a una tienda. Hay 64 cajas de lápices en el cajón. Si cada caja de lápices pesa 2.5 onzas, ¿cuál es el peso en libras del cajón de lápices?

9. **H.O.T.** En un refugio local de animales hay 12 perros pequeños y 5 perros medianos. Todos los días, a cada perro pequeño se le da 12.5 onzas de comida seca y a cada perro mediano se le da 18 onzas de la misma comida seca. ¿Cuántas libras de comida seca consume el refugio en un día?

Matemáticas al instante

Tarea diaria de evaluación

Rellena el círculo completamente para mostrar tu respuesta.

10. **Analiza** En una tira cómica, un tiburón de 2.3 toneladas está en un platillo de una balanza de platillos. En el otro platillo, las focas están amontonadas tratando de sobrepasar el peso del tiburón. ¿Cuál es el menor número de focas de 150 libras que en conjunto tendrían un peso mayor que el peso del tiburón?

Ⓐ 28 focas

Ⓑ 30 focas

Ⓒ 29 focas

Ⓓ 31 focas

11. Sara tiene 2 libras de pollo. Usa 5 onzas de pollo para preparar la cena. ¿Cómo puedes determinar la masa del pollo que le sobra a Sara?

Ⓐ Divide 2 entre 16 y resta 5.

Ⓑ Divide 2 entre 16 y suma 5.

Ⓒ Multiplica 2 entre 16 y resta 5.

Ⓓ Multiplica 2 entre 16 y suma 5.

12. **Múltiples pasos** Liván tiene tres pedazos de cinta. Un pedazo mide 4 yardas de largo, otro mide 5 pies de largo y el último mide 10 pulgadas de largo. ¿Qué cantidad de cinta tiene Liván en total?

Ⓐ 214 pulgadas   Ⓒ 19 pulgadas

Ⓑ 118 pulgadas   Ⓓ 57 pulgadas

Preparación para la prueba de TEXAS

13. Para una tarea, se les pide a los estudiantes que anoten la cantidad total de agua que beben en un día. Melinda anota que ella bebe cuatro vasos de 8 onzas fluidas y dos botellas de 1 pinta. ¿Cuántos cuartos de agua bebe Melinda durante el día?

Ⓐ 2 cuartos

Ⓑ 4 cuartos

Ⓒ 3 cuartos

Ⓓ 8 cuartos

Tarea y práctica

Nombre _____

13.5 Problemas de medición de múltiples pasos

Resuelve.

1. Diego bebe 16 onzas de su bebida deportiva favorita todos los días después de la práctica de fútbol durante 2 semanas. ¿Cuántos cuartos de la bebida deportiva consume Diego en 2 semanas?

2. Una granjera coloca una cerca alrededor de un corral cuadrado. El perímetro del corral es 32 pies. Los postes de la cerca estarán a 16 pulgadas de separación. La granjera primero coloca 1 poste en cada esquina del corral. ¿Cuántos postes usa en total? Haz un dibujo para representar el problema.

3. Una koala pesa 20 libras. En su bolsa lleva su cría que pesa 20 onzas. ¿Cuál es el peso conjunto de la mamá koala y su cría en onzas?

4. El viernes, a 32 estudiantes de la clase del Sr. Tanika se les sirve 6 onzas de leche a cada uno en el almuerzo. ¿Cuántos cuartos de leche se le sirvieron a la clase el viernes?

Resolución de problemas *En el mundo*

5. Vanesa compró 5 pies de cinta. Cortó 36 pulgadas para envolver un regalo y 18 pulgadas para decorar su álbum de recortes. ¿Cuánta cinta le queda a Vanesa?

6. Los estudiantes llenan saquitos de frijoles para jugar un juego de números en la clase. Cada saquito contiene 3 tazas de frijoles. Los estudiantes tienen un recipiente de 1 pinta, un recipiente de 1 cuarto y uno de 1 galón llenos de frijoles para llenar los saquitos. ¿Cuál es la mayor cantidad de saquitos de frijoles que pueden hacer?

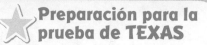
Rellena el círculo completamente para mostrar tu respuesta.

7. Un ladrillo grande pesa 8 libras. Uno pequeño pesa 52 onzas. ¿Cómo puedes determinar la diferencia de peso entre el ladrillo grande y el pequeño?

Ⓐ Divide 16 entre 8 y suma 52.

Ⓑ Divide 16 entre 8 y resta 52.

Ⓒ Multiplica 8 por 16 y suma 52.

Ⓓ Multiplica 8 por 16 y resta 52.

8. Ariel tiene un galón de jugo y un cuarto de jugo. ¿Cuántas tazas de jugo tiene Ariel?

Ⓐ 20

Ⓑ 36

Ⓒ 12

Ⓓ 44

9. El veterinario pesa los dos perros de Jim. El *collie* pesa 37 libras. El *terrier* pesa 240 onzas. ¿Cuál es el peso total de los perros de Jim?

Ⓐ 592 onzas

Ⓑ 52 libras

Ⓒ 53 libras

Ⓓ 12 libras

10. Un ascensor tiene un límite máximo de peso de 1.5 toneladas. Los trabajadores de la compañía Rozell usan el ascensor para transportar cajas que pesan 150 libras al primer piso. ¿Cuál es la mayor cantidad de cajas que pueden transportarse en el ascensor?

Ⓐ 16

Ⓑ 13

Ⓒ 10

Ⓓ 20

11. Múltiples pasos Un artista pintó un mural rectangular en la pared. Dos lados del mural miden 26 pulgadas de largo cada uno. Los otros dos lados miden 2 yardas de largo cada uno. ¿Cuál es el perímetro del mural?

Ⓐ 98 pulgadas

Ⓑ 196 pulgadas

Ⓒ 62 pulgadas

Ⓓ 144 pulgadas

12. Múltiples pasos Vince tiene una alfombra rectangular en su cuarto con un área de 10 pies. La alfombra mide 18 pulgadas más de largo que de ancho. ¿Cuáles podrían ser las dimensiones de la alfombra?

Ⓐ largo: 4 pies; ancho: 2.5 pies

Ⓑ largo: 2 pies; ancho: 3 pies

Ⓒ largo: 5 pies; ancho: 2 pies

Ⓓ largo: 2.5 pies; ancho: 4 pies

13.6 Medidas métricas

? Pregunta esencial

¿Cómo puedes comparar y convertir unidades métricas?

🔑 Soluciona el problema En el mundo

Alex usa un mapa para estimar la distancia entre su casa y la casa de sus abuelos, que es aproximadamente 15,000 metros . ¿Aproximadamente a cuántos kilómetros de la casa de los abuelos vive Alex?

- Subraya la oración que te indica lo que debes hallar.
- Encierra en un círculo la medida que debes convertir.

El sistema métrico se basa en el valor de posición. La longitud, la capacidad y la masa tienen una unidad base (metro, litro o gramo) y usan prefijos para mostrar la relación entre las unidades más grandes y las más pequeñas.

🔑 De una manera Convierte 15,000 metros a kilómetros.

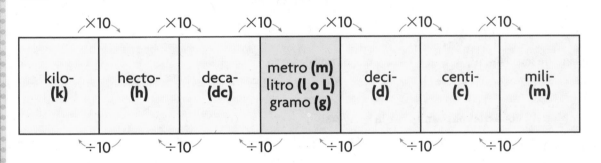

kilo- (k)	hecto- (h)	deca- (dc)	metro (m) litro (l o L) gramo (g)	deci- (d)	centi- (c)	mili- (m)

PASO 1 Halla la relación entre las unidades.

Hay _____ metros en 1 kilómetro.

_____

PASO 2 Determina la operación que se debe usar.

Convierto de una unidad _____ a una unidad

_____ , entonces voy a _____ .

_____

PASO 3 Convierte.

número de metros	metros en 1 kilómetro	número de kilómetros
↓	↓	↓
15,000 ◯	_____ =	_____

Charla matemática
Procesos matemáticos

Elige dos unidades de la tabla. Explica cómo se relacionan las dos unidades.

Entonces, Alex vive a _____ kilómetros de la casa de sus abuelos.

🔑 De otra manera Usa un diagrama.

Jamie hizo una pulsera de 1.8 decímetros de largo. ¿Cuántos milímetros de largo mide la pulsera de Jamie?

Convierte 1.8 decímetros a milímetros.

				1	8	
kilo-	hecto-	deca-	metro litro gramo	deci-	centi-	mili-

PASO 1 Muestra 1.8 decímetros.

Como la unidad es decímetros, coloca el punto decimal de modo que los decímetros sean la unidad representada con el número entero.

PASO 2 Convierte.

Tacha el punto decimal y vuelve a escribirlo de modo que los milímetros sean la unidad representada con el número entero. Escribe un cero a la izquierda del punto decimal para completar el número entero.

PASO 3 Anota el valor con la nueva unidad.

1.8 dm = _____ mm

Entonces, la pulsera de Jamie mide _____ milímetros de largo.

¡Inténtalo! Completa la ecuación para mostrar la conversión.

A Convierte 247 miligramos a centigramos, decigramos y gramos.

¿Se convierten las unidades a una

unidad mayor o menor? _____

¿Debes multiplicar o dividir para

convertir? _____

247 mg ◯ 10 = _____ cg

247 mg ◯ 100 = _____ dg

247 mg ◯ 1,000 = _____ g

B Convierte 3.9 hectolitros a decalitros, litros y decilitros.

¿Se convierten las unidades a una

unidad mayor o menor? _____

¿Debes multiplicar o dividir

para convertir? _____

3.9 hl ◯ 10 = _____ dal

3.9 hl ◯ 100 = _____ L

3.9 hl ◯ 1,000 = _____ dl

498

Comparte y muestra

MATH BOARD

Completa la ecuación para mostrar la conversión.

1. 8.47 L ◯ 10 = _____ dl

   8.47 L ◯ 100 = _____ cl

   8.47 L ◯ 1,000 = _____ ml

   Piensa: ¿Se convierten las unidades a una unidad mayor o menor?

2. 9,824 dg ◯ 10 = _____ g

   9,824 dg ◯ 100 = _____ dag

   9,824 dg ◯ 1,000 = _____ hg

Convierte.

3. 4,250 cm = _____ m

4. 6,000 ml = _____ L

5. 4 dg = _____ cg

Resolución de problemas

Práctica: Copia y resuelve Compara. Escribe <, > o =.

6. 32 hg ◯ 3.2 kg

7. 6 km ◯ 660 m

8. 525 ml ◯ 525 cl

9. **H.O.T.** **Analiza** ¿Cómo puedes comparar 4.25 decímetros y 4.25 centímetros sin convertir?

_____

_____

Resolución de problemas En el mundo

Usa la tabla para los ejercicios 10 y 11.

10. **Múltiples pasos** Kelly hizo una mezcla de cacahuates y *pretzel*. ¿Cuántos gramos necesita agregarle a la mezcla para hacer 2 kilogramos?

_____

11. **H.O.T.** **Múltiples pasos** Kelly planea llevar jugo a la acampada. ¿Qué recipiente contiene más jugo: 8 latas o 2 botellas? ¿Cuánto más?

_____

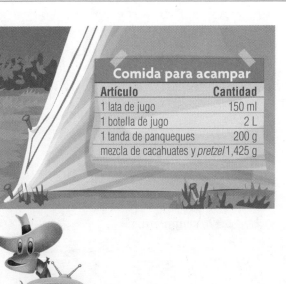

Comida para acampar

Artículo	Cantidad
1 lata de jugo	150 ml
1 botella de jugo	2 L
1 tanda de panqueques	200 g
mezcla de cacahuates y *pretzel*	1,425 g

Matemáticas al instante

Tarea diaria de evaluación

Representar • Razonar • Comunicar

Rellena el círculo completamente para mostrar tu respuesta.

12. **Aplica** Una instructora de *snowboard* tiene 4.2 litros de cera líquida para encerar las tablas. Si usa 1 mililitro para cada tabla, ¿cuántas tablas puede encerar?

Ⓐ 4 Ⓒ 420

Ⓑ 42 Ⓓ 4,200

13. Daija quiere recortar 3.5 centímetros de su cabello. ¿Cómo debe mover el punto decimal para convertir este número a milímetros?

Ⓐ 1 lugar a la izquierda

Ⓑ 1 lugar a la derecha

Ⓒ 2 lugares a la izquierda

Ⓓ 2 lugares a la derecha

14. **Múltiples pasos** Vincent mezcla 500 gramos de pasas, 400 gramos de arándanos secos y 300 gramos de almendras para hacer *un surtido de frutos*. ¿Cuántos gramos de nueces debe agregar para hacer 2 kilogramos de *surtido de frutos*?

Ⓐ 140 gramos

Ⓑ 200 gramos

Ⓒ 800 gramos

Ⓓ 1,200 gramos

 Preparación para la prueba de TEXAS

15. Mónica tiene 426 milímetros de tela. ¿Cuántos centímetros de tela tiene Mónica?

Ⓐ 4,260 centímetros

Ⓑ 42.6 centímetros

Ⓒ 4.26 centímetros

Ⓓ 0.426 centímetros

© Houghton Mifflin Harcourt Publishing Company

Tarea y práctica

Nombre _____

13.6 Medidas métricas

Convierte.

1. 350 cm = _____ m

2. 4,000 ml = _____ l

3. 62 dg = _____ cg

4. 9 m = _____ mm

5. 150 g = _____ hg

6. 16 l = _____ hl

Compara. Escribe $<$, $>$, o $=$.

7. 6 km $\bigcirc$ 54,000 mm

8. 3 kl $\bigcirc$ 30,000 l

9. 20 g $\bigcirc$ 0.02 kg

10. 52 l $\bigcirc$ 5,200 ml

11. 14 m $\bigcirc$ 140 cm

12. 312 mg $\bigcirc$ 312 dg

13. ¿Es 25 miligramos más liviano o más pesado que 25 centigramos?
Explica cómo lo sabes.

_____

_____

Resolución de problemas En el mundo

14. Lucy y Donovan midieron la longitud del jardín de la escuela. La medida de Lucy es 11.3 metros y la medida de Donovan es 113 centímetros. ¿Podrían estar correctas ambas medidas? **Explica** tu respuesta.

_____

_____

_____

15. Shanika hace 2,800 mililitros de sopa de pollo para la cena. Necesita hacer 3.5 litros. ¿Cuántos mililitros más necesita hacer Shanika? ¿A cuántos litros equivale esa cantidad?

Rellena el círculo completamente para mostrar tu respuesta.

16. A Jordan le quedan 3.2 litros de pintura después de pintar un escenario para la obra de teatro escolar. ¿Cómo puede ella convertir este número para hallar cuántos mililitros de pintura le quedan?

(A) Multiplica por 100.

(B) Multiplica por 1,000.

(C) Divide entre 100.

(D) Divide entre 1,000.

17. Martín necesita enviar una caja que pesa 12,000 gramos. ¿Cómo debe mover el punto decimal para convertir este número a kilogramos?

(A) 2 lugares a la derecha

(B) 3 lugares a la derecha

(C) 2 lugares a la izquierda

(D) 3 lugares a la izquierda

18. Akeem tiene 24 metros de cuerda. ¿Cuál de las siguientes longitudes equivale a 24 metros?

(A) 0.024 kilómetro

(B) 0.24 kilómetros

(C) 2.4 kilómetros

(D) 240 kilómetros

19. Una repostera compró una botella de extracto de vainilla de 0.26 litros para hacer unos dulces. Si usa 1 mililitro de vainilla en cada tanda de dulces, ¿cuántas tandas puede hacer?

(A) 2,600

(B) 260

(C) 26

(D) 2.6

20. **Múltiples pasos** El peso límite para el equipaje en el aeropuerto es 22 kilogramos por persona. Ricky empaca dos maletas que pesan 8,500 gramos y 9,200 gramos. ¿Cuántos gramos más puede empacar sin sobrepasar el peso límite?

(A) 4,300 gramos

(B) 5,700 gramos

(C) 13,500 gramos

(D) 17,700 gramos

21. **Múltiples pasos** El condado repara tres secciones de una carretera. La primera sección mide 2.5 kilómetros de largo, la segunda sección mide 12 hectómetros de largo y la tercera mide 800 metros de largo. ¿Cuál es la longitud total de las secciones que se reparan en la carretera?

(A) 3.5 kilómetros

(B) 4.0 kilómetros

(C) 4.5 kilómetros

(D) 0.5 kilómetros

13.7 RESOLUCIÓN DE PROBLEMAS •
Conversiones del sistema inglés (usual) y del sistema métrico

TEKS **Geometría y medición: 5.7.A**
PROCESOS MATEMÁTICOS
5.1.A, 5.1.B

? **Pregunta esencial**

¿Cómo puedes usar la estrategia *hacer una tabla* para resolver problemas de conversiones del sistema inglés (usual) y del sistema métrico?

Soluciona el problema En el mundo

Aaron hace un refresco de frutas para una reunión de la familia. Necesita hacer 120 tazas de refresco. Si quiere guardar el refresco en recipientes de un galón, ¿cuántos recipientes de un galón necesitará Aaron?

Usa el organizador gráfico de abajo para resolver el problema.

Tabla de conversión

	gal	ct	pt	tz
1 gal	1	4	8	16
1 ct	$\frac{1}{4}$	1	2	4
1 pt	$\frac{1}{8}$	$\frac{1}{2}$	1	2
1 tz	$\frac{1}{16}$	$\frac{1}{4}$	$\frac{1}{2}$	1

Lee   Planea

¿Qué debo hallar?

Necesito hallar _____

_____

_____

_____ .

¿Qué información me dan?

Me dan _____

_____

_____ .

¿Cuál es mi plan o estrategia?

Haré una tabla para mostrar la relación entre el

número de_____

y el número de _____ .

Resuelve

Hay _____ tazas en 1 galón. Entonces, cada taza es _____ de un galón.
Completa la siguiente tabla.

tz	1	2	3	4	120
gal	$\frac{1}{16}$	$\frac{1}{8}$	$\frac{3}{16}$	$\frac{1}{4}$	

⟩ Multiplica por _____ .

Entonces, Aaron necesita _____ recipientes de un galón para guardar el refresco de frutas.

• ¿Se llenarán a capacidad todos los recipientes de un galón que Aaron use? **Explica** tu respuesta.

_____

Sharon trabaja en un proyecto para la clase de arte.
Necesita cortar tablas de madera de 1 decímetro de largo para
terminar el proyecto. Si Sharon tiene 7 tablas de madera que
miden 1 metro de largo cada una, ¿cuántas tablas de madera de
1 decímetro puede cortar?

Tabla de conversión

	m	dm	cm	mm
1 m	1	10	100	1,000
1 dm	$\frac{1}{10}$	1	10	100
1 cm	$\frac{1}{100}$	$\frac{1}{10}$	1	10
1 mm	$\frac{1}{1,000}$	$\frac{1}{100}$	$\frac{1}{10}$	1

Lee

¿Qué necesito hallar?

¿Qué información me dan?

Planea

¿Cuál es mi plan o estrategia?

Resuelve

Entonces, Sharon puede cortar _____ tablas de madera de 1 decímetro para terminar su proyecto.

• ¿Qué relación muestra la tabla que hiciste? _____

_____

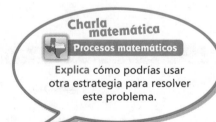

Charla matemática

Procesos matemáticos

Explica cómo podrías usar
otra estrategia para resolver
este problema.

Nombre _____

1. Edgardo tiene un termo en el que caben 10 galones de agua. Para llenar el termo usa un recipiente de 1 cuarto. ¿Cuántas veces tendrá que llenar el recipiente de un cuarto?

Primero haz una tabla para mostrar la relación entre galones y cuartos. →

gal	1	2	3	4	10
ct	4				

Después busca una regla para completar tu tabla. →

Número de galones × _____ = número de cuartos

Por último usa la tabla para resolver el problema. →

Edgardo tendrá que llenar el recipiente de un cuarto

_____ veces.

2. **¿Y si** Edgardo solo usa 32 cuartos de agua para llenar el termo? ¿Cuántos galones de agua usa?

_____

3. Si Edgardo usa un recipiente de 1 taza para llenar el termo, ¿cuántas veces llenará el recipiente de 1 taza?

_____

Resolución de problemas En el mundo

4. **Múltiples pasos** Jane hace 13 correas de cuero. Cada correa mide 6.4 decímetros de largo. ¿Cuántos metros de cuero usa Jane?

_____

Escribe ▶

Muestra tu trabajo

5. **H.O.T.** **Evalúa** Carl empaca equipos deportivos en una caja con capacidad para 22 kilogramos. Empacó un equipo con una masa de 220 decagramos y dice que a la caja no le cabe más. ¿Tiene razón Carl? **Explica** tu respuesta.

_____

6. **H.O.T.** **Múltiples pasos** María puso un borde alrededor de un banderín que tiene forma de triángulo. Cada lado mide 22 pulgadas de largo. A María le queda $\frac{1}{2}$ pie de borde. ¿Cuál era la longitud original del borde? Escribe el resultado en yardas.

_____

Matemáticas al instante

Tarea diaria de evaluación

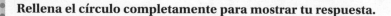

Rellena el círculo completamente para mostrar tu respuesta.

7. **Representaciones** Tres lagartijas corrieron a través de un solar. Larry corrió 3.6 metros, Lou corrió 2,600 milímetros y Lolà corrió 310 centímetros. ¿Qué enunciado compara correctamente la distancia que corrieron las lagartijas?

   Ⓐ Larry corrió la mayor distancia.

   Ⓑ Lou corrió más lejos que Lola.

   Ⓒ Lola corrió más lejos que Larry.

   Ⓓ Lola corrió la menor distancia.

8. Miranda prepara una limonada con una mezcla en polvo. Necesita agregarle 3 tazas de mezcla en polvo a una jarra grande de agua, pero solo tiene un cucharón al que le caben 2 onzas. ¿Cuántos cucharones de 2 onzas usará Miranda?

   Ⓐ 4 cucharones

   Ⓑ 8 cucharones

   Ⓒ 10 cucharones

   Ⓓ 12 cucharones

9. **Múltiples pasos** La Sra. González quiere ponerle un borde a su tablero de anuncios. Tiene una tira de borde verde que mide 8 pies de largo. ¿Cuántos pedazos de 16 pulgadas puede cortar de la tira?

   Ⓐ 4 pedazos   Ⓒ 8 pedazos

   Ⓑ 6 pedazos   Ⓓ 12 pedazos

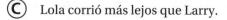

★ Preparación para la prueba de TEXAS

10. Tony necesita unos pedazos de 16 pulgadas de largo de cadena de oro para hacer 3 collares. Tiene un pedazo de cadena que mide 4 pies 6 pulgadas de largo. ¿Cuánta cadena le quedará después de hacer los collares?

    Ⓐ 6 pulgadas

    Ⓑ 12 pulgadas

    Ⓒ 18 pulgadas

    Ⓓ 24 pulgadas

Tarea y práctica

Nombre _____

13.7 Resolución de problemas • Conversiones del sistema inglés (usual) y del sistema métrico

1. Jeremy camina por un laberinto. Para comenzar camina 25 pies, dobla a la derecha y camina 6 yardas. Luego camina 32 pies más. Le quedan 13 yardas por caminar para completar el laberinto. ¿Qué longitud tiene el laberinto? Escribe el resultado en yardas.

_____

2. Randy usa un podómetro para llevar la cuenta de la distancia que camina diariamente. Descubre que la distancia de ida y vuelta a su buzón de correos es 300 metros. ¿Cuántos kilómetros camina Randy de ida y vuelta al buzón de correos si recoge la correspondencia 6 días a la semana durante 4 semanas?

_____

3. Los miembros de un equipo participan en una búsqueda de pistas. Se reúnen en un punto de partida y recorren en bicicleta 2 kilómetros. Encuentran la primera pista que les indica que la segunda pista está a 10 hectómetros. Cuando llegan a la segunda pista, esta les indica que deben regresar 300 decámetros. ¿Llegarán los miembros del equipo al punto de donde partieron si siguen las instrucciones de la segunda pista? **Explica** tu respuesta.

_____

_____

_____

Resolución de problemas

4. La Sra. Arnold le servirá hamburguesas a su familia de 6 esta noche en la cena. Usa $\frac{1}{2}$ libra de carne molida para cada hamburguesa. Compra un paquete de carne que pesa 50 onzas. ¿Tendrá suficiente carne la Sra. Arnold? **Explica** tu respuesta.

_____

_____

Rellena el círculo completamente para mostrar tu respuesta.

5. La longitud de tres serpientes de una exhibición del zoológico es la siguiente. La serpiente rey mide 65 pulgadas. La serpiente de cascabel diamante mide 2 yardas. La serpiente de cascabel cornuda mide 4 pies. ¿Qué enunciado compara correctamente la longitud de las serpientes?

(A) La serpiente rey es la serpiente más larga.

(B) La serpiente de cascabel cornuda es más larga que la serpiente de cascabel diamante.

(C) La serpiente de cascabel diamante es la serpiente más larga.

(D) La serpiente de cascabel diamante es más corta que la serpiente rey.

6. El Sr. Martínez tiene 2.5 kilogramos de arena de color para que sus estudiantes usen en un proyecto de arte. Empaca la arena en bolsas individuales de 125 gramos. ¿Cuántas bolsas de arena puede hacer el Sr. Martínez?

(A) 2.5

(B) 16

(C) 20

(D) 200

7. Un repostero necesita 6 cuartos de leche para una receta de pastelitos. Él solo tiene una taza graduada de 8 onzas para medir la leche y verterla en el tazón. ¿Cuántas tazas de leche usará?

(A) 16 tazas

(B) 24 tazas

(C) 20 tazas

(D) 32 tazas

8. Cuando Rosa hace limonada, usa 500 mililitros de jugo de limón por cada litro de agua. Si hace 12 litros de limonada, ¿cuánto jugo de limón usa?

(A) 4,000 mililitros

(B) 6,000 mililitros

(C) 8,000 mililitros

(D) 2,000 mililitros

9. **Múltiples pasos** Un dragón de Komodo mide 3 metros de largo. Una salamanquesa mide 15 milímetros de largo. ¿Cuántas salamanquesas se pueden formar en una hilera para igualar la longitud del dragón de Komodo?

(A) 200

(B) 100

(C) 150

(D) 300

10. **Múltiples pasos** Los campistas usan un rollo de cordel que mide 250 yardas para hacer cometas. Cada cometa tendrá 50 pies de cordel. ¿Cuántos cordeles para cometas pueden cortar del rollo?

(A) 5

(B) 50

(C) 150

(D) 15

✓ Evaluación del Módulo 13

Conceptos y destrezas

Convierte. 🔻 TEKS 5.7.A

1. 5 mi = _____ yd

2. 48 ct = _____ gal

3. 9 t = _____ lb

4. 5 kg = _____ g

5. 12 pies = _____ yd

6. 8,000 mm = _____ m

Compara. Escribe <, > o =. 🔻 TEKS 5.7.A

7. 96 oz fl ◯ 13 tz

8. 4 l ◯ 4,000 ml

9. 8 yd ◯ 288 pulg

Resuelve. 🔻 TEKS 5.7.A

10. Un ascensor de servicio puede transportar un máximo de 9,800 libras. Los trabajadores colocaron en el ascensor un equipo que pesa 4 toneladas. ¿Cuántas libras más puede transportar el ascensor?

_____

11. Una taza estándar de café tiene una capacidad de 16 onzas fluidas. Si Annie necesita llenar 26 tazas de café, ¿cuántos cuartos en total de café necesita?

_____

12. Howard corta 80 centímetros de una tabla de 1.5 metros. ¿Cuánto le sobra de la tabla a Howard 👈 TEKS 5.7.A

Ⓐ 230 centímetros

Ⓑ 70 centímetros

Ⓒ 20 centímetros

Ⓓ 1,420 centímetros

13. El Sr. Carter llena la bañera para bañar a su perro. ¿Cuál es la unidad más adecuada para medir la capacidad de la bañera? 👈 TEKS 5.7

Ⓐ onza fluida

Ⓒ pinta

Ⓑ libra

Ⓓ galón

14. Milton compra una pecera de 5 galones para su cuarto. Para llenar la pecera de agua usa un recipiente con capacidad para 1 cuarto. ¿Cuántas veces llenará y vaciará Milton el recipiente antes de llenar completamente la pecera? 👈 TEKS 5.7.A

Ⓐ 10   Ⓑ 15   Ⓒ 20   Ⓓ 25

15. Alfred usa el mismo instrumento para medir la distancia de una acera y la distancia al otro lado del pueblo. ¿Qué instrumento usa? 👈 TEKS 5.7

Ⓐ podómetro

Ⓑ regla métrica

Ⓒ báscula

Ⓓ podómetro de rueda

16. Una niña camina 5,000 metros en una hora. Si la niña camina a la misma velocidad durante 4 horas, ¿cuántos kilómetros caminará? 👈 TEKS 5.7.A

Anota tu resultado y rellena los círculos en la cuadrícula. Asegúrate de usar el valor de posición correcto.

Nombre _____

14.1 Pares ordenados

? Pregunta esencial

¿Cómo puedes identificar y representar puntos en una cuadrícula de coordenadas?

Relaciona Ubicar un punto en una cuadrícula de coordenadas es semejante a describir direcciones usando los puntos cardinales: Norte, Sur, Este, Oeste. La recta numérica horizontal de la cuadrícula es el **eje de la x**. La recta numérica vertical de la cuadrícula es el **eje de la y**.

Cada punto en la cuadrícula de coordenadas se puede describir con un **par ordenado** de números. La **coordenada x**, el primer número en el par ordenado, es la posición horizontal o la distancia a la que está el punto desde 0 en la dirección del eje de la x. La **coordenada y**, el segundo número en el par ordenado, es la posición vertical o la distancia a la que está el punto desde 0 en la dirección del eje de la y.

$$(x, y)$$

coordenada x ⫠⫠ coordenada y

El eje de la x y el eje de la y se intersecan en el punto (0,0) llamado **origen**.

Soluciona el problema *En el mundo*

Escribe los pares ordenados para la posición del estadio y del acuario.

Ubica el punto para el cual deseas escribir un par ordenado.

Observa abajo el eje de la x para identificar la distancia horizontal del punto desde 0, que es la coordenada x.

Observa a la izquierda el eje de la y para identificar la distancia vertical del punto desde 0, que es la coordenada y.

Entonces, el par ordenado para el estadio es (3, 2) y el par ordenado para el acuario

es (_____ , _____).

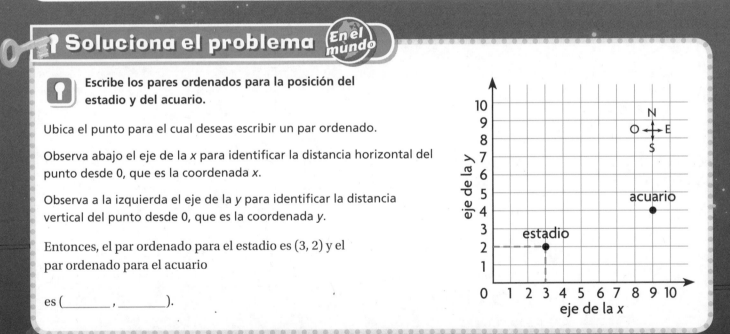

- Describe el camino que seguirías desde el origen hasta el acuario si te mueves horizontalmente primero y verticalmente después.

_____

_____

🔑 Ejemplo Usa la gráfica.

Un punto en una cuadrícula de coordenadas se puede rotular con un par ordenado, una letra o con ambos.

Ⓐ Representa el punto (5, 7) y rotúlalo *J*.

Partiendo del origen, muévete 5 unidades hacia la derecha y 7 unidades hacia arriba.

Representa el punto y rotúlalo.

Ⓑ Representa el punto (8, 0) y rotúlalo *S*.

Partiendo del origen, muévete _____ unidades hacia

la derecha y _____ unidades hacia arriba.

Representa el punto y rotúlalo.

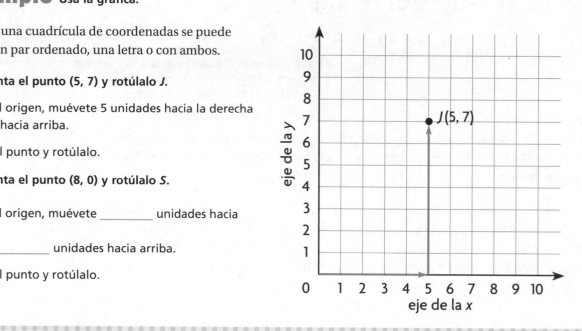

Comparte y muestra

Usa la cuadrícula de coordenadas A para escribir un par ordenado para el punto dado.

Cuadrícula de coordenadas A

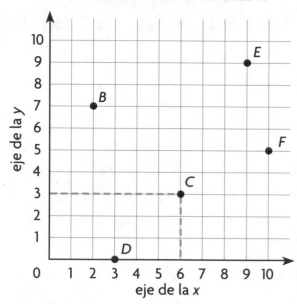

1. *C* _____

2. *D* _____

3. *E* _____

✓ **4.** *F* _____

Representa los puntos en la cuadrícula de coordenadas A y rotúlalos.

5. $M(0, 9)$

6. $H(8, 6)$

7. $K(10, 4)$

8. $T(4, 5)$

9. $W(5, 10)$

✓ **10.** $R(1, 3)$

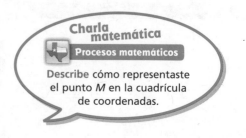

Charla matemática

Procesos matemáticos

Describe cómo representaste el punto *M* en la cuadrícula de coordenadas.

Nombre _____

11. **Escribe** ▶ Escribe las instrucciones para representar el punto del par ordenado (4, 6).

_____

12. **H.O.T.** Si la coordenada *y* para un punto determinado es cero, ¿en qué eje estará el punto? **Explica** tu respuesta.

_____

_____

Resolución de problemas (En el mundo)

Nathan y sus amigos planean un viaje a la ciudad de New York. Usa el mapa para los ejercicios 13 a 15. Cada unidad representa 1 cuadra de la ciudad.

13. **H.O.T.** ¿Cuál es el error? Nathan dice que el Madison Square Garden está ubicado en (0, 3) en el mapa. ¿Está correcto su par ordenado? **Explica** tu respuesta.

_____

_____

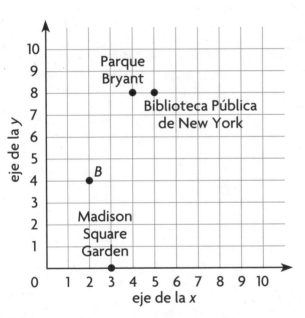

14. **Usa gráficas** El edificio Empire State está ubicado a 5 cuadras hacia la derecha y 1 cuadra hacia arriba de (0, 0). Escribe el par ordenado para esta posición. Representa un punto para el edificio Empire State y rotúlalo.

_____

15. **H.O.T.** Múltiples pasos Paulo camina desde el punto *B* hasta el parque Bryant. Raúl camina desde el punto *B* hasta el Madison Square Garden. Si solo caminan por las líneas de la cuadrícula, ¿quién camina más? **Explica** tu respuesta.

_____

_____

Tarea diaria de evaluación

Rellena el círculo completamente para mostrar tu respuesta.
Usa el mapa para los ejercicios 16 y 17.

16. En Austin se encuentra la colonia de murciélagos más grande de América del Norte. En la noche, los murciélagos salen volando desde debajo del puente Congress Avenue. ¿Qué par ordenado muestra el puente Congress Avenue?

    (A) (6, 6)

    (B) (6, 0)

    (C) (0, 6)

    (D) (0, 0)

17. Estás parado muy cerca del museo O. Henry. ¿Dónde podrías estar parado?

    (A) (3, 9)   (C) (9, 2)

    (B) (2, 9)   (D) (0, 10)

18. **Múltiples pasos** Observa el mapa. Hoy fuiste de compras a (0, 4) y almorzaste en (8, 2). ¿Qué sitios visitaste?

    (A) J y K

    (B) J y M

    (C) K y L

    (D) K y M

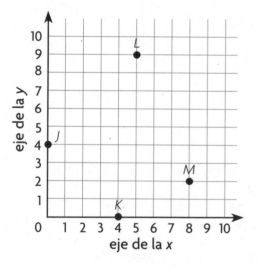

⭐ **Preparación para la prueba de TEXAS**

19. El punto R está a 6 unidades hacia la derecha y 1 unidad hacia arriba desde el origen. ¿Qué par ordenado describe el punto R?

    (A) (1, 6)   (C) (6, 1)

    (B) (6, 0)   (D) (1, 1)

TEKS Geometría y medición: 5.8.A, 5.8.B
También 5.8.C
PROCESOS MATEMÁTICOS 5.1.D, 5.1.E

Nombre _____

14.1 Pares ordenados

Usa la cuadrícula de coordenadas M para escribir un par ordenado para el punto dado.

1. N _____

2. O _____

3. P _____

4. Q _____

Representa los puntos en la cuadrícula de coordenadas M y rotúlalos.

5. R(2, 8)

6. S(6, 0)

7. T(8, 7)

8. U(10, 8)

9. ¿Es el par ordenado (4, 5) igual que el par ordenado (5, 4)? **Explica** tu respuesta.

_____

_____

Cuadrícula de coordenadas M

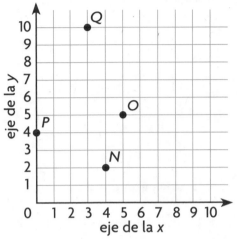

Resolución de problemas En el mundo

La familia Álvarez pasa la tarde en un centro comercial al aire libre. Usa el mapa para los ejercicios 10 y 11. Cada unidad representa 1 cuadra.

10. La juguetería está ubicada a 1 cuadra hacia la derecha y 8 cuadras hacia arriba desde (0, 0). Escribe el par ordenado para esta posición. Representa un punto para la juguetería y rotúlalo.

_____

11. Alma sale de la zapatería cuando comienza a llover. Corre hasta la tienda más cercana. ¿Cuántas cuadras hay hasta la tienda más cercana? **Explica** tu respuesta.

_____

_____

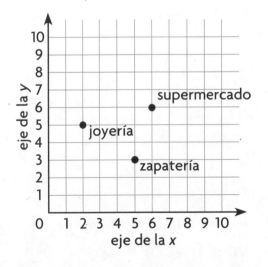

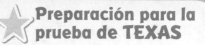
Rellena el círculo completamente para mostrar tu respuesta.

12. Las instrucciones para representar un punto en la cuadrícula de coordenadas indican: "Comienza en el origen. Muévete 6 unidades hacia la derecha y 3 unidades hacia arriba". ¿Cuál es el par ordenado para el punto?

(A) (6, 9)

(B) (6, 3)

(C) (3, 6)

(D) (5, 2)

13. Si comienzas en el origen, ¿cuál de las siguientes opciones muestra cómo representar el punto (2, 5) en la cuadrícula de coordenadas?

(A) Muévete 5 unidades hacia arriba y 2 unidades hacia arriba.

(B) Muévete 2 unidades hacia la derecha y 5 unidades hacia la derecha.

(C) Muévete 2 unidades hacia la derecha y 5 unidades hacia arriba.

(D) Muévete 5 unidades hacia la derecha y 2 unidades hacia arriba.

Usa el mapa de la jardinería para los ejercicios 14 y 15.

14. ¿Qué par ordenado muestra la ubicación de las plantas anuales?

(A) (0, 8)

(B) (8, 0)

(C) (8, 8)

(D) (0, 0)

15. ¿Qué tipo de plantas hallarías en (9, 1)?

(A) plantas perennes

(B) plantas suculentas

(C) rosas

(D) plantas herbales

16. **Múltiples pasos** Observa el mapa. ¿Cuáles son los pares ordenados correctos para los puntos *A* y *B*?

(A) (1, 6) y (0, 7)

(B) (0, 7) y (6, 1)

(C) (7, 0) y (1, 6)

(D) (6, 1) y (7, 0)

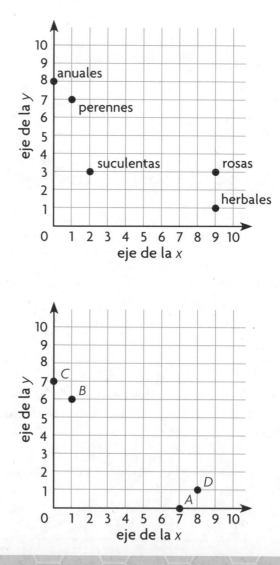

Nombre _____

14.2 Representar datos en gráficas

TEKS Geometría y medición: 5.8.C

PROCESOS MATEMÁTICOS
5.1.F, 5.1.G

? Pregunta esencial

¿Cómo puedes usar una cuadrícula de coordenadas para mostrar los datos recopilados en un experimento?

Investiga

Manos a la obra

Materiales ■ vaso de papel ■ agua ■ termómetro en grados Fahrenheit
■ cubos de hielo ■ cronómetro

Los datos que se recopilan se pueden organizar en una tabla.

A. Llena un vaso de papel un poco más de la mitad con agua a temperatura ambiente.

B. Introduce el termómetro en grados Fahrenheit en el agua y observa la temperatura inicial antes de agregar el hielo. Anota esta temperatura en la tabla junto a 0 segundos.

C. Agrégale tres cubos de hielo al agua y comienza a medir el tiempo con el cronómetro. Observa la temperatura cada 10 segundos durante 60 segundos. Anota las temperaturas en la tabla.

Temperatura del agua	
Tiempo (en segundos)	Temperatura (en °F)
0	
10	
20	
30	
40	
50	
60	

Conecta

Puedes usar una cuadrícula de coordenadas para representar y analizar los datos que recopilaste en el experimento.

PASO 1 Escribe los pares relacionados de datos como pares ordenados.

(0, _____)   (30, _____)   (50, _____)

(10, _____)   (40, _____)   (60, _____)

(20, _____)

PASO 2 Dibuja una cuadrícula de coordenadas y escríbele un título. Rotula los ejes.

PASO 3 Representa un punto para cada par ordenado.

Charla matemática

 **Procesos matemáticos**

Analiza tus observaciones sobre la temperatura del agua durante los 60 segundos.

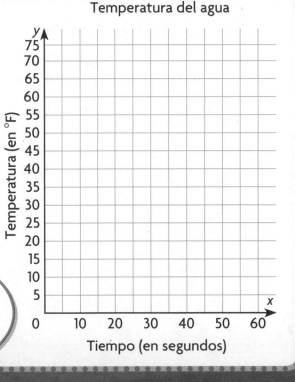

Temperatura del agua

(cuadrícula de coordenadas: eje y "Temperatura (en °F)" con marcas 5, 10, 15, 20, 25, 30, 35, 40, 45, 50, 55, 60, 65, 70, 75; eje x "Tiempo (en segundos)" con marcas 0, 10, 20, 30, 40, 50, 60)

Comparte y muestra

Representa los datos en la cuadrícula de coordenadas.

1.

Estatura de Ryan

Edad (en años)	1	2	3	4	5
Estatura (en pulgadas)	30	35	38	41	44

Pares ordenados: _____

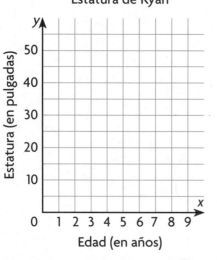

Estatura de Ryan

2.

Altura de la planta

Día	5	10	15	20	25
Altura (en cm)	1	3	8	12	16

Pares ordenados: _____

Altura de la planta

Resolución de problemas · En el mundo

Usa la tabla de la derecha para los ejercicios 3 y 4.

3. **Múltiples pasos** Escribe pares ordenados para mostrar la relación entre el mes y el peso de un ave. Representa cada punto en la cuadrícula de coordenadas.

_____

4. **H.O.T.** **Analiza** ¿Qué crees que le sucedería al peso del ave durante los próximos cuatro meses?

_____

_____

_____

_____

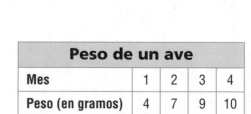

Peso de un ave

Mes	1	2	3	4
Peso (en gramos)	4	7	9	10

Peso de un ave

518

Nombre _____

5. Mary coloca un auto miniatura en una pista con lanzadores y anota la velocidad del auto por cada pie que recorre. Algunos de los datos se muestran en la tabla. Mary representa los datos en la siguiente cuadrícula de coordenadas.

Velocidad del auto miniatura	
Distancia (en pies)	Velocidad (en millas por hora)
0	0
1	4
2	8
3	6
4	3

Observa la gráfica de los datos de Mary. Halla su error.

Representa los datos y corrige el error.

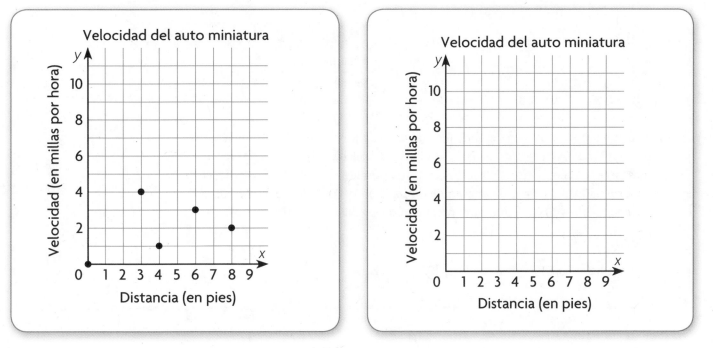

6. **Comunica** Describe el error de Mary.

_____

_____

7. **Razonamiento** ¿Dónde crees que se detendrá el auto miniatura? Escribe el par ordenado. **Explica** tu respuesta.

_____

_____

Tarea diaria de evaluación

Rellena el círculo completamente para mostrar tu respuesta.

8. La gráfica muestra la relación entre la duración de una erupción del géiser Old Faithful, *x*, y el intervalo de tiempo entre cada erupción, *y*. ¿Cuál de estos pares ordenados está en la gráfica?

Ⓐ (95, 5)

Ⓑ (2, 50)

Ⓒ (70, 3)

Ⓓ (4, 80)

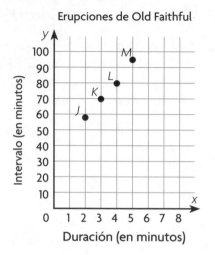

Erupciones de Old Faithful

Duración (en minutos)

9. ¿Qué grupo de pares ordenados muestra los datos de la tabla?

Ⓐ (1, 2), (3, 4), (5, 3), (9, 13), (17, 20)

Ⓑ (1, 3), (2, 9), (3, 13), (4, 17), (5, 20)

Ⓒ (20, 5), (17, 4), (13, 3), (9, 2), (3, 3)

Ⓓ (1, 3), (9, 2), (13, 3), (4, 17), (20, 5)

Peso del perrito de Alisha					
Edad (meses)	1	2	3	4	5
Peso (libras)	3	9	13	17	20

10. **Múltiples pasos** Sandro siembra una planta en un frasco. Hace una gráfica para mostrar los días desde que colocó la semilla en el frasco y la longitud de la raíz más larga (en centímetros). Observa la raíz por primera vez en 4 días y escribe el par ordenado (4, 2). Tres días más tarde la raíz mide 18 cm. Cinco días más tarde ha crecido otros 25 cm. ¿Qué pares ordenados agrega Sandro en su gráfica?

Ⓐ (7, 18), (12, 43)

Ⓑ (18, 3), (25, 5)

Ⓒ (3, 18), (5, 25)

Ⓓ (18, 7), (43, 12)

⭐ Preparación para la prueba de TEXAS

11. Marie estaba en quinto grado cuando comenzó a anotar su estatura y la de su hermanita en pulgadas cada seis meses durante 3 años. Marie representa los datos en una gráfica donde la coordenada *x* representa la estatura de su hermanita y la coordenada *y* representa su propia estatura. ¿Qué par ordenado NO podría estar en la gráfica?

Ⓐ (24, 51)

Ⓑ (33, 60)

Ⓒ (55, 30)

Ⓓ (28, 52)

Tarea y práctica

Nombre _____

14.2 Representar datos en gráficas

Representa los datos en la cuadrícula de coordenadas.

1.

Temperatura exterior					
Hora	1	2	3	4	5
Temperatura (en °C)	8	10	11	12	16

Pares ordenados: _____

_____

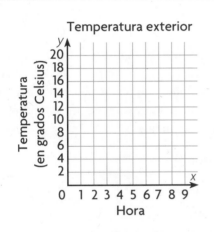

Temperatura exterior

2.

Puntuación del videojuego de Henry					
Tiempo (en segundos)	10	20	30	40	50
Puntos anotados	15	25	35	40	45

Pares ordenados: _____

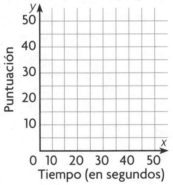

Puntuación del videojuego de Henry

Resolución de problemas En el mundo

Usa la tabla de la derecha para los ejercicios 3 y 4.

3. Escribe los pares numéricos que muestren la relación entre el día y el peso de un comedero de aves. Representa cada punto en la cuadrícula de coordenadas.

_____

4. ¿Crees que el peso del comedero de aves será 10 onzas el día 6? **Explica** tu respuesta.

_____

_____

Peso de un comedero de aves					
Día	1	2	3	4	5
Peso (en onzas)	16	12	6	4	3

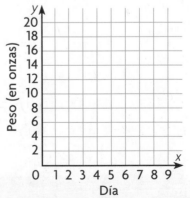

Peso de un comedero de aves

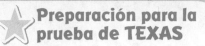
Rellena el círculo completamente para mostrar tu respuesta.

Usa la gráfica para los ejercicios 5 y 6.

5. La gráfica muestra la relación entre la duración de tiempo y el número de palomitas reventadas. ¿Cuál de estos pares ordenados está en la gráfica?

Ⓐ (20, 35)

Ⓑ (10, 20)

Ⓒ (85, 40)

Ⓓ (90, 50)

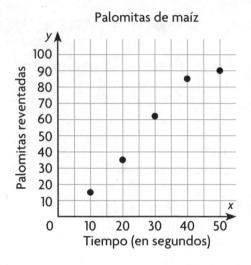

Palomitas de maíz

6. El número de palomitas reventadas es el mismo después de 50 segundos. ¿Qué par ordenado puedes representar para mostrar el número de palomitas reventadas después de 60 segundos?

Ⓐ (50, 90)

Ⓑ (90, 50)

Ⓒ (60, 90)

Ⓓ (90, 60)

7. Marc representa el punto (1, 20) en una cuadrícula de coordenadas para mostrar los minutos que le toma caminar 1 milla. ¿Cuál par ordenado debe usar Marc para mostrar cuántos minutos le toma caminar 3 millas?

Ⓐ (3, 3)

Ⓑ (60, 3)

Ⓒ (30, 3)

Ⓓ (3, 60)

8. **Múltiples pasos** ¿Qué conjunto de pares ordenados muestra los datos de la tabla?

Peso de la gatita de Monroe					
Edad (meses)	1	2	3	4	5
Peso (libras)	2	3	5	7	8

Ⓐ (1, 2), (3, 4), (5, 2), (3, 5), (7, 8)

Ⓑ (8, 5), (7, 4), (5, 3), (3, 2), (1, 1)

Ⓒ (1, 2), (3, 2), (5, 3), (7, 4), (8, 5)

Ⓓ (1, 2), (2, 3), (3, 5), (4, 7), (5, 8)

9. **Múltiples pasos** Joanne mide el tamaño de un charco que se evapora. Pasada la primera hora, el charco mide 10 cm de largo. Joanna representa el punto (1, 10) en una cuadrícula de coordenadas. Después de 2 horas, el charco mide 5 cm de largo y después de 3 horas mide 2 cm de largo. ¿Cuáles pares ordenados debe representar Joanne para mostrar los datos?

Ⓐ (2, 5), (3, 2)

Ⓑ (5, 2), (2, 3)

Ⓒ (1, 5), (2, 2)

Ⓓ (2, 15), (3, 7)

Nombre _____

Representar patrones numéricos en gráficas

ÁLGEBRA

? Pregunta esencial

¿Cómo puedes mostrar patrones numéricos en la cuadrícula de coordenadas?

Soluciona el problema (En el mundo)

Cuando Alice completa un nivel de su videojuego favorito, gana 2 vidas adicionales. Usa una gráfica. ¿Cuántas vidas adicionales tendrá Alice después de completar 4 niveles?

PASO 1 Haz una tabla de entrada y salida.

Entrada	Nivel completado	1	2	3	4
Salida	Vidas adicionales	2			

PASO 2 Escribe los pares relacionados de datos como pares ordenados.

La entrada es la coordenada x y la salida es la coordenada y.

Nivel 1: ___(1, 2)___   Nivel 3: _____

Nivel 2: _____   Nivel 4: _____

PASO 3 Representa los pares ordenados en la cuadrícula de coordenadas.

Charla matemática

Procesos matemáticos

Describe el patrón numérico de las vidas adicionales.

Entonces, Alice tendrá _____ vidas adicionales después de completar 4 niveles.

© Houghton Mifflin Harcourt Publishing Company

🔒 Ejemplo

El siguiente patrón sigue la regla $y = x + 3$, donde y es el número de cuadrados y x es el número de la figura. Usa el patrón para hallar cuántos cuadrados habrá en la Figura 5. Muestra el patrón en la cuadrícula de coordenadas.

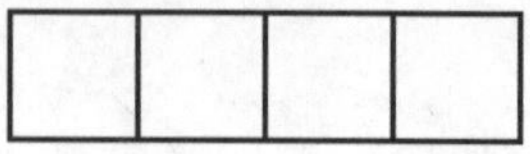

Figura 1

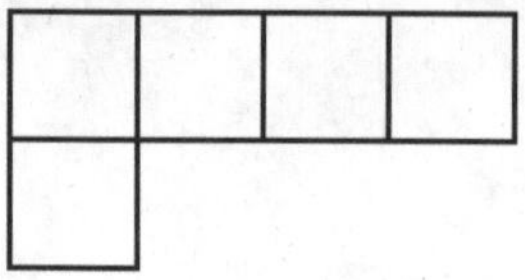

Figura 2

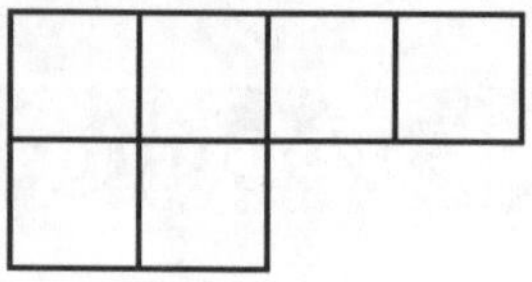

Figura 3

PASO 1 El patrón del número de cuadrados es 4, 5, 6, _____, _____.

PASO 2 Escribe los pares ordenados usando el número de la figura y el número de cuadrados.

(1, 4) (2, 5) (_____, _____) (_____, _____) (_____, _____)

PASO 3 Representa los pares ordenados en la gráfica.

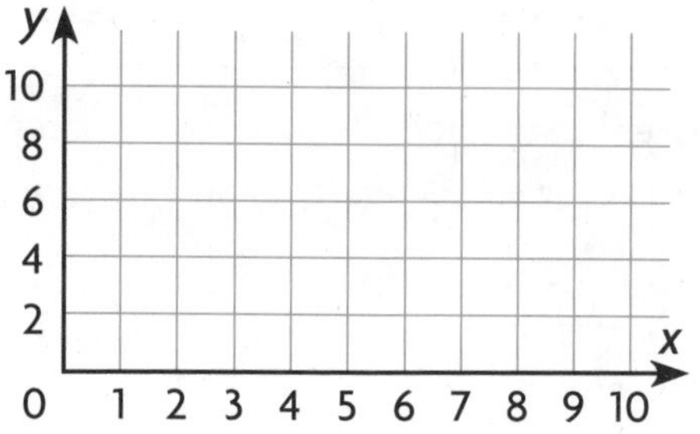

Comparte y muestra

MATH BOARD

Usa las reglas que se dan para completar el patrón. Muestra el patrón en la cuadrícula de coordenadas.

1. Multiplica el número de monedas de 5¢ por 5 para hallar el número de monedas de 1¢ que equivalen al valor.

Entrada	Monedas de 5¢	1	2	3	4
Salida	Monedas de 1¢	5	10		

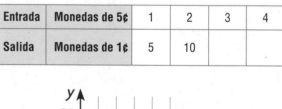

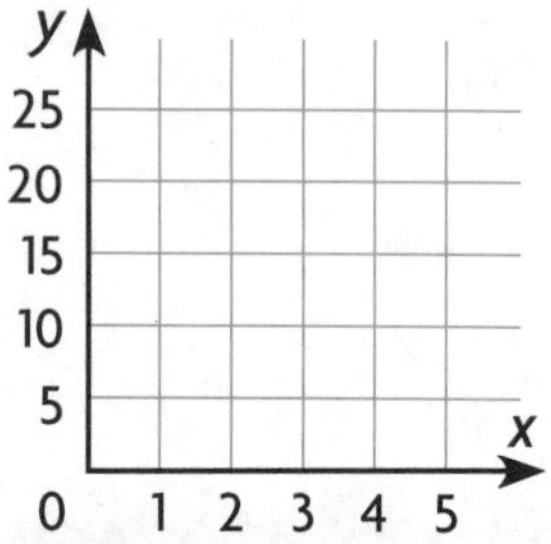

2. Súmale 5 a la entrada.

Entrada	Salida
1	
2	
3	
4	

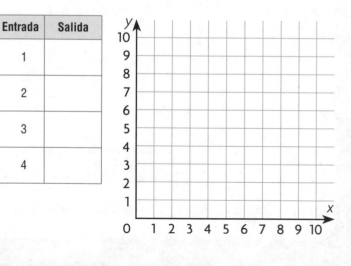

Nombre _____

3. **H.O.T.** **Escribe** ▶ La regla de un patrón es *súmale 4 a la entrada*. **Explica** cómo puedes usar la regla para escribir pares ordenados que representen el patrón.

_____

_____

_____

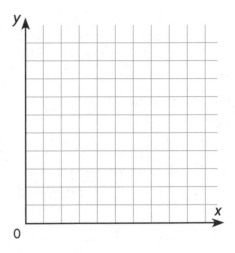

4. Escribe cinco pares ordenados que representen la regla del patrón *multiplica la entrada por 3*. **Muestra** el patrón en la cuadrícula de coordenadas de la derecha.

_____

Resolución de problemas *En el mundo*

Usa el plano de coordenadas para los ejercicios 5 a 7.

5. **Múltiples pasos** Emily tiene un mapa de carreteras con una escala que muestra que una pulgada en el mapa equivale a 5 millas de la distancia real. Usa la tabla y la cuadrícula de coordenadas para mostrar el patrón.

Entrada	Distancia en el mapa (pulg)	1	2	3	4	5
Salida	Distancia real (mi)					

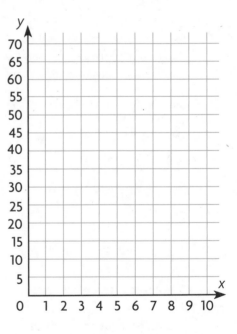

6. **Usa gráficas** ¿Cuál es la distancia real si la distancia en el mapa es 6 pulgadas? Escribe el par ordenado. Representa un punto en la cuadrícula de coordenadas para mostrar el par ordenado correcto.

_____

7. **H.O.T.** ¿Cuál es la distancia en el mapa si la distancia real es 45 millas? Representa un punto en la cuadrícula de coordenadas para mostrar el par ordenado correcto.

_____

Tarea diaria de evaluación

Rellena el círculo completamente para mostrar tu respuesta.

8. A Ted le dan $10 semanales y ahorra $6. Él hace una gráfica para mostrar sus ahorros, donde la coordenada *x* representa el número de semanas y la coordenada *y* representa la cantidad de dólares que ahorró. ¿Cuál de los siguientes pares ordenados podría estar en la gráfica?

(A) (6, 60)　　　　(C) (1, 60)

(B) (36, 6)　　　　(D) (6, 36)

9. Tina es dueña de una floristería. La tabla muestra el precio de diferentes cantidades de flores. Ella hace una gráfica para comparar el número de flores con el el precio total. ¿Qué par ordenado NO debe estar en la gráfica?

Entrada	Número de flores	2	4	6	8	10
Salida	Precio (en dólares)	3	6	9		

(A) (8, 12)　　　　(C) (6, 9)

(B) (6, 4)　　　　(D) (10, 15)

10. Múltiples pasos Steve mezcla 4 tazas de jugo de uva con 3 tazas de *ginger ale* para preparar una bebida. Él hace una gráfica para comparar las cantidades de jugo que necesita para preparar varias tandas de bebida. ¿Qué pares ordenados podrían estar en la gráfica?

(A) (4, 3), (5, 4), (6, 5)

(B) (3, 4), (5, 6), (6, 7)

(C) (4, 3), (8, 6), (12, 9)

(D) (3, 4), (8, 6), (12, 9)

⭐ Preparación para la prueba de TEXAS

11. Rob prepara un jugo de frutas variadas para una fiesta. Agrega 4 tazas de jugo de piña por cada taza de jugo de naranja. ¿Qué par ordenado muestra cuántas tazas de jugo de piña necesita para 3 tazas de jugo de naranja?

Jugo de naranja (tz)	*x*	1	2	3
Jugo de piña (tz)	*y*	4	8	

(A) (4, 8)　　　　(C) (3, 12)

(B) (1, 2)　　　　(D) (3, 4)

526

14.3 Representar patrones numéricos en gráficas

ÁLGEBRA

Usa las reglas que se dan para completar el patrón. Muestra el patrón en la cuadrícula de coordenadas.

1. Multiplica el número de latas por 3 para hallar el número de pelotas de tenis.

Entrada	Latas	1	2	3	4
Salida	Pelotas	3	6		

2. Súmale 2 a la entrada.

Entrada	1	2	3	4	5
Salida					

3. Escribe cuatro pares ordenados que representen la regla del patrón *multiplica la entrada por 4.* Muestra el patrón en la cuadrícula de coordenadas de la derecha.

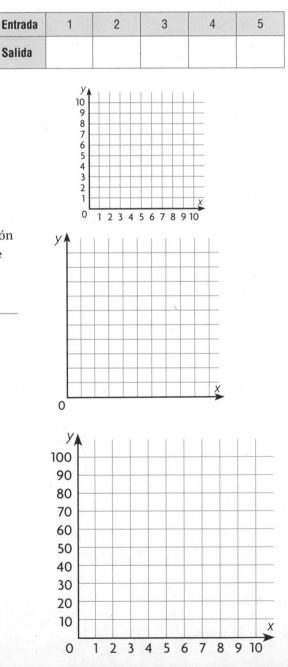

Resolución de problemas En el mundo

Usa la cuadrícula de coordenadas para los ejercicios 4 y 5.

4. Un arquitecto hace un plano de un edificio. Una pulgada en el plano equivale a 10 pies en la medida real. Usa la tabla y la cuadrícula de coordenadas para mostrar el patrón.

Entrada	Plano (pulg)	1	2	3	4	5
Salida	Medida real (pies)					

5. ¿Cuál es la medida real si la longitud en el plano es 7 unidades? Representa un punto en la cuadrícula de coordenadas para mostrar el par ordenado. _____

Rellena el círculo completamente para mostrar tu respuesta.

6. Jason compra unos bulbos de tulipanes para su jardín. Cada paquete contiene 6 bulbos. ¿Qué par ordenado muestra el número de bulbos en 4 paquetes?

Entrada	Paquetes	1	2	3	4
Salida	Bulbos	6	12		

- **(A)** (4, 24)
- **(B)** (4, 18)
- **(C)** (3, 16)
- **(D)** (18, 24)

7. Por cada $1 que los estudiantes recolectan para el fondo del nuevo equipo del campo de recreo, la asociación de padres dona $10 al fondo. Si la coordenada *x* es la cantidad que los estudiantes recolectan y la coordenada *y* es la cantidad que los padres donan, ¿qué par ordenado podría estar en la gráfica?

- **(A)** (20, 30)
- **(B)** (20, 10)
- **(C)** (20, 200)
- **(D)** (20, 2,000)

8. Múltiples pasos Shakira ahorra $2 por cada $3 que gasta. Ella hace una gráfica que compara la cantidad que gasta con la cantidad que ahorra. ¿Qué pares ordenados podrían estar en la gráfica de Shakira?

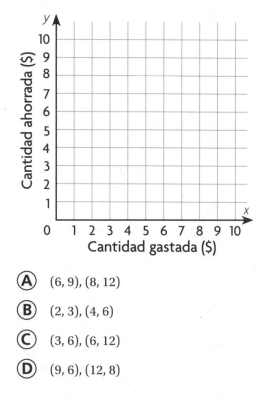

- **(A)** (6, 9), (8, 12)
- **(B)** (2, 3), (4, 6)
- **(C)** (3, 6), (6, 12)
- **(D)** (9, 6), (12, 8)

9. Múltiples pasos Cuando el cocinero del restaurante Barney prepara *chili*, agrega 3 tazas de agua por cada 2 tazas de salsa de tomate. Si haces una gráfica para comparar la cantidad de salsa de tomate que se necesita para varias tandas de *chili*, ¿qué pares ordenados podrían estar en la gráfica?

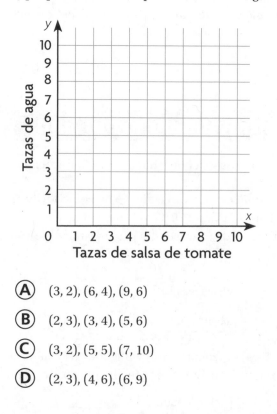

- **(A)** (3, 2), (6, 4), (9, 6)
- **(B)** (2, 3), (3, 4), (5, 6)
- **(C)** (3, 2), (5, 5), (7, 10)
- **(D)** (2, 3), (4, 6), (6, 9)

Nombre _____

14.4 Representar y analizar relaciones

TEKS Geometría y medición: 5.8.C
También 5.4.C
PROCESOS MATEMÁTICOS
5.1.A, 5.1.B, 5.1.D

? Pregunta esencial

¿Cómo puedes escribir y representar pares ordenados en una cuadrícula de coordenadas usando patrones numéricos?

Soluciona el problema En el mundo

Sasha prepara chocolate caliente para una fiesta. Por cada taza de chocolate usa 3 cucharadas de cacao. Si Sasha prepara 9 tazas de chocolate, ¿cuántas cucharadas de cacao usará?

PASO 1 Usa la regla para hacer una tabla de entrada y salida.

Entrada	Taza(s)	1	2	3	4
Salida	Cacao (cda)	3			

_____

PASO 2 Escribe los pares relacionados de datos como pares ordenados.

(1, 3)   _____   _____   _____
_____

_____

PASO 3 Representa los pares ordenados en la cuadrícula de coordenadas y rotúlalos. Usa el patrón para escribir un par ordenado para el número de cucharadas de cacao que se necesitan para 9 tazas de chocolate. Representa el punto en la cuadrícula de coordenadas.

_____

Entonces, Sasha usará _____ cucharadas de cacao para hacer 9 tazas de chocolate.

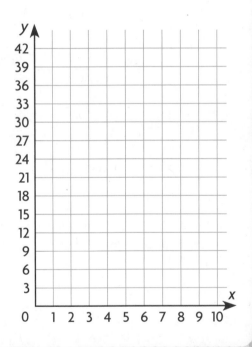

● ¿Cómo puedes usar el patrón de la cuadrícula de coordenadas para determinar si tu resultado es razonable?

_____

_____

© Houghton Mifflin Harcourt Publishing Company

Módulo 14   529

Completa las tablas de entrada y salida. Escribe los pares ordenados y represéntalos en la cuadrícula de coordenadas.

1. Multiplica el número de cucharadas por 2 para hallar el peso en onzas.

Entrada	Mantequilla (cda)	1	2	3	4	5
Salida	Peso (oz)	2				

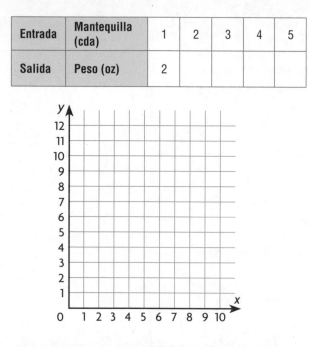

2. Multiplica el número de horas por 3 para hallar la distancia en millas.

Entrada	Tiempo (h)	1	2	3	4
Salida	Distancia recorrida (mi)	3			

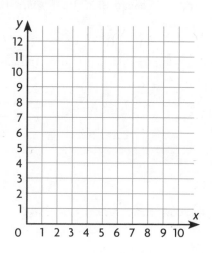

Resolución de problemas

Usa la gráfica para los ejercicios 3 y 4.

3. **H.O.T.** **Múltiples pasos** La regla del patrón es *multiplica la entrada por 5.* ¿Qué par ordenado de la gráfica no sigue el patrón? **Explica** tu respuesta.

_____

_____

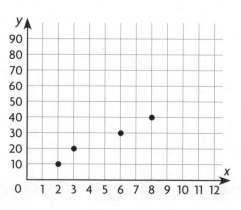

4. **H.O.T.** **Comunica** Si la entrada es 12, ¿será la salida mayor o menor que 40? Escribe el par ordenado y represéntalo en la gráfica.

_____

_____

_____

Nombre _____

Resolución de problemas En el mundo

Usa la cuadrícula de coordenadas para los ejercicios 5 y 6. Completa la tabla para cada receta y representa los puntos. Usa diferentes colores para representar el patrón de cada persona.

5. Lou y George preparan *chili* para la fiesta anual de los bomberos.

   Lou usa 2 cucharaditas de salsa picante por cada 2 tazas de *chili*.

Entrada	*Chili* de Lou (tazas)	2	4	6	8
Salida	Salsa picante (cdta)				

   George usa 3 cucharaditas de la misma salsa picante por cada taza de *chili*.

Entrada	*Chili* de George (tazas)	2	4	6	8
Salida	Salsa picante (cdta)				

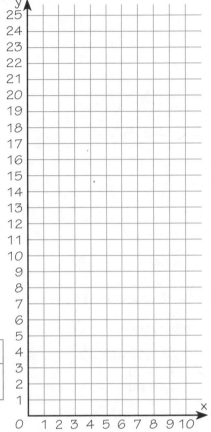

6. **H.O.T.** **¿Tiene sentido o no?** Elsa dijo que el *chili* de George era más picante que el de Lou porque la gráfica mostraba que la cantidad de salsa picante en el *chili* de George siempre era 3 veces más que la cantidad de salsa picante del *chili* de Lou. ¿Tiene sentido o no la respuesta de Elsa? **Explica** tu respuesta.

_____

_____

_____

_____

7. **H.O.T.** **Múltiples pasos** Si mezclas 10 tazas del *chili* de George con 10 tazas del *chili* de Lou, ¿cuántas cucharaditas de salsa picante habrá en 20 tazas de *chili*?

_____

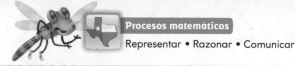
Tarea diaria de evaluación

Rellena el círculo completamente para mostrar tu respuesta.

8. La tabla compara la distancia en un mapa con la distancia real. ¿Cuántas millas representa la distancia de 6 pulgadas en un mapa?

Entrada	Número de pulgadas	1	2	3	4
Salida	Número de millas	6	12	18	24

(A) 24 millas   (C) 36 millas

(B) 30 millas   (D) 6 millas

Usa la gráfica para los ejercicios 9 y 10.

9. ¿Qué enunciado sobre los datos es correcto?

(A) Un bolígrafo cuesta $5.

(B) Cuatro bolígrafos cuestan $20.

(C) Dos bolígrafos cuestan $5.

(D) Cinco bolígrafos cuestan $1.

10. **Múltiples pasos** Supón que Jake compra 30 bolígrafos. También compra un cuaderno por $3. ¿Cuánto gasta Jake en total?

(A) $6   (C) $33

(B) $9   (D) $30

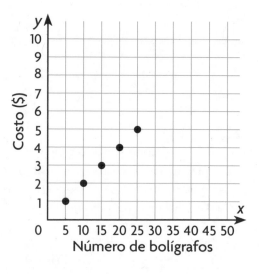

 Preparación para la prueba de TEXAS

11. Duber representa un patrón que muestra el número de pentágonos y el número total de lados de esa cantidad de pentágonos. Si la coordenada *x* o el número de pentágonos es 8, ¿qué par ordenado muestra el patrón?

(A) (8, 5)   (C) (40, 8)

(B) (5, 8)   (D) (8, 40)

532

Tarea y práctica

Nombre _____

14.4 Representar y analizar relaciones

Completa las tablas de entrada y salida. Escribe los pares ordenados y represéntalos en la cuadrícula de coordenadas.

1. Multiplica el número de días por 5 para hallar el número de horas trabajadas.

Entrada	Días	1	2	3	4
Salida	Horas trabajadas	5			

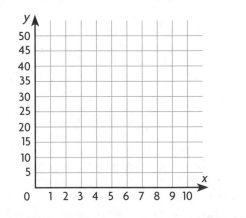

2. Multiplica el número de galones por 4 para hallar el número de cuartos.

Entrada	Galones	1	2	3	4	5
Salida	Cuartos	4				

Resolución de problemas En el mundo

Usa la cuadrícula de coordenadas para los ejercicios 3 y 4. Completa la tabla para cada persona y representa los puntos. Usa un color diferente para representar el patrón de cada persona.

3. Marion usa 2 botones para cada muñeca.

Entrada	Muñecas de Marion	1	2	3	4
Salida	Número de botones				

Nola usa 4 botones para cada muñeca.

Entrada	Muñecas de Nola	1	2	3	4
Salida	Número de botones				

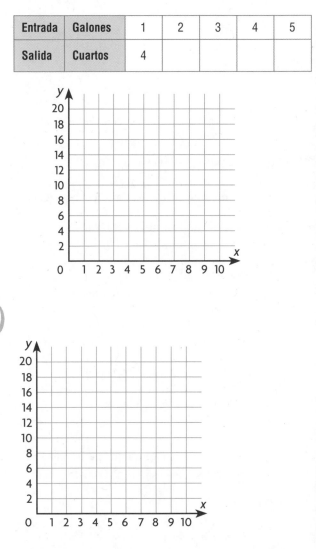

4. ¿Cuántos botones usan Marion y Nola en total si cada una hace 5 muñecas?

_____

Rellena el círculo completamente para mostrar tu respuesta.

5. Shane representa un patrón en una gráfica que muestra la relación entre la longitud de un lado de un cuadrado y el área del cuadrado. Si la coordenada *x*, la longitud de un lado del cuadrado, es 6 pulgadas, ¿qué par ordenado representará Shane?

Ⓐ (6, 24)

Ⓑ (6, 36)

Ⓒ (36, 6)

Ⓓ (6, 6)

6. La tabla compara la distancia en un mapa con la distancia real. ¿Cuántos kilómetros representa la distancia de 8 centímetros en un mapa?

Número de centímetros	1	2	3	4
Número de kilómetros	10	20	30	40

Ⓐ 50 kilómetros

Ⓑ 8 kilómetros

Ⓒ 40 kilómetros

Ⓓ 80 kilómetros

Usa la gráfica para los ejercicios 7 a 9.

7. ¿Qué enunciado sobre los datos está correcto?

Ⓐ La cantidad ganada por lavar un auto es $10.

Ⓑ La cantidad ganada por lavar 20 autos es un dólar por auto.

Ⓒ La cantidad ganada por lavar un auto es $20.

Ⓓ La cantidad ganada por lavar 10 autos es $50.

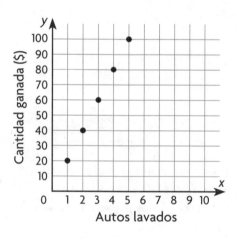

8. **Múltiples pasos** Imagina que Laura lava 2 autos el viernes y 3 autos el sábado ¿Cuánto gana?

Ⓐ $40

Ⓑ $60

Ⓒ $50

Ⓓ $100

9. **Múltiples pasos** Kyle lava 4 autos. Erin lava 5 autos. Ellos quieren donar la cantidad que ganaron a una fundación de beneficencia. ¿Cuánto más dinero necesitan si quieren donar $200 a la fundación de beneficencia?

Ⓐ $20

Ⓑ $180

Ⓒ $40

Ⓓ $100

Evaluación del Módulo 14

Vocabulario

Elige el término correcto del recuadro.

Vocabulario
par ordenado
origen
eje de la x
coordenada x
eje de la y
coordenada y

1. El _____ es el punto donde el eje de la x y el

   eje de la y se intersecan. Su _____ es 0 y su

   _____ es 0. (pág. 511)

2. La recta numérica horizontal de la cuadrícula de coordenadas

   se llama _____. (pág. 511)

Conceptos y destrezas

Usa la tabla para los ejercicios 3 y 4. TEKS 5.8.C

Altura de la plántula					
Entrada	Semanas	1	2	3	4
Salida	Altura (en cm)	2	6	14	16

3. Escribe pares ordenados para mostrar la relación entre la semana y la altura.

   _____

4. Representa los datos en una cuadrícula de coordenadas.

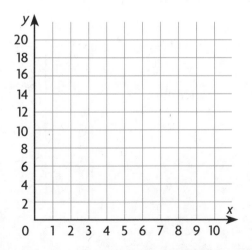

5. El punto A está a 2 unidades hacia la derecha y 4 unidades hacia arriba del origen. ¿Qué par ordenado describe el punto A? ◆ TEKS 5.8.A, 5.8.B

Ⓐ (2, 0)

Ⓑ (2, 4)

Ⓒ (4, 2)

Ⓓ (0, 4)

6. La tabla de entrada y salida muestra los ahorros de Tori.

Entrada	Semanas	1	2	3	4	10
Salida	Cantidad ahorrada (dólares)	20	40	60	80	▬▬

Si la coordenada x es el número de semanas y la coordenada y es la cantidad ahorrada, ¿qué par ordenado representa el punto que muestra la cantidad ahorrada en 10 semanas? ◆ TEKS 5.8.C

Ⓐ (10, 100)

Ⓑ (100, 10)

Ⓒ (200, 10)

Ⓓ (10, 200)

7. La regla de un patrón es $y = 2x$. ¿Qué punto en el plano de coordenadas NO representa la regla del patrón? ◆ TEKS 5.8.C

Ⓐ M

Ⓑ N

Ⓒ Q

Ⓓ P

8. En un par ordenado, la coordenada x representa el número de hexágonos y la coordenada y representa el número total de lados. Si la coordenada x es 7, ¿cuál es la coordenada y? ◆ TEKS 5.8.C

Anota tu resultado y rellena los círculos en la cuadrícula. Asegúrate de usar el valor de posición correcto.

Análisis de datos

Muestra lo que sabes ✓

Comprueba si comprendes las destrezas importantes.

Nombre _____

▶ **Leer gráficas de barras** Usa la gráfica para contestar las preguntas.

1. ¿Qué fruta recibió la mayor cantidad de votos? _____

2. ¿Qué fruta recibió 5 votos? _____

3. Hubo _____ votos en total.

Frutas favoritas

▶ **Restar decimales** Estima.
Luego halla la diferencia.

4. Estima:

$$\begin{array}{r} 6.79 \\ -\ 4.21 \\ \hline \end{array}$$

5. Estima:

$$\begin{array}{r} 11.82 \\ -\ 2.31 \\ \hline \end{array}$$

▶ **Valor de posición en 1,000,000** Muestra 582,649 en la tabla de valor de posición. Escribe el valor de los dígitos.

Millares			Unidades		
Centenas	Decenas	Unidades	Centenas	Decenas	Unidades
		2,			9

6. El valor de 8 es _____.

7. El valor de 4 es _____.

8. El valor de 5 es _____.

APRENDE EN LÍNEA

Opciones de evaluación:
Soar to Success Math

Desarrollo del vocabulario

▶ **Visualizar** •

Usa las palabras marcadas para completar el diagrama de árbol.

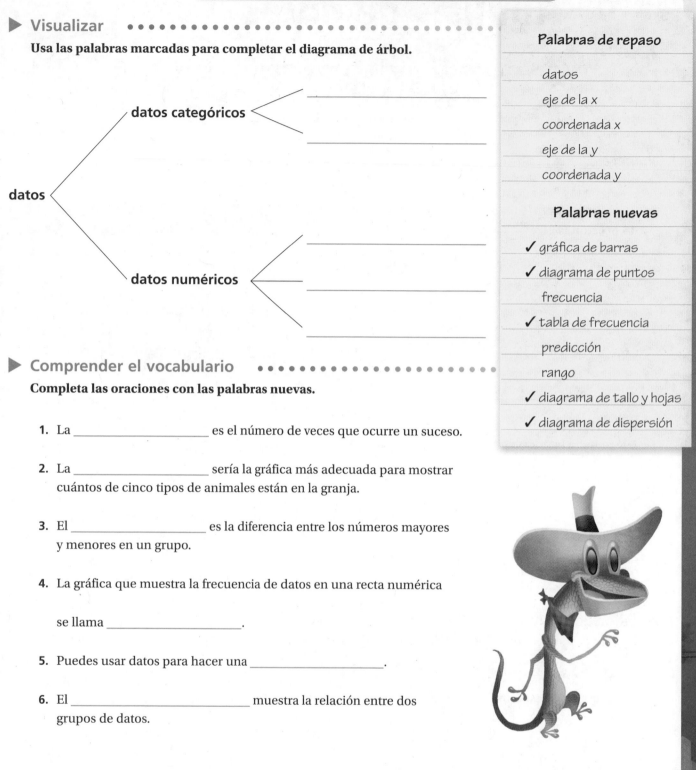

datos

    datos categóricos < _____

                                   _____

    datos numéricos < _____

                                     _____

                                     _____

Palabras de repaso

datos

eje de la x

coordenada x

eje de la y

coordenada y

Palabras nuevas

✓ gráfica de barras

✓ diagrama de puntos

  frecuencia

✓ tabla de frecuencia

  predicción

  rango

✓ diagrama de tallo y hojas

✓ diagrama de dispersión

▶ **Comprender el vocabulario** •

Completa las oraciones con las palabras nuevas.

1. La _____ es el número de veces que ocurre un suceso.

2. La _____ sería la gráfica más adecuada para mostrar cuántos de cinco tipos de animales están en la granja.

3. El _____ es la diferencia entre los números mayores y menores en un grupo.

4. La gráfica que muestra la frecuencia de datos en una recta numérica

   se llama _____.

5. Puedes usar datos para hacer una _____.

6. El _____ muestra la relación entre dos grupos de datos.

APRENDE EN LÍNEA
• Libro interactivo del estudiante
• Glosario multimedia

Nombre _____

Vocabulario

Las pictografías y las gráficas de barras son dos maneras de mostrar los datos. Cada tipo de representación muestra la información de una manera un poco diferente.

Mira los datos de la siguiente tabla. Decide si sería mejor usar una pictografía o una gráfica de barras para mostrar los datos. ¿Necesitarías una clave? ¿Qué información incluirías en la clave? Luego haz, rotula y representa en una gráfica el conjunto de datos.

Horas de lectura	
Tiempo	Número de personas
1 hora	3
2 horas	7
3 horas	8
Más de 3 horas	8

Redacción Durante una semana, anota cuánto tiempo pasas leyendo. Escribe la hora en que comienzas y la hora en que terminas cada día. Luego haz una gráfica de barras para mostrar los datos.

Lectura Busca el libro *Holes* por Louis Sachar en tu biblioteca.

Dejar caer la moneda de 1¢

Objetivo del juego Las parejas pueden jugar este juego y luego hacer una gráfica de barras para comparar sus puntajes.

Materiales

- 5 monedas de 1¢
- Blanco de *Dejar caer la moneda de 1¢*
- Tarjeta de puntaje de *Dejar caer la moneda de 1¢* (una por cada jugador)
- Patrón de una gráfica de barras

Preparación

Da a cada jugador una tarjeta de puntaje.

Número de jugadores: 2

Instrucciones

 1 Coloca el blanco en el piso. Decide quién jugará primero.

2 Los jugadores se paran uno frente al otro con sus dedos de los pies tocando una de los bordes largos del blanco. Los jugadores se turnan para dejar caer 5 monedas de 1¢ en el blanco.

3 Cuando un jugador haya dejado caer las 5 monedas de 1¢, él o ella suma sus puntajes y los anota en la tarjeta de puntaje.

- Una moneda de 1¢ dará un puntaje de 0, 2, 5 ó 10 puntos.
- Si una moneda de 1¢ cae en el borde entre dos áreas del blanco, el puntaje será el menor de los dos valores.

4 Repite los pasos 2 y 3. Los jugadores suman el puntaje a su puntaje de la ronda anterior. El jugador con el mayor puntaje después de 10 rondas es el ganador.

Comparte lo que piensas Haz una gráfica de barras que muestre tu puntaje total para las rondas 1 a 10. ¿Qué información sobre el juego puedes obtener de la gráfica?

TEKS Análisis de datos:
5.9.A
PROCESOS MATEMÁTICOS
5.1.B, 5.1.E

15.1 Hacer tablas de frecuencia

? Pregunta esencial

¿Cómo puedes mostrar los datos en una tabla de frecuencia?

La **frecuencia** es el número de veces que ocurre un suceso. Una **tabla de frecuencia** es una tabla que usa números para anotar o registrar datos sobre el número de veces que se repite un suceso.

? Soluciona el problema En el mundo

Bart llevó un registro del tamaño de las bolsas de cacahuates que vendió en el juego de béisbol.

Bolsas de cacahuates vendidas (tamaños)

M	S	XL	M	XL	S	L
S	S	L	XL	XL	L	XL
XL	XL	S	M	L	L	S
S	XL	L	S	XL	M	M

Haz una tabla de frecuencia de los datos.

PASO 1: Escribe el título en la parte superior de la tabla de frecuencia.

PASO 2: Escribe el tamaño de las bolsas de cacahuate en la primera columna.

PASO 3: Anota la frecuencia de venta de cada tamaño de bolsa de cacahuate en la columna de frecuencia.

Tamaño	Frecuencia

● Si quieres saber rápidamente cuántas bolsas grandes de cacahuates vendió Bart, ¿usarías el registro o la tabla de frecuencia? **Explica** tu respuesta.

_____

_____

¡Inténtalo! Haz una tabla de frecuencia.

Una bibliotecaria anota los tipos de libros que los estudiantes toman prestado una mañana. Haz una tabla de frecuencia de los datos.

- Escribe un título para la tabla de frecuencia.

- Escribe los tipos de libros en la primera columna.

- Anota la frecuencia de cada tipo de libro en la segunda columna.

Libros prestados

aventura	misterio	aventura	biografía
aventura	misterio	aventura	biografía
biografía	aventura	misterio	aventura
misterio	aventura	biografía	aventura

Tipos de libros	**Frecuencia**

Comparte y muestra

MATH BOARD

Leonel anota los medios de transporte que sus compañeros de clase usan para ir a la escuela. Usa los datos para los ejercicios 1 y 2.

1. ¿Cuál es un buen título para la tabla de frecuencia de los datos?

   _____

   ¿Qué habrá en la primera columna de la tabla de frecuencia?

   _____

   ¿Qué habrá en la segunda columna de la tabla de frecuencia?

   _____

Transporte a la escuela

autobús	a pie	auto
a pie	a pie	autobús
autobús	autobús	a pie
auto	autobús	auto
a pie	autobús	autobús
autobús	auto	a pie
auto	a pie	autobús

2. Haz una tabla de frecuencia.

Charla matemática

Procesos matemáticos

Explica cómo hallaste la frecuencia de cada medio de transporte.

546

Nombre _____

Un entrenador de natación anota los eventos en que participan los nadadores de un equipo. Usa los datos para los ejercicios 3 y 4.

3. Haz una tabla de frecuencia de los datos. **Explica** cómo determinas qué debes poner en la primera columna de la tabla.

_____

_____

Competencias de natación		
crol	espalda	mariposa
espalda	braza	crol
crol	espalda	crol
braza	mariposa	espalda
espalda	crol	mariposa
crol	espalda	mariposa

4. **Múltiples pasos** ¿Cómo puedes probar que el número total de frecuencias de tu tabla está correcto?

_____

_____

_____

Resolución de problemas En el mundo

El dueño de un restaurante anotó los tipos de salsa que los clientes piden en la cena. Usa los datos para los ejercicios 5 a 7.

Escribe ▶ **Muestra tu trabajo**

Tipos de salsa									
picante	suave	espesa	picante	suave	suave	picosa	picante	picante	picosa
picosa	espesa	picosa	espesa	espesa	picosa	picante	picosa	picante	picante

5. **Representaciones** Haz una tabla de frecuencia de los datos.

6. **H.O.T.** **Describe** cómo se modificaría la tabla de frecuencia si 4 clientes cambian de salsa espesa a salsa picosa y 3 clientes cambian de salsa suave a salsa picante.

_____

_____

7. **H.O.T.** **Múltiples pasos** Piensa en un tema para una tabla de frecuencia. Anota un conjunto de datos para el tema. Usa los datos para hacer una tabla de frecuencia.

Tarea diaria de evaluación

Rellena el círculo completamente para mostrar tu respuesta.

8. Marsha anota la raza de los perros que participan en un espectáculo canino. Luego hace una tabla de frecuencia para mostrar los datos. ¿Cuántas razas diferentes de perros habrá en la tabla de frecuencia?

Razas de perros			
beagle	pug	bulldog	pug
beagle	bulldog	poodle	bulldog
bulldog	poodle	beagle	bulldog

(A) 2   (C) 3

(B) 12   (D) 4

Los estudiantes hacen un pedido de diferentes tallas de sudaderas. Hacen una tabla de frecuencia para mostrar los datos. Usa la tabla de frecuencia para los ejercicios 9 y 10.

9. Los estudiantes hacen el pedido de las tallas grande, pequeña, grande, grande, mediana, pequeña, grande, pequeña, grande, mediana y pequeña. ¿Qué frecuencia debe estar en la hilera de mediana en la tabla de frecuencia?

Pedido de sudaderas	
Talla	**Frecuencia**
Pequeña	?
Mediana	?
Grande	?

(A) 5   (C) 4

(B) 2   (D) 3

10. **Múltiples pasos** Los estudiantes pagan $14 por la talla pequeña de sudaderas y $16 por la talla grande. ¿Cuánto pagan por las tallas pequeña y grande de sudaderas que ordenan en su pedido?

(A) $56   (C) $80

(B) $136   (D) $30

⭐ Preparación para la prueba de TEXAS

11. Paula anotó el color de todos sus zapatos.

Color de zapatos				
azul	negro	rojo	azul	azul
negro	azul	blanco	rojo	negro
rojo	morado	blanco	azul	rojo

Después hace una tabla de frecuencia de los datos. ¿Cuál es la frecuencia de zapatos rojos?

(A) 3   (C) 15

(B) 4   (D) 2

548

Nombre _____

15.1 Hacer tablas de frecuencia

Patricia anota los tipos de pingüinos que ve en la exhibición de la Antártida en el zoológico. Usa los datos para los ejercicios 1 y 2.

1. ¿Cuál es un buen título para la tabla de frecuencia de los datos?

   _____

   ¿Qué habrá en la primera columna de la tabla de frecuencia?

   _____

   ¿Qué habrá en la segunda columna de la tabla de frecuencia?

   _____

2. Completa la tabla de frecuencia de la derecha.

Pingüinos de la Antártida		
Rey	Barbijo	Papúa
Barbijo	Rey	Macaroni
Crestado	Barbijo	Rey
Papúa	Papúa	Papúa
Macaroni	Rey	Barbijo
Crestado	Crestado	Barbijo

Resolución de problemas *En el mundo*

Los estudiantes del Sr. Rexford anotaron los polígonos de una escultura del museo de arte moderno. Usa los datos para los ejercicios 3 y 4.

3. Completa la tabla de frecuencia de los datos.

4. ¿Qué polígono tuvo la mayor frecuencia?
   ¿Qué polígono tuvo la menor frecuencia?

   _____

   _____

Polígonos				
triángulo	rectángulo	hexágono	triángulo	pentágono
rectángulo	rectángulo	hexágono	hexágono	rectángulo
hexágono	pentágono	hexágono	triángulo	rectángulo

Rellena el círculo completamente para mostrar tu respuesta.

5. Milo anota los tipos de caracoles que recoge en la costa de Texas. Luego hace una tabla de frecuencia para mostrar los datos. ¿Cuántos tipos diferentes de caracoles habrá en la tabla de frecuencia?

   (A) 20   (C) 5

   (B) 4   (D) 3

Tipos de caracoles			
almeja	almeja	caracola	buccino
verdigón	verdigón	almeja	vieira
verdigón	almeja	caracola	vieira
vieira	verdigón	almeja	vieira
almeja	vieira	buccino	caracola

6. Carmen anotó los tipos de vehículos que vio por la ventana del auto de su papá e hizo una tabla de frecuencia de los datos. ¿Cuál es la frecuencia de las motocicletas?

   (A) 5   (C) 7

   (B) 6   (D) 3

Vehículos		
motocicleta	camión	auto deportivo
camión	motocicleta	camión
auto deportivo	motocicleta	SUV
motocicleta	camión	SUV
SUV	SUV	auto deportivo
SUV	camión	motocicleta
motocicleta	camión	SUV

Josef tiene un puesto de cerámicas en la feria de artesanías. Él hace una tabla de frecuencia para mostrar los tipos de piezas de cerámica que vendió en un día. Usa la tabla de frecuencia para los ejercicios 7 y 8.

Cerámicas vendidas	
Tipo	Frecuencia
Tazón	12
Taza	?
Plato	5
Jarrón	8

7. **Múltiples pasos** El número de tazas que Josef vendió es un cuarto del número total de tazones y jarrones que vendió. ¿Qué frecuencia debe haber en la hilera de taza en la tabla de frecuencia?

   (A) 3

   (B) 5

   (C) 2

   (D) 80

8. **Múltiples pasos** El precio de un plato es $6 y el precio de una taza es $5. ¿Cuánto ganó Josef en los platos y las tazas que vendió?

   (A) $55

   (B) $25

   (C) $30

   (D) $11

Nombre _____

15.2 Analizar tablas de frecuencia

TEKS Análisis de datos: 5.9.C

PROCESOS MATEMÁTICOS 5.1.A, 5.1.F

? Pregunta esencial

¿Cómo puedes analizar los datos que se muestran en una tabla de frecuencia?

🔑 Soluciona el problema En el mundo

Puedes resolver problemas cuando analizas los datos de las tablas de frecuencia.

🔓 Ejemplo

Los estudiantes votan por el país que más les gustaría visitar. Anotan los resultados en una tabla de frecuencia.

| Países para visitar ||
País	Frecuencia
Inglaterra	9
China	24
Italia	17
Canadá	15
Islandia	6

¿Cuáles dos países tienen la mayor frecuencia de votos?

Las mayores frecuencias son _____ y _____.

Los países con las mayores frecuencias son _____ e _____.

Los estudiantes que votan por los dos países con la mayor frecuencia de votos planearán un festival sobre los países. ¿Cuántos estudiantes planearán el festival?

Suma las dos frecuencias mayores.

_____ + _____ = _____

Entonces, _____ estudiantes planearán el festival.

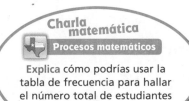

Charla matemática

Procesos matemáticos

Explica cómo podrías usar la tabla de frecuencia para hallar el número total de estudiantes que votaron.

🔑 Ejemplo 2 Resuelve un problema de múltiples pasos.

Jason usa una tabla de frecuencia para llevar la cuenta de los carteles que vende en su tienda en línea. Vende carteles de películas a $12 cada uno y carteles de deportes a $15 cada uno. ¿Cuánto le pagaron a Jason por los carteles de películas y de deportes que vendió en enero?

PASO 1: Usa la tabla de frecuencia para hallar el número de carteles de películas y de carteles de deportes que Jason vendió en enero.

carteles de películas: _____   carteles de deportes: _____

| Carteles vendidos en enero ||
Tipos de carteles	Frecuencia
Animales	13
Deportes	13
Estrellas del Rock	8
Películas	12

PASO 2: Multiplica para hallar cuánto le pagaron a Jason por cada tipo de cartel.

carteles de películas: _____ × $_____ = $_____

carteles de deportes: _____ × $_____ = $_____

PASO 3: Suma para hallar la cantidad total.

$_____ + $_____ = $_____

A Jason le pagaron $_____ por los carteles de películas y los carteles de deportes en enero.

Comparte y muestra

Los estudiantes votan por sus atracciones favoritas de un parque acuático. Anotan los resultados en una tabla de frecuencia. Usa la tabla de frecuencia para los ejercicios 1 a 3.

1. ¿Cuál es la diferencia entre la frecuencia de votos del Tobogán de la selva y de las Salpicaduras?

   Tobogán de la selva: _____ votos   Salpicaduras: _____ votos

   _____ – _____ = _____

   La diferencia es _____ votos.

Atracciones favoritas del parque acuático	
Atracciones	Frecuencia
Raudales del río	15
La ola	15
Tobogán de la selva	21
Salpicaduras	9
Tobogán de la montaña	18
Salto de la cueva	15

2. ¿Qué atracciones recibieron la misma cantidad de votos?

   _____

3. ¿Cuántos estudiantes en total votaron por el Tobogán de la montaña y el Salto de la cueva? _____

Nombre _____

Resolución de problemas

Sandy anotó en una tabla de frecuencia las frutas que comió el mes pasado. Usa la tabla de frecuencia para los ejercicios 4 y 5.

4. **Múltiples pasos** Sandy encerró en un círculo las frutas que comió menos de 5 veces el mes pasado. Decidió comerlas 3 veces más el próximo mes. ¿Cuántas veces comerá cada una de esas frutas?

_____

Frutas	
Tipo de fruta	**Frecuencia**
Manzana	8
Naranja	4
Plátano	11
Durazno	9
Pera	3

5. **H.O.T.** **Múltiples pasos** El mes pasado Carlos comió frutas con la misma frecuencia que Sandy y comió los mismos tipos de frutas. Pero Carlos comió de cada tipo de fruta el mismo número de veces. ¿Cuántas veces comió Carlos de cada tipo de fruta? **Describe** los pasos que sigues para resolver el problema.

_____

_____

_____

Resolución de problemas *En el mundo*

Pedro realiza una encuesta sobre los sitios web favoritos de los estudiantes y anota los resultados en una tabla de frecuencia. Usa los datos para los ejercicios 6 y 7.

6. ¿Cuántos estudiantes participan en la encuesta? **Explica** cómo usar el cálculo mental para hallar el resultado.

_____

_____

Sitios web favoritos	
Tipo de sitio web	**Frecuencia**
Juegos	32
Música	20
Videos	41
Deportes	18
Noticias	9

7. **H.O.T.** **Múltiples pasos** ¿Cuáles dos tipos de sitios web recibieron en total el mismo número de votos que el tipo de sitio web que recibió el mayor número de votos? **Explica** tu respuesta.

_____

_____

_____

Tarea diaria de evaluación

Rellena el círculo completamente para mostrar tu respuesta.

8. **Analiza** Héctor tiene una colección de postales. La tabla de frecuencia muestra el número de postales que tiene de cada país. El número de postales de Estados Unidos es 3 veces el número de postales que tiene de otro país. ¿Qué país es?

(A) Japón   (C) Noruega

(B) Francia   (D) Canadá

Colección de postales	
País	Frecuencia
Estados Unidos	54
Japón	27
Francia	16
Noruega	24
Canadá	18

Usa la tabla de frecuencia para los ejercicios 9 y 10.

9. La tabla muestra los tipos de sándwiches que se vendieron en una cafetería ayer. ¿Cuántos sándwiches más de pollo que de ensalada de atún se vendieron?

(A) 12   (C) 13

(B) 7   (D) 19

Sándwiches vendidos	
Tipo de sándwich	Frecuencia
Ensalada de atún	12
Mantequilla de cacahuate	8
Pollo	19
Queso a la plancha	6

10. **Múltiples pasos** Un cliente compró la mitad de los sándwiches de mantequilla de cacahuate y la mitad de los sándwiches de queso a la plancha que se vendieron. Cada sándwich cuesta $6. ¿Cuánto pagó el cliente?

(A) $24   (C) $84

(B) $18   (D) $42

Preparación para la prueba de TEXAS

11. Los estudiantes votan por su pasatiempo favorito y anotan los resultados en una tabla de frecuencia.

Pasatiempo favorito	
Tipo de pasatiempo	Frecuencia
Hacer álbumes de recortes	13
Coleccionar monedas	22
Grabar videos	7
Coser	18

¿Cuántos estudiantes votaron por los dos pasatiempos más populares?

(A) 35   (C) 4

(B) 40   (D) 30

Nombre _____

15.2 Analizar tablas de frecuencia

El entrenador Michaels planea el festival anual de actividades deportivas de la escuela. Los estudiantes votan por su actividad favorita y el entrenador anota los resultados en una tabla de frecuencia. Usa la tabla de frecuencia para los ejercicios 1 a 4.

| Actividades deportivas ||
Actividades	Frecuencia
Carrera de patineta	62
Carrera de relevos	11
Lanzamiento de cono	13
Carrera de obstáculos	52
Lanzamiento de globos de agua	26

1. ¿Qué actividad recibió la mitad del número de votos del lanzamiento de globos de agua? ¿Qué actividad recibió el doble del número de votos del lanzamiento de globos de agua?

   _____

2. ¿Cuáles dos actividades recibieron en total menos votos que el lanzamiento de globos de agua?

   _____

3. ¿Cuáles tres actividades recibieron en total menos votos que la carrera de patineta?

   _____

4. ¿Qué actividad crees que el entrenador Michaels debe incluir en el festival anual de actividades deportivas? ¿Qué actividad debe eliminar? **Explica** tu respuesta.

   _____

   _____

Resolución de problemas En el mundo

Un sitio web de turismo realiza una encuesta sobre el estado fronterizo favorito que a los texanos les gusta visitar. Los resultados del lunes se muestran en una tabla de frecuencia. Usa los datos para los ejercicios 5 y 6.

| Estados favoritos para visitar ||
Estado	Frecuencia
Arkansas	67
Louisiana	89
Oklahoma	78
New Mexico	95

5. **Múltiples pasos** ¿Cuántas más personas prefieren visitar Louisiana o New Mexico que Arkansas u Oklahoma?

   _____

6. **Múltiples pasos** Si 256 personas más responden la encuesta el martes, ¿cuántas personas han respondido la encuesta hasta ahora? Describe los pasos que sigues para resolver el problema.

   _____

   _____

Rellena el círculo completamente para mostrar tu respuesta.

7. Los estudiantes votaron por su proyecto de artesanía favorito y anotaron los resultados en una tabla de frecuencia. ¿Cuál es la diferencia de frecuencia entre la artesanía menos favorita y la artesanía que tiene más votos?

   (A) 9

   (B) 1

   (C) 37

   (D) 8

Proyecto de artesanía favorito	
Proyecto de artesanía	**Frecuencia**
Mosaico	23
Móvil de 3 dimensiones	19
Origami	22
Collage	15
Máscara de papel	14

8. Los estudiantes votan por su lugar favorito para ir de excursión. ¿Cuáles son los dos lugares que tienen la menor diferencia de frecuencia?

   (A) Acuario y zoológico

   (B) Zoológico y museo de ciencias

   (C) Teatro y museo de arte

   (D) Acuario y teatro

Excursión favorita	
Lugar	**Frecuencia**
Acuario	27
Zoológico	33
Museo de arte	19
Museo de ciencias	38
Teatro	25

La tabla muestra los tipos de *bagels* que se vendieron en la cafetería el viernes. Usa la tabla de frecuencia para los ejercicios 9 a 11.

9. El sábado se vendió un octavo del número de los *bagels* de pasas que se vendieron el viernes. ¿Cuántos *bagels* de pasas se vendieron el sábado?

   (A) 8

   (B) 4

   (C) 2

   (D) 6

Bagels vendidos	
Tipo de *bagel*	**Frecuencia**
Simple	16
Trocitos de chocolate	28
Arándano	36
Pasas	32

10. **Múltiples pasos** Sasha compra *bagels* para los clientes de su venta de garaje. Compra todos los *bagels* de trocitos de chocolate y la mitad de los simples. Cada *bagel* cuesta $2.50. ¿Cuánto gasta Sasha en *bagels*?

    (A) $70

    (B) $20

    (C) $90

    (D) $110

11. **Múltiples pasos** Si el número total de *bagels* que se vendieron el viernes fue el doble del número de *bagels* que se vendieron el sábado, ¿cuántos *bagels* se vendieron el sábado?

    (A) 112

    (B) 51

    (C) 56

    (D) 224

TEKS Análisis de datos:
5.9.A

PROCESOS MATEMÁTICOS
5.1.A, 5.1.D, 5.1.E

15.3 Hacer gráficas de barras

? Pregunta esencial

¿Cómo puedes mostrar los datos en una gráfica de barras?

Investiga

Materiales ■ patrón de gráfica de barras

La clase de la Sra. Lyon realizó una encuesta sobre los deportes que prefieren ver los estudiantes y anotó los resultados en la tabla de abajo. Usa los datos de la tabla para hacer una **gráfica de barras** de los deportes que prefieren ver los estudiantes.

Deportes que prefieren ver los estudiantes				
Deporte	Fútbol americano	Béisbol	Fútbol	Otros
Número de votos	12	4	6	2

A. Primero rotula la gráfica de barras con la información importante. ¿Cuál será el título de tu gráfica de barras?

_____

_____

¿Dónde escribirás el rótulo *Deporte*?
¿Dónde escribirás el rótulo *Número de votos*?

_____

¿Qué rótulos tendrán las barras de la gráfica de barras?

_____

La escala de todas las gráficas empieza en _____.
Como todos estos grupos de datos son

números pares, una escala de _____ es correcta para esta gráfica.

B. Representa con una barra rotulada para cada opción de respuesta de la encuesta el número de estudiantes que votaron por cada deporte.

La barra rotulada *Fútbol americano* terminará en _____.

La barra rotulada *Béisbol* terminará en _____.

La barra rotulada *Fútbol* terminará en _____.

La barra rotulada *Otros* terminará en _____.

Saca conclusiones

Usa la gráfica de barras que hiciste en la página anterior para los ejercicios 1 y 2.

1. ¿Por qué usarías una escala de 2 en vez de una escala de 1 en esta gráfica de barras?

_____

_____

2. **Explica** cómo cambiaría la gráfica de barras si se usara una escala de 4.

_____

_____

Comparte y muestra

Usa la tabla para los ejercicios 1 a 3.

Charla matemática
Procesos matemáticos

Explica cómo te facilita elegir una escala apropiada para una gráfica el hecho de saber cuáles son los múltiplos de los números.

Número de días lluviosos

Mes	Abril	Mayo	Junio
Número de días	20	8	4

Número de días soleados

Mes	Abril	Mayo	Junio
Número de días	5	10	15

1. Una escala de 5 sería más apropiada para una gráfica de barras de

   los datos de la tabla titulada _____.

2. Una escala de 4 sería más apropiada para una gráfica de barras de

   los datos de la tabla titulada _____.

3. Haz gráficas de barras para mostrar los datos de cada tabla.

558

Nombre _____

Usa la tabla y la gráfica de barras para los ejercicios 4 a 6.

Excursión preferida

Lugar	Número de votos
Manzanal	6
Museo	2
Planetario	11
Zoológico	4

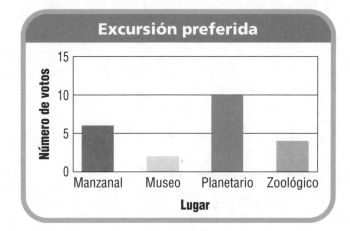

Excursión preferida

4. **H.O.T.** **¿Cuál es el error?** A los estudiantes de la clase del Sr. Tran se les hizo una encuesta para saber adónde preferían ir de excursión: a un manzanal, un museo, un planetario o un zoológico. Los resultados de la encuesta se muestran en la tabla.

   Tori hizo una gráfica de los datos. ¿Cuál fue el error que cometió? ¿Cómo puede corregir el error?

   _____

   _____

5. **H.O.T.** ¿Qué escala podría haber usado Tori para que la lectura de los valores de las barras fuera más fácil? **Explica** tu respuesta.

   _____

   _____

   _____

6. **Múltiples pasos** ¿Exactamente cuántos estudiantes más votaron por el zoológico que por el museo? ¿Cuál representación de datos es más fácil de usar para hallar el resultado? **Explica** tu respuesta.

   _____

   _____

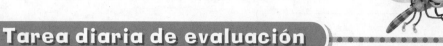
Tarea diaria de evaluación

Rellena el círculo completamente para mostrar tu respuesta.

7. Trevor anotó en una tabla de frecuencia las patinetas que se vendieron el mes pasado. Él muestra los datos en una gráfica de barras. ¿Cuántas barras tendrá la gráfica?

Ⓐ 3 barras

Ⓑ 4 barras

Ⓒ 10 barras

Ⓓ 8 barras

Patinetas vendidas el mes pasado			
Estilo	A	B	C
Número	8	10	4

Usa la tabla y la gráfica incompleta para los ejercicios 8 y 9.

Camisas vendidas			
Color	Rojo	Negro	Azul
Número	5	10	7

Camisas vendidas

Número de camisas

Color

8. Analiza Supón que completas la gráfica de barras. ¿Cuál es la mejor escala?

Ⓐ 1

Ⓑ 2

Ⓒ 12

Ⓓ 10

9. Múltiples pasos Brandy representó los datos correctamente. ¿Qué enunciado sobre la gráfica es verdadero?

Ⓐ La barra de las camisas negras tiene el doble de alto que la barra de las camisas azules.

Ⓑ La barra de las camisas negras tiene el doble de alto que la barra de las camisas rojas.

Ⓒ La barra de las camisas azules es la barra más alta.

Ⓓ La barra de las camisas azules es la barra más corta.

⭐ Preparación para la prueba de TEXAS

10. Marcy está haciendo una gráfica de barras de los datos de la tabla de frecuencia. ¿Qué escala debe usar?

Ⓐ 2

Ⓑ 25

Ⓒ 5

Ⓓ 1

Almuerzo favorito			
Tipo de comida	Sopa	Ensalada	Sándwich
Número de votos	20	35	15

Tarea y práctica

Nombre _____

15.3 Hacer gráficas de barras

Usa las tablas para los ejercicios 1 a 3.

Número de carreras ganadas			
Equipo	A	B	C
Número de carreras	4	8	5

Número de puntos anotados			
Equipo	A	B	C
Número de puntos	20	40	25

1. Una escala de 10 sería más apropiada para una gráfica de barras

   de los datos de la tabla titulada _____.

2. Una escala de 2 sería más apropiada para una gráfica de barras

   de los datos de la tabla titulada _____.

3. A continuación haz dos gráficas de barras para mostrar los datos de cada tabla.

![espacios en blanco para gráficas de barras]

Resolución de problemas En el mundo

El chef de una pastelería encuestó a sus clientes para saber cuál es su tipo de baya favorita. Los resultados de la encuesta se muestran en la tabla y en la gráfica de barras. Usa la tabla y la gráfica de barras para los ejercicios 4 y 5.

Baya favorita	
Tipo de baya	Número de votos
Mora	4
Arándano	8
Frambuesa	20
Fresa	16

4. ¿Qué escala se usó para hacer la gráfica de barras?

   Explica tu respuesta. _____

   _____

5. ¿Qué baya tuvo más votos? ¿Qué representación de datos usaste para hallar el resultado? **Explica** tu respuesta.

   _____

   _____

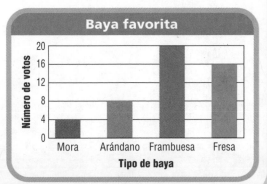

Rellena el círculo completamente para mostrar tu respuesta.

6. Leonardo hace una gráfica de barras de los datos que contiene la tabla de frecuencia sobre los quesos favoritos. ¿Cuántas barras tendrá la gráfica?

   (A) 12 barras   (C) 3 barras

   (B) 4 barras   (D) 2 barras

Quesos favoritos	
Tipo de queso	**Número de votos**
Cheddar	12
Monterrey Jack	6
Mozzarella	10
Suizo	5

7. Felicia hace una gráfica de barras de los datos que contiene la tabla de frecuencia sobre los cítricos favoritos. ¿Dónde terminará la barra de la mandarina?

   (A) 12   (C) 20

   (B) 18   (D) 3

Cítricos favoritos			
Fruta	Toronja	Naranja	Mandarina
Número de votos	12	15	18

Usa la tabla y la gráfica incompleta para los ejercicios 8 a 10.

Ventas de la librería			
Tipo de libro	Nuevo	Usado	Electrónico
Número de votos	35	60	25

8. ¿Cuál escala es la mejor opción para completar la gráfica?

   (A) 5

   (B) 2

   (C) 4

   (D) 1

9. El número de libros que la librería dona a una biblioteca es un cuarto del total de libros vendidos. ¿Cuántos libros se donan a la biblioteca?

   (A) 95

   (B) 120

   (C) 30

   (D) 40

10. **Múltiples pasos** Si los datos se representan en la gráfica correctamente, ¿qué enunciado es verdadero?

    (A) La barra de libros nuevos es la más corta.

    (B) La barra de libros electrónicos es más alta que la barra de libros nuevos.

    (C) La barra de libros usados tiene el doble de alto que la barra de libros nuevos.

    (D) La barra de libros usados tiene más del doble de alto que la barra de libros electrónicos.

15.4 Analizar gráficas de barras

TEKS Análisis de datos:
5.9.C

PROCESOS MATEMÁTICOS
5.1.A, 5.1.F

? Pregunta esencial

¿Cómo puedes analizar los datos que se muestran en una gráfica de barras?

🔑 Soluciona el problema En el mundo

Una gráfica de barras es útil para comparar y analizar datos.

A veces puedes hacer una **predicción** basándote en los datos. Una predicción es una suposición razonable sobre algo que podría suceder, que puede terminar siendo verdadera o falsa.

🔒 Ejemplo 1

La Sra. Marcano vendió *pretzels* en un puesto del parque de la ciudad. Anotó el número de *pretzels* que vendió diariamente durante 5 días.

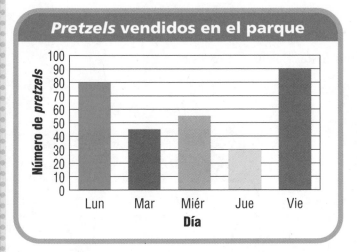

Pretzels vendidos en el parque

- ¿Durante cuántos días anotó la Sra. Marcano el número de *pretzels* que vendió?

  _____

- ¿Qué se compara en esta gráfica de barras?

  _____

  _____

A Saca una conclusión.

¿Qué día se vendió el mayor número de *pretzels*?

Conclusión: El mayor número de *pretzels* se vendió el

_____.

B Haz una predicción.

¿Qué día venderá la Sra. Marcano más *pretzels* la semana que viene?

Predicción: La semana que viene la Sra. Marcano

venderá más *pretzels* el _____.

🔑 Ejemplo 2 Resuelve un problema de múltiples pasos.

Los estudiantes ganan $3 por cada suscripción de revista que venden. ¿Cuánto más dinero gana Aaron que Carla?

PASO 1 Usa la gráfica para hallar el número de suscripciones que venden Aaron y Carla.

Aaron: _____ suscripciones

Carla: _____ suscripciones

PASO 2 Multiplica para hallar la cantidad de dinero que gana cada uno.

Aaron: _____ $\times$ \$3 = \$_____ .

Carla: _____ $\times$ \$3 = \$_____

PASO 3 Resta para hallar la diferencia.

\$_____ – \$_____ = \$_____

Entonces, Aaron gana $ _____ más que Carla con la venta de suscripciones de revistas.

Ventas de suscripciones de revistas

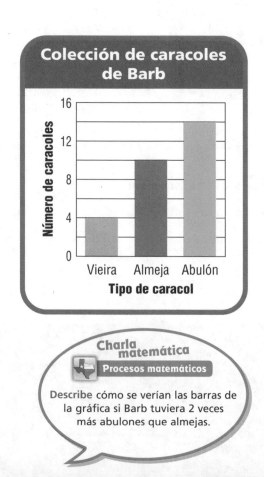

Comparte y muestra

Usa la gráfica de barras para los ejercicios 1 y 2.

✓ **1.** ¿Cuántos caracoles de almeja más que de vieira tiene Barb?

número de caracoles de almeja: _____

número de caracoles de vieira: _____

_____ – _____ = _____

_____ almejas más

✓ **2.** ¿Cuál es el total de caracoles que tiene Barb en su colección?

_____

Colección de caracoles de Barb

Charla matemática
Procesos matemáticos

Describe cómo se verían las barras de la gráfica si Barb tuviera 2 veces más abulones que almejas.

564

Nombre _____

Resolución de problemas

Las canicas que hay en una bolsa son rojas, azules, amarillas y verdes. Albert saca 20 canicas de la bolsa y anota los resultados en una gráfica de barras. Usa la gráfica de barras para los ejercicios 3 y 4.

3. **Conecta** Cuando combinas el número de dos colores de canicas que Albert saca de la bolsa, este es igual que el número total de canicas de otro color que saca de la bolsa. Escribe una ecuación con colores que represente esta relación.

_____

4. 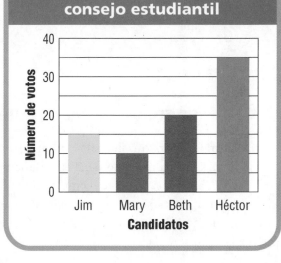 ¿Qué color de canica en la bolsa probablemente supere cualquier otro color? **Justifica** tu respuesta.

_____

_____

Color de canicas que se sacan de la bolsa

Resolución de problemas *En el mundo*

Usa la gráfica para los ejercicios 5 y 6.

5. **Múltiples pasos** Un artículo en el periódico escolar indica que Héctor recibió más de la mitad de los votos en la elección. ¿Es correcto este enunciado? **Explica** tu respuesta.

_____

_____

6.  **Analiza** Veinte estudiantes no votaron en la elección. Si estos estudiantes hubieran votado por otros candidatos, pero no por Héctor, ¿cómo cambiarían los resultados de la elección? Da tres posibilidades diferentes.

Elección para presidente del consejo estudiantil

_____

_____

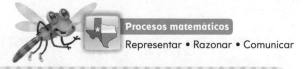

Tarea diaria de evaluación

Usa la gráfica de barras para los ejercicios 7 a 9. Rellena el círculo completamente para mostrar tu respuesta.

7. Los maestros de la escuela de Marty participan en una competencia de cocinar pasta. La gráfica de barras muestra las cantidades de salsa que usan en sus recetas. ¿Cuál es la diferencia entre la mayor y la menor cantidad de salsa?

   (A) 7 tazas

   (B) 2 tazas

   (C) 1 taza

   (D) 6 tazas

Cantidades de salsa

8. **Analiza** ¿Quién podría llenar más de un recipiente de 1 cuarto con su salsa? Pista: 1 cuarto = 4 tazas

   (A) Steve   (C) Earl

   (B) Ana   (D) Jaime

9. ¿Qué cantidad de salsa usan todos los maestros en sus recetas?

   (A) 5 tazas   (C) 15 tazas

   (B) 7 tazas   (D) 14 tazas

⭐ Preparación para la prueba de TEXAS

10. La gráfica de barras muestra el número de animales en una granja. Los animales comen heno diariamente. Cada caballo come 15 libras; cada vaca come 30 libras y cada cerdo come 1 libra. ¿Cuánto heno comen en total los animales de la granja en 1 día?

    (A) 46 libras

    (B) 636 libras

    (C) 591 libras

    (D) 33 libras

Animales de la granja

566

Tarea y práctica

Nombre _____

15.4 Analizar gráficas de barras

Un equipo de fútbol americano usa una gráfica de barras para anotar y comparar las puntuaciones de los cuatro primeros juegos. Usa la gráfica de barras para los ejercicios 1 a 3.

1. ¿Cuántos puntos más anotó el equipo en el

   juego 4 que en el juego 2? _____

2. ¿Cuántos puntos anotó el equipo en los tres

   primeros juegos? _____

3. ¿Cuál es el número total de puntos que anotó

   el equipo? _____

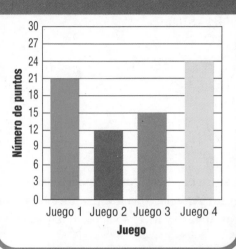

Puntuaciones de fútbol americano

Resolución de problemas En el mundo

Los estudiantes participan en la limpieza del parque el sábado. El director anota la asistencia en una gráfica de barras. Usa la gráfica para los ejercicios 4 y 5.

4. Tyler dice que los estudiantes de quinto grado tienen más del doble de participantes que los del segundo grado. ¿Tiene razón Tyler? **Explica** tu respuesta.

   _____

   _____

   _____

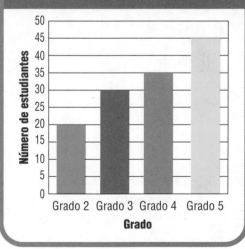

Asistencia a la limpieza del parque

5. ¿Y si llegaran 27 estudiantes más de tercer grado después del almuerzo para ayudar en la limpieza? ¿Cuál sería la diferencia entre el número de estudiantes del grado con mayor asistencia y el número de estudiantes del grado con menor asistencia? **Explica** tu respuesta.

   _____

   _____

   _____

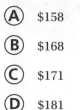
Rellena el círculo completamente para mostrar tu respuesta.

6. La gráfica de barras muestra el número de horas que trabajó cada persona en el cine el viernes. Alberto gana $8 por hora, Bob gana $10 por hora y Elena gana $9.50 por hora. ¿Cuánto les pagará el dueño del cine a los tres trabajadores el viernes?

Ⓐ $158

Ⓑ $168

Ⓒ $171

Ⓓ $181

Un centro canino cuida a los perros mientras sus dueños están de vacaciones. La gráfica muestra la cantidad de alimento diario que recibe cada perro según su peso y nivel de actividad. Usa la gráfica para los ejercicios 7 a 9.

1 pinta = 2 tazas

1 cuarto = 2 pintas

1 galón = 4 cuartos

7. ¿Qué perro come más de 1 cuarto pero menos de $\frac{1}{2}$ galón de comida diariamente?

Ⓐ Buster

Ⓑ Abe

Ⓒ Pepper

Ⓓ Benji

8. **Múltiples pasos** ¿Qué cantidad de alimento come Pepper en una semana?

Ⓐ 7 pintas   Ⓒ 25 tazas

Ⓑ 7 cuartos   Ⓓ 7 galones

9. **Múltiples pasos** ¿Cuál de las siguientes opciones es equivalente a la cantidad total de alimento que comen los cuatro perros diariamente?

Ⓐ 1 galón y 1 pinta

Ⓑ 8 pintas

Ⓒ 3 galones

Ⓓ 2 cuartos y 2 pintas

Nombre _____

Vocabulario

Elige el término correcto del recuadro.

Vocabulario
tabla de frecuencia
gráfica de barras
frecuencia
predicción

1. Una _____ es una gráfica que usa barras horizontales o verticales para mostrar datos cuantificables. (pág. 557)

2. Una _____ es una suposición razonable sobre algo que podría suceder, que puede terminar siendo verdadera o falsa. (pág. 563)

3. Una _____ es una tabla que usa números para anotar o registrar datos sobre el número de veces que se repite un suceso. (pág. 545)

Conceptos y destrezas

4. Harry anotó los tipos de autos en el estacionamiento de la escuela. Haz una tabla de frecuencia de los datos. ⬇ TEKS 5.9.A

Autos en el estacionamiento de la escuela		
auto deportivo	SUV	auto deportivo
minivan	*minivan*	SUV
auto deportivo	SUV	*minivan*
SUV	compacto	*minivan*
compacto	*minivan*	compacto

5. Barb realizó una encuesta sobre el desayuno favorito de los estudiantes. Anotó los resultados en una tabla de frecuencia. Haz una gráfica de barras de los datos. ⬇ TEKS 5.9.A

Desayuno favorito	
Tipo de comida	Número de votos
Yogur	15
Cereal	35
Fruta	20

Rellena el círculo completamente para mostrar tu respuesta.

Usa la tabla de frecuencia para los ejercicios 6 y 7.

6. ¿Cuántos cuadrangulares más bateó Rosa
   que Pam? TEKS 5.9.C

   (A) 8   (C) 4

   (B) 2   (D) 6

Cuadrangulares	
Jugador	**Frecuencia**
Chen	4
Pam	2
Dave	5
Rosa	8

7. Ryan bateó 2 veces el número de cuadrangulares que
   batearon Dave y Chen en total. ¿Cuántos cuadrangulares
   bateó Ryan? TEKS 5.9.C

   (A) 10   (C) 18

   (B) 8   (D) 9

Usa la gráfica de barras para los ejercicios 8-9.

8. Kate colocó 5 adhesivos en cada página de un álbum de
   adhesivos. ¿Cuántas páginas puede llenar con adhesivos
   de peces? TEKS 5.9.C

   (A) 5

   (B) 4

   (C) 7

   (D) 6

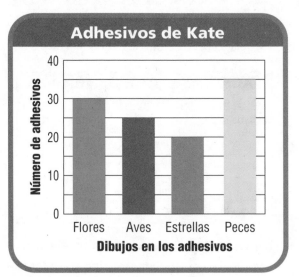

9. Kate usa la mitad de sus adhesivos de flores y la mitad de los
   de estrellas para las decoraciones de una fiesta. ¿Cuántos
   adhesivos le quedan en su colección? TEKS 5.9.C

   Anota tu resultado y rellena los círculos en la cuadrícula.
   Asegúrate de usar el valor de posición correcto.

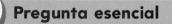 **16.1 Hacer diagramas de puntos**

TEKS Análisis de datos: 5.9.A

PROCESOS MATEMÁTICOS
5.1.A, 5.1.D, 5.1.E

? Pregunta esencial

¿Cómo puedes mostrar los datos en un diagrama de puntos?

El **diagrama de puntos** es una gráfica que muestra la frecuencia de los datos en una recta numérica.

🔑 Soluciona el problema En el mundo

Mirta anotó el peso de cada bolsa de manzanas que los trabajadores recogieron en un manzanal.

Peso de las bolsas de manzanas (lb)				
$2\frac{1}{2}$	3	$2\frac{1}{2}$	3	$1\frac{1}{2}$
1	$2\frac{1}{2}$	3	1	$2\frac{1}{2}$

Haz un diagrama de puntos de los datos.

PASO 1 Escribe los datos en orden de menor a mayor.

_____

_____

PASO 2 Traza una recta numérica que incluya todos los números de tu lista.

_____

PASO 3 Marca un punto arriba de cada número tantas veces como ocurra en tu lista. El número 1 ocurre 2 veces, por lo tanto, marca 2 puntos arriba de 1.

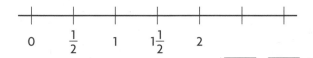

Peso de las bolsas de manzanas (lb)

Charla matemática

Procesos matemáticos

Describe lo que observas sobre los datos más fácilmente en el diagrama de puntos que en el registro de Mirta.

¡Inténtalo! Haz un diagrama de puntos usando datos decimales.

Mike practica para un encuentro de natación. Sus tiempos de práctica en segundos son 62.5, 63.0, 62.75, 63.0, 63.0, 62.5, 62.5, 62.75, 63.0, 62.0, 62.75, 62.5, 63.0 y 62.5. Haz un diagrama de puntos de los datos.

- Escribe los datos en orden de menor a mayor.

_____

_____

- Traza una recta numérica que incluya todos los números de tu lista.

- Representa los datos.

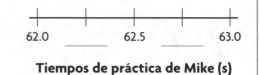

Tiempos de práctica de Mike (s)

- **Explica** cómo puedes determinar si el diagrama de puntos muestra los datos correctamente.

_____

_____

 Comparte y muestra

Ana mide la altura de los girasoles de su jardín. Usa los datos para los ejercicios 1 y 2.

1. Escribe los datos en orden de menor a mayor.

_____

¿Con qué número comenzaría la recta numérica del diagrama de puntos? _____

¿Con qué número terminaría? _____

¿Cuántos puntos habrá en el diagrama de puntos? _____

2. Completa el diagrama de puntos de los datos.

Altura de los girasoles (pies)			
5	3	5	3
2	6	3	2
6	3	2	6
5	3	2	5

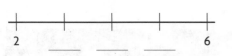

Altura de los girasoles (pies)

Charla matemática

Procesos matemáticos

Explica por qué no hay un punto arriba de cada número en tu diagrama de puntos.

572

Nombre _____

Lily hace un collar de cuentas. También hace una lista de las cuentas que necesita y de la masa de cada cuenta. Usa la lista para los ejercicios 3 y 4.

Masa de las cuentas (g)			
$\frac{2}{5}$ g	$\frac{1}{5}$ g	$\frac{3}{5}$ g	$\frac{3}{5}$ g
$\frac{2}{5}$ g	$\frac{2}{5}$ g	$\frac{4}{5}$ g	$\frac{3}{5}$ g
$\frac{4}{5}$ g	$\frac{1}{5}$ g	$\frac{1}{5}$ g	$\frac{2}{5}$ g

3. **Explica** cómo determinas qué números debes poner en la recta numérica de un diagrama de puntos de los datos.

_____

_____

_____

4. **Múltiples pasos** Haz un diagrama de puntos de los datos.

Masa de las cuentas (g)

Resolución de problemas *En el mundo*

Jeannette llevó un registro de las distancias que saltó en sus prácticas de salto largo. Hizo un diagrama de puntos de los datos. Usa el registro y el diagrama de puntos para los ejercicios 5 y 6.

5. **H.O.T.** **Múltiples pasos** Jeannette cometió más de un error en el diagrama de puntos. Describe y corrige los errores.

Matemáticas al instante

_____

_____

_____

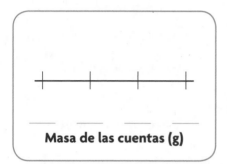

Salto largo (m)			
6.5	7.0	6.5	7.0
6.25	6.5	6.0	6.25
6.25	6.0	6.5	6.25
6.25	6.5	6.25	7.0

6. **H.O.T.** **Razonamiento** Si Jeannette saltara cada distancia de la recta numérica el mismo número de veces, ¿cómo sería el diagrama de puntos?

_____

_____

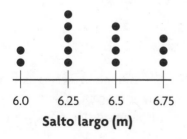

Salto largo (m)

Tarea diaria de evaluación

La tabla muestra las velocidades de las hormigas que compitieron en una carrera de carros locos. Usa los datos para los ejercicios 7 a 9. Rellena el círculo completamente para mostrar tu respuesta.

Velocidades (millas por hora)					
6.8	7.1	6.9	6.8	7.1	7.1
6.6	6.8	7.0	6.6	6.8	6.8

7. Haces un diagrama de puntos para mostrar los datos. ¿Qué números pondrás en la recta numérica del diagrama de puntos?

(A) 6.5, 6.6, 6.7, 6.9, 7.0, 7.1

(B) 6.7, 6.8, 6.9, 7.0, 7.1, 7.2

(C) 6.6, 6.7, 6.8, 6.9, 7.0, 7.1

(D) 6.5, 6.6, 6.7, 6.8, 6.9, 7.0

8. ¿Cuántos puntos marcarás arriba de 7.1?

(A) 4

(B) 2

(C) 3

(D) 1

9. **Múltiples pasos** Los jueces de la carrera de carros locos se dan cuenta de que 3 hormigas deben ser descalificadas. ¿Qué sucede en el diagrama de puntos si 3 de las hormigas con un tiempo de 6.8 millas por hora son eliminadas?

(A) La hilera más alta de puntos estará arriba de 7.1.

(B) La hilera más alta de puntos estará arriba de 6.6.

(C) El número de velocidades representadas en el diagrama de puntos cambiará a 15.

(D) El diagrama de puntos se queda igual.

⭐ Preparación para la prueba de TEXAS

10. Sandy tiene 12 recetas para surtido de frutos secos. La cantidad de cacahuates en cada receta en tazas es $\frac{5}{8}, \frac{3}{8}, \frac{3}{8}, \frac{7}{8}, \frac{7}{8}, \frac{5}{8}, \frac{3}{8}, \frac{3}{8}, \frac{7}{8}, \frac{7}{8}, \frac{5}{8}$ y $\frac{5}{8}$. Sandy hace un diagrama de puntos de los datos. ¿Qué números pondrá en la recta numérica?

(A) $\frac{3}{8}, \frac{4}{8}, \frac{5}{8}, \frac{6}{8}$

(C) $\frac{4}{8}, \frac{5}{8}, \frac{6}{8}, \frac{7}{8}$

(B) $\frac{3}{8}, \frac{4}{8}, \frac{6}{8}, \frac{7}{8}$

(D) $\frac{3}{8}, \frac{4}{8}, \frac{5}{8}, \frac{6}{8}, \frac{7}{8}$

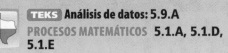

TEKS Análisis de datos: 5.9.A
PROCESOS MATEMÁTICOS 5.1.A, 5.1.D, 5.1.E

Nombre _____

16.1 Hacer diagramas de puntos

La Sra. O'Malley hace una lista para mostrar las millas que cada estudiante recorre hasta el centro de práctica. Usa la lista para los ejercicios 1 y 2.

Distancia (millas)			
1	2	3	$2\frac{1}{2}$
$2\frac{1}{2}$	$1\frac{1}{2}$	$1\frac{1}{2}$	$2\frac{1}{2}$
$2\frac{1}{2}$	2	3	$1\frac{1}{2}$

1. ¿Cuál es la menor distancia recorrida? ¿Cuál es la mayor distancia recorrida?

_____

2. Haz un diagrama de puntos de los datos.

Distancia (millas)

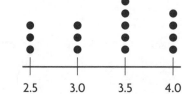

Colton tiene una lista de la duración de cada canción en su selección de canciones favoritas. Él hace un diagrama de puntos de los datos. Usa la lista y el diagrama de puntos para los ejercicios 3 y 4.

Duración de las canciones (minutos)			
4.0	2.5	2.5	3.0
4.0	3.5	3.0	2.5
3.0	3.5	4.0	3.5
3.5	3.0	3.5	4.0

3. Colton cuenta el número de puntos en su diagrama de puntos y los datos de su lista y determina que los números no son iguales. Explica el error de Colton y cómo puede corregirlo.

_____

_____

_____

Duración de las canciones (minutos)

4. Colton borra una canción con una duración de 3.5 minutos de su selección y agrega una canción con una duración de 4.0 minutos. ¿Cómo cambiará el diagrama de puntos de los datos?

_____

_____

Rellena el círculo completamente para mostrar tu respuesta.

5. Las estaturas de las niñas de la clase de Leila a la $\frac{1}{2}$ pulgada más cercana son: $56\frac{1}{2}$, 57, $56\frac{1}{2}$, 58, 58, $57\frac{1}{2}$, $57\frac{1}{2}$, 57, $58\frac{1}{2}$ y 57. Leila hace un diagrama de puntos de los datos. ¿Cuántas estaturas diferentes se incluirán en la recta numérica?

(A) 10

(C) 3

(B) 5

(D) 9

6. Una geóloga mide la masa de varias rocas al décimo de gramo más cercano y hace un diagrama de puntos de los datos. Las masas son: 5.3, 5.5, 5.6, 5.4, 5.4, 5.3, 5.8, 5.7, 5.8, 5.5, 5.5 y 5.3 gramos. La geóloga escribe dos números en la recta numérica. ¿Cuántos números más pondrá en la recta numérica?

(A) 2

(C) 4

(B) 3

(D) 5

Un paleontólogo mide la longitud de varios fósiles. La tabla muestra las longitudes al décimo de centímetro más cercano. Usa los datos para los ejercicios 7 a 10.

Longitudes (cm)				
7.9	7.8	8.1	8.2	7.8
7.8	7.9	8.1	7.8	7.9
7.9	8.1	7.9	7.8	7.9

7. ¿Qué números pondrás en la recta numérica del diagrama de puntos?

(A) 7.8, 7.9, 8.0, 8.1, 8.2

(B) 7.9, 7.8, 8.1, 8.2, 7.8

(C) 7.9, 8.1, 8.2, 8.3, 8.4

(D) 7.8, 7.9, 8.1, 8.2, 8.3

8. ¿Qué número no tendrá un punto marcado arriba?

(A) 7.8

(B) 8.0

(C) 8.1

(D) 8.2

9. **Múltiples pasos** ¿Cuál es la diferencia entre el número total de puntos y el número de puntos arriba del número con más puntos?

(A) 10

(B) 9

(C) 8

(D) 14

10. **Múltiples pasos** El paleontólogo mide los fósiles de nuevo y halla dos errores. Dos fósiles con una longitud de 7.9 centímetros miden en realidad 8.1 y 8.2 centímetros. ¿Cuáles dos números tendrán el mismo número de puntos?

(A) 7.8 y 7.9

(B) 8.0 y 8.2

(C) 7.8 y 8.1

(D) 7.9 y 8.1

16.2 Analizar diagramas de puntos

? Pregunta esencial

¿Cómo puedes analizar los datos que se muestran en un diagrama de puntos?

🔑 Soluciona el problema En el mundo

Puedes identificar los números mayores y menores en el conjunto de datos de un diagrama de puntos.

🔑 Ejemplo 1

Los miembros de un club de alpinistas hicieron un diagrama de puntos de las distancias que escalaron. ¿Cuál es la mayor distancia que escalaron? ¿Cuál es la menor distancia?

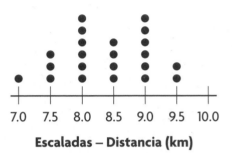

Escaladas – Distancia (km)

El mayor número en la recta numérica que tiene un punto

arriba es _____.

Entonces, la mayor distancia que escalaron es _____ kilómetros.

El menor número en la recta numérica que tiene un punto arriba

es _____.

Entonces, la menor distancia que escalaron es _____ kilómetros.

La diferencia entre el número mayor y el número menor de un grupo es el **rango**. ¿Cuál es el rango de las distancias que escalaron los miembros del club?

Réstale la menor distancia a la mayor distancia.

_____ km − _____ km = _____ km

La diferencia entre la distancia mayor y la distancia menor

es _____ kilómetros.

Entonces, el rango es _____ kilómetros.

Charla matemática
Procesos matemáticos

Explica por qué no se usa 10.0 kilómetros para hallar el rango.

🔑 Ejemplo 2 Resuelve un problema de múltiples pasos.

Un chef usa tres cantidades diferentes de leche cuando hace panqueques para el desayuno, dependiendo del número de panqueques en la orden. El diagrama de puntos muestra las órdenes de panqueques de los clientes en una mañana. ¿Qué cantidad de leche necesita el chef para hacer todos los panqueques?

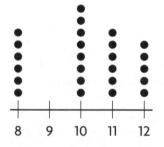

Leche en las órdenes de panqueques (tazas)

PASO 1 Halla el número de órdenes de panqueques para las cuales se usa cada cantidad de leche.

_____ puntos arriba de $\frac{1}{4}$: _____ órdenes que usan $\frac{1}{4}$ de taza de leche

_____ puntos arriba de $\frac{1}{2}$: _____ órdenes que usan $\frac{1}{2}$ taza de leche

_____ puntos arriba de $\frac{3}{4}$: _____ órdenes que usan $\frac{3}{4}$ de taza de leche

PASO 2 Halla la cantidad de leche que se necesita para las órdenes que usan cada cantidad de leche.

$\frac{1}{4} \times$ _____ = _____ taza

$\frac{1}{2} \times$ _____ = _____ tazas

$\frac{3}{4} \times$ _____ = _____ tazas

PASO 3 Suma para hallar la cantidad total de leche.

_____ taza + _____ tazas + _____ tazas = _____ tazas

Entonces, el chef necesita _____ tazas de leche para hacer todos los panqueques.

Comparte y muestra   MATH BOARD

Ana hizo un diagrama de puntos para mostrar las edades de los estudiantes del club de ciencias. Usa el diagrama de puntos para los ejercicios 1 a 3.

Edades de los estudiantes del club de ciencias (años)

1. ¿Cuántos estudiantes más tienen 10 años que 12 años?

   número de puntos arriba de 10: _____

   número de puntos arriba de 12: _____

   _____ − _____ = _____

2. ¿Cuáles dos edades tienen el mismo número de estudiantes?

3. ¿Cuál es el rango de las edades de los estudiantes del club de ciencias?

© Houghton Mifflin Harcourt Publishing Company

Nombre _____

Resolución de problemas

Usa el diagrama de puntos para los ejercicios 4 y 5.

4. **H.O.T.** **Comunica** Describe una situación que se podría representar con este diagrama de puntos. Ponle un título al diagrama de puntos.

_____

_____

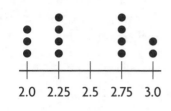

2.0   2.25   2.5   2.75   3.0

_____

5. **Múltiples pasos** Escribe un problema que use los datos del diagrama de puntos y resuélvelo.

_____

_____

Soluciona el problema En el mundo

6. **H.O.T.** **Múltiples pasos** Durante 10 días seguidos, Samantha midió la cantidad de alimento que comió su gato Dewey. Anotó los resultados en un diagrama de puntos. ¿Cuál es la cantidad total de alimento que comió Dewey?

a. ¿Qué necesitas saber? _____

_____

b. ¿Qué pasos podrías usar para hallar la cantidad total de alimento que Dewey comió?

$\frac{1}{4}$ $\frac{3}{8}$ $\frac{1}{2}$ $\frac{5}{8}$ $\frac{3}{4}$

Cantidad de alimento para gatos consumida (tazas)

_____

_____

c. Escribe las cantidades que faltan para los totales de cada cantidad medida.

$\frac{1}{4}$ de taza: _____

$\frac{3}{8}$ de taza: _____

$\frac{1}{2}$ de taza: _____

$\frac{5}{8}$ de taza: _____

$\frac{3}{4}$ de taza: _____

d. Halla la cantidad total de alimento que Dewey comió en 10 días.

_____ + _____ + _____ + _____ +

_____ = _____

Entonces, Dewey comió _____ de alimento.

Tarea diaria de evaluación

Rellena el círculo completamente para mostrar tu respuesta.

7. **Comunica** Allison compara los precios de diferentes teléfonos celulares. Hizo un diagrama de puntos para mostrar los precios. ¿Cómo puede hallar el precio más común?

   (A) Halla el punto que está más a la derecha.

   (B) Halla el punto que está más a la izquierda.

   (C) Halla la hilera de puntos más baja.

   (D) Halla la hilera de puntos más alta.

Usa el diagrama de puntos para los ejercicios 8 y 9.

8. ¿Cuánto pesa el número mayor de calabazas?

   (A) 11 lb   (C) 11.5 lb

   (B) 10.5 lb   (D) 10 lb

Peso de las calabazas (lb)

9. **Múltiples pasos** Jane compró todas las calabazas que pesan 10 libras y 10.5 libras. ¿Cuál es el peso total de las calabazas que compró?

   (A) 52.5 lb   (C) 92.5 lb

   (B) 40 lb   (D) 81 lb

⭐ Preparación para la prueba de TEXAS

10. El diagrama de puntos muestra la altura de las plantas de maíz en un campo. ¿Cuáles dos alturas le pertenecen al mismo número de plantas de maíz?

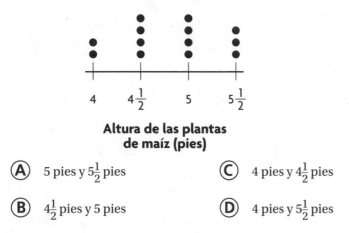

Altura de las plantas de maíz (pies)

   (A) 5 pies y $5\frac{1}{2}$ pies   (C) 4 pies y $4\frac{1}{2}$ pies

   (B) $4\frac{1}{2}$ pies y 5 pies   (D) 4 pies y $5\frac{1}{2}$ pies

Tarea y práctica

Nombre _____

16.2 Analizar diagramas de puntos

Los estudiantes de la clase de Tony hicieron un diagrama de puntos del número de letras en su nombre. Usa el diagrama de puntos para los ejercicios 1 a 3.

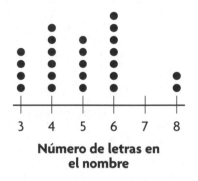

Número de letras en el nombre

1. Escribe una ecuación para mostrar cuántos estudiantes tienen 3, 4 ó 5 letras en su nombre.

   _____

2. ¿Tienen más estudiantes menos de 5 letras o más de 5 letras en su nombre? **Explica** tu respuesta.

   _____

   _____

   _____

   _____

   _____

3. ¿Cuál es el rango del número de letras en el nombre de los estudiantes? Muestra cómo hallaste tu resultado.

   _____

Resolución de problemas En el mundo

Usa el diagrama de puntos para los ejercicios 4 y 5.

4. Describe una situación de la vida real que se podría representar con el diagrama de puntos. Escribe el título debajo del diagrama de puntos.

   _____

   _____

   _____

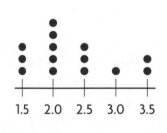

5. Escribe y resuelve un problema que use los datos del diagrama de puntos.

Rellena el círculo completamente para mostrar tu respuesta.

6. ¿Cuánto tiempo duraron la mayoría de las llamadas telefónicas?

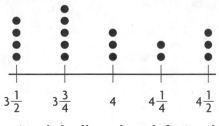

Duración de las llamadas telefónicas (min)

(A) $3\frac{1}{2}$ min   (C) 4 min

(B) $3\frac{3}{4}$ min   (D) $4\frac{1}{2}$ min

7. Niki compara los precios de las entradas para el cine. Ella hace un diagrama de puntos para mostrar los precios. ¿Cómo puede hallar Niki el precio de la menor cantidad de entradas?

(A) Halla la hilera de puntos más baja.

(B) Halla la hilera de puntos más alta.

(C) Halla la diferencia entre el precio más caro y el menos caro.

(D) Halla el punto que está más a la izquierda.

Un restaurante vende las ensaladas por onza. Un empleado del restaurante hizo un diagrama de puntos para mostrar el peso de las ensaladas vendidas durante el almuerzo. Usa el diagrama de puntos para los ejercicios 8 a 11.

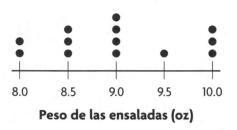

Peso de las ensaladas (oz)

8. ¿Cuántas ensaladas con un peso mayor que 8.0 onzas se vendieron?

(A) 4

(B) 2

(C) 13

(D) 11

9. ¿Con cuáles dos pesos se vendió un total de cinco ensaladas?

(A) 8.0 oz y 8.5 oz

(B) 8.0 oz y 9.0 oz

(C) 8.5 oz y 10 oz

(D) 9.5 oz y 10 oz

10. Múltiples pasos La familia Ortega compró todas las ensaladas que pesaban 9.5 onzas y 10 onzas. ¿Cuál es el peso total de las ensaladas que compraron?

(A) 30 oz   (C) 39.5 oz

(B) 19.5 oz   (D) 78 oz

11. Múltiples pasos El precio de las ensaladas es $0.50 por onza. ¿Cuánto ganó el restaurante por todas las ensaladas de 9.0 onzas que vendió?

(A) $18   (C) $4.50

(B) $36   (D) $9.50

Nombre _____

16.3 Hacer diagramas de tallo y hojas

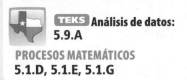

TEKS Análisis de datos: 5.9.A

PROCESOS MATEMÁTICOS
5.1.D, 5.1.E, 5.1.G

? Pregunta esencial

¿Cómo puedes mostrar los datos en un diagrama de tallo y hojas?

El **diagrama de tallo y hojas** muestra grupos de datos organizados según el valor de posición.

🔑 Soluciona el problema En el mundo

Jeremy juega minigolf cada vez que puede. Lleva un registro de su puntuación.

Haz un diagrama de tallo y hojas de los datos.

PASO 1 Escribe un título para el diagrama de tallo y hojas.

_____

PASO 2 Usa los dígitos de las decenas para los tallos. Escribe los dígitos de las decenas en orden de menor a mayor.

_____

PASO 3 Usa los dígitos de las unidades para las hojas. Escribe los dígitos de las unidades para cada tallo en orden de menor a mayor.

_____

PASO 4 Haz una clave.

Puntuación en el minigolf

78	67	81	72	62
60	76	65	67	97
80	53	69	82	67

Tallo	Hojas
5	3
6	0 2 _____
7	2 _____

5|3 representa_____.

- **Describe** cómo el número 80 se muestra en el diagrama de tallo y hojas.

_____

_____

- **Explica** cómo el número que ocurre con más frecuencia en el registro de Jeremy se muestra en el diagrama de tallo y hojas. ¿Cuál es el número?

_____

_____

¡Inténtalo! Haz un diagrama de tallo y hojas con datos en centenas.

Los estudiantes hacen abdominales cada mañana antes de las clases.
En las últimas 12 mañanas hicieron las siguientes cantidades de
abdominales: 123, 141, 126, 120, 135, 136, 147, 129, 120, 130, 148 y 147.
Haz un diagrama de tallo y hojas de los datos.

- Escribe un título.

- Usa los dígitos de las centenas y las decenas para escribir los
tallos en orden de menor a mayor.

- Usa los dígitos de las unidades para escribir las hojas de cada
tallo en orden de menor a mayor.

Tallo	Hojas
12	0 _____
_____	_____

12|0 representa _____ .

- **Explica** en qué se parece y en qué se diferencia hacer un diagrama de tallo y hojas
con datos en centenas a hacer un diagrama de tallo y hojas con datos en decenas.

_____

_____

_____

Comparte y muestra

**Ben lleva un registro de la estatura de sus jugadores de básquetbol
favoritos. Usa los datos para los ejercicios 1 y 2.**

1. ¿Qué dígitos usarías para los tallos en un diagrama
de tallo y hojas de los datos?

   _____

   ¿Cuántas hojas tendría el diagrama de tallo y

   hojas de los datos? _____

2. Haz un diagrama de tallo y hojas de los datos.

Estatura de los jugadores de básquetbol (pulg)			
82	72	80	78
81	76	69	76
79	70	79	82
74	82	84	79

Tallo	Hojas

6|9 representa _____ .

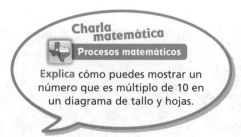

Charla matemática

Procesos matemáticos

Explica cómo puedes mostrar un
número que es múltiplo de 10 en
un diagrama de tallo y hojas.

Nombre _____

3. **H.O.T.** **Representaciones** Marco hizo un diagrama de tallo y hojas titulado Puntuación del juego. Cada tallo tiene por lo menos 1 hoja. Diez de los números del diagrama de tallo y hojas son menores que 18 y 8 de los números son iguales o mayores que 18. El número 10 ocurre con más frecuencia. Dibuja el diagrama de tallo y hojas de Marco.

Puntuación del juego

Tallo	Hojas
0	_____
1	_____
2	_____
3	_____

_____ | _____ representa _____ .

4. **Comunica** ¿Cómo se muestra un número menor que 10 en un diagrama de tallo y hojas?

Resolución de problemas En el mundo

A los estudiantes se les preguntó cuántos minutos les tomó llegar a la escuela. Sus respuestas en minutos fueron: 25, 15, 29, 12, 30, 7, 26, 15, 23, 15, 21, 5, 27, 34 y 32. Usa los datos para los ejercicios 5 y 6.

Tallo	Hojas
_____	_____
_____	_____
_____	_____
_____	_____

_____ | _____ representa _____ .

5. **Representaciones** Haz un diagrama de tallo y hojas de los datos.

6. **Múltiples pasos** Si 5 y 7 minutos se cambian por 45 y 47 minutos, ¿cómo cambiaría el diagrama de tallo y hojas?

_____

Una vendedora gana una cantidad de dinero diferente cada día. Las cantidades que gana en dólares son: 325, 326, 311, 329, 325, 310, 301, 319, 329, 311, 304, 322, 311, 301 y 328. Usa los datos para los ejercicios 7 y 8.

Tallo	Hojas
_____	_____
_____	_____
_____	_____

_____ | _____ representa _____ .

7. **Explica** cómo puedes determinar qué dígitos debes usar para los tallos en un diagrama de tallo y hojas de los datos.

_____

8. **H.O.T.** **Múltiples pasos** Haz un diagrama de tallo y hojas de los datos.

Matemáticas al instante

Tarea diaria de evaluación

Rellena el círculo completamente para mostrar tu respuesta.

9. Mark visita varias pastelerías. En cada pastelería pregunta cuántos arándanos usan para hacer una docena de *muffins*. Mark quiere usar un diagrama de tallo y hojas para mostrar los datos. ¿Cuáles son las hojas para el tallo 7?

   (A) 0, 0, 1, 3, 5

   (B) 0, 1, 3, 5

   (C) 0, 1, 3

   (D) 0, 0, 1, 3

Cantidad de arándanos en una docena de *muffins*						
52	58	71	70	68	66	54
57	61	73	70	62	55	80

Usa la tabla para los ejercicios 10 y 11.

10. Pam hace un diagrama de tallo y hojas para mostrar los datos del festival del durazno. ¿Cuál es el menor número de tallos que necesita?

    (A) 3   (C) 4

    (B) 2   (D) 5

Edad de las personas en el festival del durazno							
9	18	20	35	1	14	22	6
16	8	10	26	33	2	18	5

11. **Múltiples pasos** ¿Cuántas hojas más habrá en el tallo de 1 que en el tallo de 3?

    (A) 2   (C) 4

    (B) 1   (D) 3

⭐ ## Preparación para la prueba de TEXAS

12. Mavis tiene 19 libros de crucigramas. El número de crucigramas en cada libro es 42, 17, 20, 25, 43, 36, 42, 30, 29, 19, 22, 28, 47, 35, 42, 18, 20, 45 y 31. Ella hace un diagrama de tallo y hojas de los datos. ¿Qué tallo tendrá 4 hojas?

    (A) tallo 3

    (B) tallo 1

    (C) tallo 2

    (D) tallo 4

Tarea y práctica

Nombre _____

16.3 Hacer diagramas de tallo y hojas

Se lleva un registro del número de puntos anotados por los jugadores de un equipo de básquetbol. Usa los datos para los ejercicios 1 y 2.

Puntos anotados			
12	24	28	26
32	8	15	16
20	34	26	34

1. ¿Qué dígitos usarías para los tallos en un diagrama de tallo y hojas de los datos? _____

   ¿Cuántas hojas tendría el diagrama de tallo y hojas de los datos? _____

2. Haz un diagrama de tallo y hojas de los datos.

3. Explica la diferencia entre los tallos y las hojas en un diagrama de tallo y hojas.

   _____

   _____

   _____

Tallo	Hojas
_____	_____
_____	_____
_____	_____
_____	_____

| representa _____.

Resolución de problemas En el mundo

A los observadores de aves se les preguntó cuántas especies de aves diferentes identificaron en un viaje reciente. Sus respuestas fueron 15, 20, 30, 32, 21, 33, 18, 19, 29, 27, 29, 25, 21 y 26. Usa los datos para los ejercicios 4 y 5.

4. Haz un diagrama de tallo y hojas de los datos.

5. Si dos observadores de aves más identifican 9 y 41 especies, ¿cómo cambiará el diagrama de tallo y hojas?

   _____

   _____

Tallo	Hojas
_____	_____
_____	_____
_____	_____

1|5 representa _____.

Rellena el círculo completamente para mostrar tu respuesta.

6. Maxwell tiene 14 libros en la misma serie de misterios. El número de páginas en cada libro es 112, 108, 95, 88, 96, 105, 115, 114, 85, 87, 90, 96, 116 y 98. Maxwell hace un diagrama de tallo y hojas de los datos. ¿Qué tallo tiene más hojas?

(A) 9

(B) 11

(C) 10

(D) 8

7. Zara cuenta el número de pasas que hay en varias cajas de pasas. Quiere hacer un diagrama de tallo y hojas para mostrar los datos.

Número de pasas en una caja					
72	80	88	95	98	75
90	86	91	95	74	88

¿Cuáles son las hojas para el tallo 9?

(A) 0, 1, 5, 8   (C) 1, 5, 8

(B) 0, 1, 5, 5, 8   (D) 1, 5, 5, 8

La escuela elemental Lincoln Heights llevó a cabo unas elecciones para el consejo estudiantil. Los datos muestran el número de votos que cada candidato recibió. Wesley hace un diagrama de tallo y hojas de los datos. Usa la tabla para los ejercicios 8 a 11.

Número de votos				
41	30	47	44	50
43	32	52	60	64
45	53	44	34	35

8. ¿Cuál es el número de tallos que necesita Wesley?

(A) 15

(B) 5

(C) 4

(D) 3

9. ¿Qué enunciado sobre el diagrama de tallo y hojas es verdadero?

(A) Habrá más tallos que hojas.

(B) El tallo 6 tendrá solamente 1 hoja.

(C) Habrá 15 hojas.

(D) El número que ocurre con más frecuencia es 4.

10. **Múltiples pasos** ¿Cuántas hojas más habrá en el tallo de 4 que en el tallo de 3?

(A) 1

(B) 6

(C) 4

(D) 2

11. **Múltiples pasos** ¿Cuántos tallos tendrán más de 3 hojas?

(A) 2

(B) 1

(C) 3

(D) 4

16.4 Analizar diagramas de tallo y hojas

TEKS Análisis de datos: 5.9.C

PROCESOS MATEMÁTICOS
5.1.A, 5.1.D, 5.1.F

? **Pregunta esencial**

¿Cómo puedes analizar los datos que se muestran en un diagrama de tallo y hojas?

Soluciona el problema *En el mundo*

El diagrama de tallo y hojas es útil cuando necesitas ver cada elemento en un conjunto de datos para resolver un problema.

Ejemplo 1

El diagrama de tallo y hojas muestra la puntuación de los jugadores de *hockey* esta temporada. El promedio de puntuación de la temporada pasada fue 35. ¿Cuántos jugadores tuvieron una puntuación mayor que el promedio de la temporada anterior? ¿Cuál es la puntuación?

Puntuación de los jugadores de *hockey*

Tallo	Hojas
2	6 8
3	0 1 2 4 5 6 6 7
4	3 7 9 9 9
5	0 1

2|6 representa 26.

• Ubica 35 en el diagrama de tallo y hojas.

  tallo: _____ hoja: _____

• Cuenta los números mayores que 35.

  Hay _____ números mayores que 35.

Entonces, _____ jugadores tuvieron una puntuación mayor que el promedio de la temporada anterior.

La puntuación es _____.

Charla matemática
Procesos matemáticos

Describe otra conclusión que puedes sacar de los datos en el diagrama de tallo y hojas.

• ¿Cuál fue la puntuación del mayor número de jugadores? **Explica** tu respuesta.

_____

_____

🔑 Ejemplo 2 Resuelve un problema de múltiples pasos.

El diagrama de tallo y hojas muestra la cantidad de dinero que gastan los primeros 32 clientes durante la apertura de una tienda de equipos electrónicos. Los clientes que gastaron $50 o más recibieron un cupón de $12. Los que gastaron menos de $50 recibieron un cupón de $7. ¿Cuál es el valor total de los cupones que recibieron los clientes?

PASO 1 Halla el número de clientes que gastaron $50 o más. Multiplica el número por $12.

_____ × $12 = $_____

PASO 2 Halla el número de clientes que gastaron menos de $50. Multiplica el número por $7.

_____ × $7 = $_____

PASO 3 Suma para hallar el valor total de los cupones.

$_____ + $_____ = $_____

Entonces, el valor total de los cupones es $_____.

Dinero que gastan los clientes ($)

Tallo	Hojas
3	3 4 6 7 9
4	1 2 3 4 5 6 7 8
5	0 5 5 6
6	2 6 6 8
7	0 2 3 4 5
8	4 6 7 7 7 9

3|3 representa 33.

Comparte y muestra

MATH BOARD

Los estudiantes hicieron un diagrama de tallo y hojas para mostrar las temperaturas máximas diarias. Usa el diagrama de tallo y hojas para los ejercicios 1 a 3.

1. ¿Cuál es el rango de temperatura?

    mayor temperatura: _____ °F

    menor temperatura: _____ °F

    _____ − _____ = _____

    El rango es _____ °F.

Temperaturas máximas diarias (°F)

Tallo	Hojas
6	4 8 8
7	4 5
8	0 0 7 7 7 8 9 9 9
9	1 2 3 3 4 5 8

6|4 representa 64.

2. ¿En cuántos días más estuvo la temperatura máxima en los 80 que en los 90?

_____

3. ¿Cuáles fueron las temperaturas en los días que estuvo a menos de 80 °F?

_____

590

Nombre _____

4. **H.O.T.** ¿Cuál es el error? Jenny hizo este diagrama de tallo y hojas. Dice que en los días que pasó menos de 50 minutos haciendo su tarea, pasó un total de 5 horas haciendo tarea. ¿Cuál es el error?

Tiempo diario de tarea (min)

Tallo	Hojas					
3	1	2	3	5	6	
4	0	3	3	7		
5	5	6	7	7	9	9
6	0	0	2			
7	4	6	6	7		

3|1 representa 31.

_____

_____

_____

5. **H.O.T.** Múltiples pasos Pablo empezó a hacer un diagrama de tallo y hojas. Escribió los datos del tallo: 1, 2, 3, 4, 5 y 6. También escribió esta clave: 2|4 = 24. ¿Cuál es el menor rango posible de los datos? ¿Cuál es el mayor? **Explica** tu respuesta.

_____

_____

_____

_____

El diagrama de tallo y hojas muestra el número de mensajes de texto que recibió Chester cada día durante 24 días. Usa el diagrama de tallo y hojas para los ejercicios 6 y 7.

6. **H.O.T.** Múltiples pasos En los días que Chester recibió más de 50 mensajes de texto, solo respondió $\frac{1}{3}$ de los mensajes. ¿Cuántos mensajes respondió Chester?

Mensajes de texto

Tallo	Hojas								
2	4	5	7						
3	0	2	5	5	6	6	6	7	8	8
4	0	0	3	4	9				
5	0	1							
6	2	2	4	4					

2|4 representa 24.

_____

7. **Escribe** ▶ **Explica** cómo puedes usar un diagrama de tallo y hojas para hacer una predicción razonable del número de mensajes de texto que Chester recibirá cada día de la siguiente semana.

_____

_____

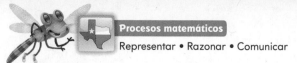
Tarea diaria de evaluación

Rellena el círculo completamente para mostrar tu respuesta.

Usa el diagrama de tallo y hojas para los ejercicios 8 a 10.

8. Tom le preguntó a las personas en una encuesta cuánto dinero podrían encontrar debajo de los cojines del sofá. El diagrama de tallo y hojas muestra la cantidad de dinero encontrada. ¿Cuál es la menor cantidad de dinero que dijo una persona que podría encontrar?

Ⓐ 4¢

Ⓑ 45¢

Ⓒ 46¢

Ⓓ 456¢

Cantidad de dinero encontrada (¢)

Tallo	Hojas			
4	5	6		
5	2	2	7	8
6	3	4	9	
7	0	0	1	
8	3	7		

5|2 representa 52.

9. ¿Cuál de los siguientes enunciados sobre los datos es verdadero?

Ⓐ Dos personas encontraron 70¢ cada una.

Ⓑ Dos personas encontraron 7¢ cada una.

Ⓒ Una persona encontró 56¢.

Ⓓ Ocho personas encontraron 37¢.

10. **Múltiples pasos** Supón que Tom le da dos entradas para un concierto a cada persona que participó en la encuesta del sofá. ¿Cuántas entradas regala?

Ⓐ 10 entradas

Ⓑ 14 entradas

Ⓒ 28 entradas

Ⓓ 38 entradas

 Preparación para la prueba de TEXAS

11. ¿Cuántas personas viven a menos de 40 millas del trabajo?

Ⓐ 4

Ⓑ 10

Ⓒ 9

Ⓓ 11

Distancia al trabajo (mi)

Tallo	Hojas					
2	1	2	3	7	8	9
3	0	1	4			
4	7	8	8	9		
5	3	3	3	4	7	9

2|4 representa 24.

Tarea y práctica

Nombre _____

16.4 Analizar diagramas de tallo y hojas

Los estudiantes hicieron un diagrama de tallo y hojas para mostrar las temperaturas mínimas diarias. Usa el diagrama de tallo y hojas para los ejercicios 1 a 3.

1. ¿Cuál es el rango de temperatura? Escribe una ecuación para mostrar cómo hallaste tu respuesta.

   _____

2. ¿En cuántos días estuvo la temperatura mínima en los 20 o en los 30 grados?

   _____

3. ¿Cuáles fueron las temperaturas en los días que la temperatura mínima fue mayor de 45 °F?

   _____

Temperaturas mínimas diarias (°F)

Tallo	Hojas
2	8 9
3	0 0 1 2 6
4	2 4 5 6 6 6 7 9
5	1 3 5

2 | 8 representa 28.

Resolución de problemas *En el mundo*

Alexandra puso un video en Internet de su perro haciendo una gracia. El diagrama de tallo y hojas muestra el número de veces por minuto que el video fue visto durante un período de 20 minutos. Usa el diagrama de tallo y hojas para los ejercicios 4 y 5.

4. El número promedio de veces por minuto que un video es visto en la página web del dueño de una mascota es 60. ¿Cuántas veces menos que el promedio fue visto el video

   de Alexandra _____

5. Alexandra recopila los datos durante los siguientes 5 minutos y determina que el número de veces por minuto que el video es visto es 88, 86, 95, 87 y 99. Explica cómo puedes usar el diagrama de tallo y hojas para hacer una predicción razonable de la popularidad de su video.

   _____

   _____

   _____

Número de veces por minuto que el video fue visto

Tallo	Hojas
4	0 2
5	1 1 2
6	0 0 8
7	2 3 4 4 5 9
8	2 2 3 4 4 5

4 | 0 representa 40.

Repaso de la lección

Rellena el círculo completamente para mostrar tu respuesta.

6. ¿Cuántos puntos son mayores que 20?

Ⓐ 9

Ⓑ 3

Ⓒ 7

Ⓓ 5

Puntos anotados en el juego de la feria

Tallo	Hojas
0	6 7 7
1	0 1 1 2
2	2 4
3	0 2 2

0 | 6 representa 6.

7. Múltiples pasos La mitad del número de aciertos es menor que un número. ¿Cuál es el número?

Ⓐ 83

Ⓑ 73

Ⓒ 74

Ⓓ 79

Aciertos por número de canicas en un frasco

Tallo	Hojas
6	5 5 6 8 9 9
7	2 3 3 8 8 9
8	3 5
9	1 2 3 6

6 | 5 representa 65.

El diagrama de tallo y hojas muestra el número de entradas para la feria que se vendieron por día. Usa el diagrama de tallo y hojas para los ejercicios 8 a 11.

Entradas para la feria vendidas por día

Tallo	Hojas
3	4 7 7
4	0 1 2 3 4 4
5	2 2 5 6 7 8 9
6	5 6 9
7	0 1 2 3 3

3 | 4 representa 34.

8. La venta de entradas de los próximos dos días es 55 y 68 entradas. ¿Qué enunciado sobre los datos es verdadero?

Ⓐ El rango es el mismo.

Ⓑ El rango aumenta en dos.

Ⓒ El rango disminuye.

Ⓓ El rango se duplica.

9. ¿Cuántos días se vendieron entradas para la feria?

Ⓐ 24 días

Ⓑ 29 días

Ⓒ 20 días

Ⓓ 39 días

10. Múltiples pasos El día que la venta de entradas es mayor que 70, dos veces ese número de entradas se dona al hospital de niños. ¿Cuántas entradas se donan al hospital?

Ⓐ 289 Ⓒ 432

Ⓑ 718 Ⓓ 578

11. ¿Cuántos días es mayor que 40 y menor que 55 el número de entradas vendidas?

Ⓐ 5 días

Ⓑ 7 días

Ⓒ 6 días

Ⓓ 9 días

Nombre _____

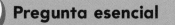

16.5 Hacer diagramas de dispersión

TEKS Análisis de datos: 5.9.B

PROCESOS MATEMÁTICOS
5.1.A, 5.1.E, 5.1.G

? Pregunta esencial

¿Cómo puedes mostrar los datos en un diagrama de dispersión?

El **diagrama de dispersión** es una gráfica que muestra la relación entre dos conjuntos de datos.

🔑 Soluciona el problema En el mundo

Samantha entrevistó a los compradores de un centro comercial. Les preguntó cuánto tiempo habían estado en el centro comercial y cuánto dinero habían gastado. Anotó sus respuestas en la tabla.

De compras en el centro comercial									
Cantidad de tiempo (h)	2	6	3	1	2	2	5	4	1	3
Cantidad de dinero ($)	10	35	17	10	15	18	25	20	5	15

Haz un diagrama de dispersión para mostrar la relación entre el tiempo en el centro comercial y el dinero gastado.

PASO 1: Escribe un título en la parte de arriba del diagrama.

_____

PASO 2: Escribe pares ordenados que relacionen la cantidad de tiempo y la cantidad de dinero.

(2, _____), (6, _____), (3, _____), (1, _____), (2, _____),

(2, _____), (5, _____), (4, _____), (1, _____), (3, _____)

_____

PASO 3: Elije una escala adecuada para los datos en cada eje. Luego rotula los ejes.

Como todos los datos en las coordenadas *x* son menores que 10, usa _____ para el eje de la *x*.

Como la mayoría de los datos en las coordenadas *y* son múltiplos de 5, usa _____ para el eje de la *y*.

_____

PASO 4: Representa los pares ordenados.

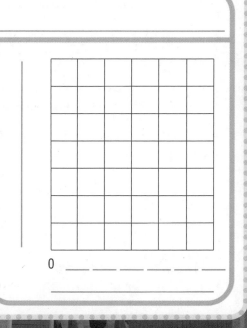

Comparte y muestra

Usa la tabla para los ejercicios 1 y 2.

1. Escribe pares ordenados que relacionan la temperatura mínima diaria con el número de abrigos vendidos.

(12, _____), (19, _____), (8, _____), (17, _____), (9, _____),

(26, _____), (15, _____), (28, _____)

Elije una escala para los datos de cada eje de un diagrama de dispersión.

Usa _____ para el eje de la *x*.   Usa _____ para el eje de la *y*.

2. Haz un diagrama de dispersión de los datos.

Compras de invierno	
Temperatura mínima diaria (°F)	Número de abrigos vendidos
12	38
19	31
8	54
17	35
9	49
26	16
15	32
28	11

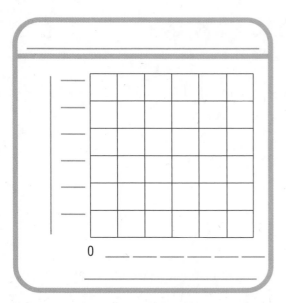

Charla matemática

Procesos matemáticos

Explica cómo puedes usar el diagrama de dispersión para hallar la temperatura mínima del día en que se vendieron 49 abrigos.

Resolución de problemas

Jessie anotó el número de estudiantes que lavaron autos en la escuela y el tiempo que tomó lavar cada auto. Usa la tabla para los ejercicios 3 y 4.

3. ¿Qué escalas usarías para el eje de la *x* y el eje de la *y* en un diagrama de dispersión de los datos? **Explica** tu respuesta.

_____

_____

Lavado de autos	
Número de estudiantes	Tiempo (min)
8	4
6	5
5	7
2	10
5	8
1	10

4. **H.O.T.** **¿Cuál es el error?** Jessie hizo un diagrama de dispersión de los datos y representó los puntos en (8, 4), (6, 5), (5, 7), (10, 2), (5, 8) y (1, 10). ¿Cuál es su error?

_____

596

Nombre _____

Usa la tabla para los ejercicios 5 a 7.

Venta de autos usados	
Años de uso	Precio ($)
6	4,000
3	8,000
5	5,000
9	1,000
8	2,000
4	7,000
7	3,000
2	11,000
10	500
1	18,000

5. **Múltiples pasos** La Sra. Harper quiere comprar un auto usado. Buscó los precios de un modelo en particular que tuviera un promedio de 1 a 10 años de uso y anotó los datos en una tabla. Haz un diagrama de dispersión de los datos.

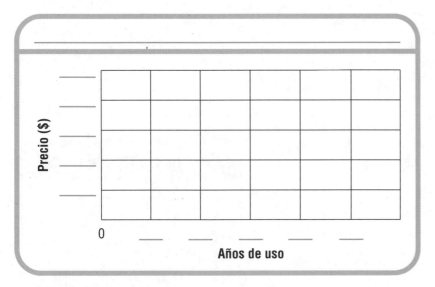

6. **H.O.T.** Una amiga de la Sra. Harper también quiere comprar un auto usado. Pero solo está interesada en un auto que tenga más de 5 años de uso. ¿Usarías las mismas escalas en un diagrama de dispersión que muestre los precios del auto que tiene más de 5 años de uso? **Explica** tu respuesta.

_____

_____

_____

_____

7. **Representaciones** Haz un diagrama de dispersión para mostrar los datos que le interesarían a la amiga de la Sra. Harper. Recuerda usar escalas apropiadas para los datos.

Tarea diaria de evaluación

Rellena el círculo completamente para mostrar tu respuesta.

8. Un estudiante quiere hallar el momento justo en que revientan las palomitas de maíz. Cada vez que saca una bolsa de palomitas de maíz del horno de microondas anota el tiempo que demoró y la cantidad de palomitas que no reventaron. Luego hace un diagrama de dispersión de los datos y coloca el tiempo en segundos en un eje. ¿Qué datos debería colocar en el otro eje?

(A) precio de la bolsa de palomitas de maíz

(C) tienda donde se compraron las bolsas

(B) número de palomitas que no reventaron

(D) cantidad de palomitas de maíz que se comieron

El diagrama de dispersión muestra la relación entre la temperatura y el número de botellas de agua vendidas en un juego de fútbol. Usa el diagrama de dispersión para los ejercicios 9 y 10.

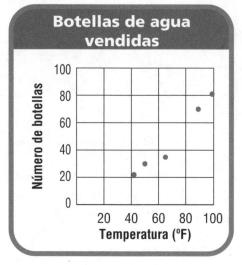

Botellas de agua vendidas

9. Quieres añadir un punto en el diagrama de dispersión para mostrar que 10 botellas se vendieron cuando la temperatura alcanzó los 38°F. ¿Dónde colocarías este punto en el diagrama de dispersión?

(A) abajo a la derecha

(C) arriba a la izquierda

(B) arriba a la derecha

(D) abajo a la izquierda

10. **Múltiples pasos** Supón que una botella de agua cuesta $1.50. Cuando la temperatura estaba en 89°, ¿cuánto más pagaron las personas por las botellas de agua?

(A) $123

(C) $105

(B) $87

(D) $70

⭐ Preparación para la prueba de TEXAS

11. El contador de una tienda anotó el número de palas para sacar nieve vendidas durante las semanas que nevó.

¿Qué par ordenado representarías en un diagrama de dispersión de los datos?

Ventas de palas para sacar nieve						
Nevada semanal (pulg)	8	2	11	15	3	5
Palas vendidas	16	5	19	25	6	10

(A) (2, 6)

(C) (5, 25)

(B) (11, 19)

(D) (9, 12)

598

Tarea y práctica

Nombre _____

16.5 Hacer diagramas de dispersión

Usa la tabla para los ejercicios 1 a 3.

Notas de la prueba								
Horas de estudio	1	4	5	2	7	3	4	6
Número de respuestas correctas	10	15	25	12	32	14	25	30

1. Escribe los pares ordenados que relacionen el número de horas de estudio con el número de respuestas correctas.

(1, 10), _____

_____

2. ¿Por qué una escala de 1 es adecuada para el eje de la *x*? ¿Por qué una escala de 5 es adecuada para el eje de la *y*?

_____

_____

_____

_____

_____

_____

3. Haz un diagrama de dispersión de los datos. Recuerda usar las escalas adecuadas para los datos.

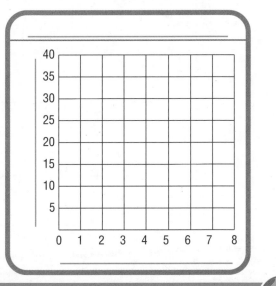

Resolución de problemas En el mundo

Usa la tabla para los ejercicios 4 y 5.

Consumo de gasolina	
Millas recorridas	Gasolina restante (gal)
30	15
60	14
90	12
120	10
150	9

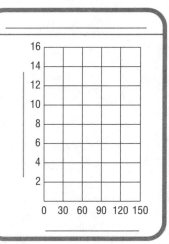

4. El Sr. Benson anota los galones de gasolina que le quedan en su viaje a Austin. Haz un diagrama de dispersión de los datos.

5. Si el Sr. Benson maneja más despacio en su siguiente viaje para recorrer más millas por galón de gasolina, ¿usaría la misma escala en un diagrama de dispersión de los datos? **Explica** tu respuesta.

_____

Rellena el círculo completamente para mostrar tu respuesta.

6. Sharmeen quiere saber en qué momento hay menos personas en la pista de patinaje sobre hielo. Ella anota la temperatura exterior y el número de patinadores en la pista en ese momento. Luego hace un diagrama de dispersión y rotula un eje "Número de patinadores". ¿Qué datos deberá colocar en el otro eje?

Ⓐ hora del día

Ⓑ número de patinadores

Ⓒ temperatura exterior

Ⓓ lugar de la pista de hielo

7. El entrenador del equipo de natación anotó el número de horas que practicó cada miembro del equipo cada semana y el número de cintas que ganó cada miembro del equipo en la competencia de natación.

Cintas ganadas en la competencia de natación					
Horas de práctica (h)	10	14	15	8	12
Cintas	2	5	5	1	4

¿Qué par ordenado representarías en un diagrama de dispersión de los datos?

Ⓐ (10, 14)　　　　Ⓒ (8, 1)

Ⓑ (2, 5)　　　　Ⓓ (9, 3)

El diagrama de dispersión muestra la relación entre el número de horas que trabajó un camarero y la cantidad de propinas que ganó. Usa el diagrama de dispersión para los ejercicios 8 a 10.

8. Quieres añadir un punto en el diagrama de dispersión para mostrar que el camarero ganó $90 en propinas cuando trabajó 7 horas. ¿Dónde colocarías el punto en el diagrama de dispersión?

Ⓐ arriba a la izquierda

Ⓑ arriba a la derecha

Ⓒ abajo a la izquierda

Ⓓ abajo a la derecha

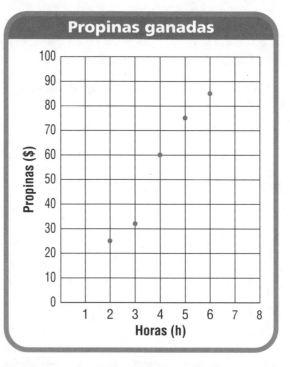

9. **Múltiples pasos** Un camarero trabajó 4 horas y ganó $8 por hora más las propinas. ¿Cuánto ganó el camarero?

Ⓐ $92　　　　Ⓒ $32

Ⓑ $68　　　　Ⓓ $60

10. **Múltiples pasos** Un camarero que trabajó 2 horas y otro camarero que trabajó 5 horas juntan sus propinas del día para comprar comida para sus compañeros de trabajo. ¿Cuánto dinero tienen para gastar en la comida?

Ⓐ $75　　　　Ⓒ $25

Ⓑ $110　　　　Ⓓ $100

16.6 Analizar diagramas de dispersión

TEKS **Análisis de datos:**
5.9.C
PROCESOS MATEMÁTICOS
5.1.C, 5.1.D, 5.1.F

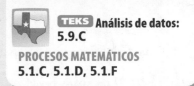

? Pregunta esencial

¿Cómo puedes analizar los datos que se muestran en un diagrama de dispersión?

Soluciona el problema En el mundo

Puedes usar un diagrama de dispersión para analizar la relación entre dos conjuntos de datos.

Ejemplo 1

Los estudiantes realizaron un experimento sobre la relación entre la envergadura de unos aviones de papel y la distancia que vuelan. ¿Qué distancia voló un avión de papel con una envergadura de 3 pulgadas?

El punto con la coordenada *x* 3 tiene la coordenada *y* _____.

Entonces, el avión de papel con una envergadura de 3 pulgadas

voló _____ pies.

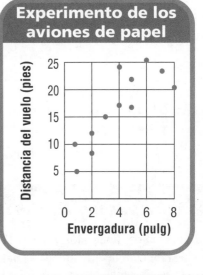

Experimento de los aviones de papel

Puedes usar los diagramas de dispersión para hacer generalizaciones de los datos.

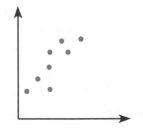

A medida que aumentan los valores de *x*, aumentan los valores de *y*.

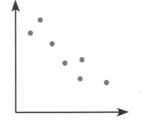

A medida que aumentan los valores de *x*, disminuyen los valores de *y*.

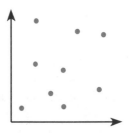

No existe relación entre los valores de *x* y los valores de *y*.

- ¿Qué le sucede a la distancia que vuela el avión de papel a medida que aumenta la envergadura?

  _____

Charla matemática

Procesos matemáticos

Explica qué representan los puntos (2,9) y (2,12) en el diagrama de dispersión.

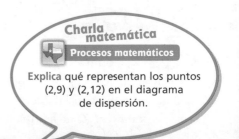

Cuando los datos muestran una tendencia, puedes hacer una predicción.

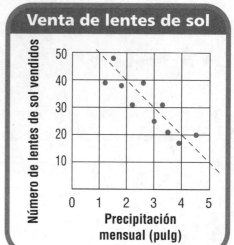

Venta de lentes de sol

🔒 Ejemplo 2 Resuelve un problema de múltiples pasos.

El diagrama de dispersión muestra la relación entre la precipitación mensual y la venta de lentes de sol en la tienda de la playa. ¿Aproximadamente cuántos lentes de sol piensas que venderá la tienda en un mes con 5 pulgadas de lluvia?

- Traza una línea para mostrar la tendencia. Extiende la línea después de la coordenada x 5.

- Usa la línea para estimar las coordenadas de puntos que representan el número de lentes de sol que la tienda venderá en un mes con 5 pulgadas de lluvia.

(5, _____)

Entonces, la tienda venderá aproximadamente _____ lentes de sol en un mes con 5 pulgadas de lluvia.

Comparte y muestra

Práctica de béisbol

El diagrama de dispersión muestra la relación entre el número de horas que practicaron los jugadores de béisbol y el número de jits que batearon. Usa el diagrama de dispersión para los ejercicios 1 a 3.

1. ¿Cuántas horas practicaron los jugadores que batearon 6 jits?

- Escribe el par ordenado para el jugador que bateó

6 jits (_____ , 6)

El jugador que bateó 6 jits practicó _____ horas.

✓ 2. ¿Cuántos jits batearon en total los jugadores de béisbol que practicaron más de 30 horas?

_____

✓ 3. A medida que aumenta el número de horas de práctica de béisbol, ¿aumenta, disminuye o se queda igual el número de jits?

_____

Resolución de problemas

4. **H.O.T.** Generaliza Supón que un diagrama de dispersión muestra la relación entre el número de libros de una biblioteca y el número de estudiantes que juegan fútbol. A medida que aumenta el número de libros, ¿aumenta el número de estudiantes que juegan fútbol? ¿Disminuye? ¿O no hay relación entre los dos conjuntos de datos?

_____

602

5. **H.O.T.** ¿Tiene sentido o no? Terry hizo un diagrama de dispersión para mostrar la relación entre el número de semanas desde que se sembró una semilla y la altura de la planta. ¿Tiene sentido este diagrama de dispersión de los datos? **Explica** tu respuesta.

_____

_____

_____

_____

Altura de la planta

6. **Muestra** Pam hace este diagrama de dispersión para mostrar la relación entre el número de minutos que caminan los estudiantes en una caminata y la distancia que caminan. Representa 8 puntos en el diagrama de dispersión para mostrar la relación.

Caminata

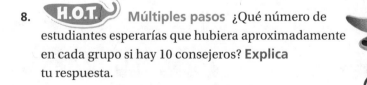

Resolución de problemas En el mundo

El siguiente diagrama de dispersión muestra la relación entre el número de consejeros del campamento y el número de estudiantes en cada grupo del campamento. Usa el diagrama de dispersión para los ejercicios 7 y 8.

7. **Explica** cómo el número de consejeros del campamento está relacionado con el número de estudiantes en cada grupo del campamento.

_____

_____

8. **H.O.T.** **Múltiples pasos** ¿Qué número de estudiantes esperarías que hubiera aproximadamente en cada grupo si hay 10 consejeros? **Explica** tu respuesta.

Matemáticas al instante

_____

_____

_____

Campamento de verano

Tarea diaria de evaluación

Rellena el círculo completamente para mostrar tu respuesta.

Usa el diagrama de dispersión para los ejercicios 9 y 10.

9. Molly recopiló los datos del número de horas que los estudiantes estudiaron y sus notas en un examen. Los resultados se muestran en el diagrama de dispersión. ¿Qué enunciado sobre los datos es verdadero?

Ⓐ A medida que aumentan las horas de estudio, disminuyen las notas del examen.

Ⓑ A medida que aumentan las horas de estudio, aumentan las notas del examen.

Ⓒ A medida que aumentan las horas de estudio, las notas del examen permanecen iguales.

Ⓓ A medida que disminuyen las horas de estudio, aumentan las notas del examen.

Estudiar para el examen

10. ¿Cuál es una predicción razonable de la nota del examen de un estudiante que estudió durante $\frac{1}{2}$ hora?

Ⓐ 80   Ⓑ 100   Ⓒ 50   Ⓓ 5

11. **Múltiples pasos** ¿Qué relación se puede representar en este diagrama de dispersión?

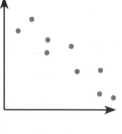

Ⓐ A medida que aumenta el número de dulces en una caja, aumenta el precio.

Ⓑ A medida que aumenta la velocidad de un auto, aumenta la distancia que recorre el auto.

Ⓒ A medida que disminuye la población de una ciudad, aumenta el número de escuelas de la ciudad.

Ⓓ A medida que aumenta el número de horas diurnas, disminuye el número de horas nocturnas.

⭐ **Preparación para la prueba de TEXAS**

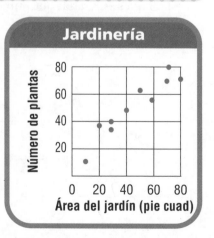

Jardinería

12. A medida que aumenta el área de un jardín, ¿qué le sucede al número de plantas en el jardín?

Ⓐ El número de plantas disminuye.

Ⓑ El número de plantas permanece igual.

Ⓒ El número de plantas aumenta más rápido.

Ⓓ El número de plantas aumenta.

Tarea y práctica

Nombre _____

16.6 Analizar diagramas de dispersión

El diagrama de dispersión muestra la relación entre la edad de los árboles del jardín de Jane y la altura de los árboles. Usa el diagrama de dispersión para los ejercicios 1 a 5.

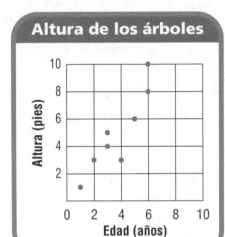

Altura de los árboles

1. ¿Cuál es la edad del árbol que tiene 8 pies de altura? _____

2. ¿Cuántos árboles tienen 3 años? _____

3. ¿Cuántos árboles miden más de 6 pies de altura? _____

4. Si una ardilla sube hasta la copa de cada árbol que tiene

   6 años, ¿qué altura habrá subido la ardilla? _____

5. ¿Qué altura tiene la mayor frecuencia? _____

Resolución de problemas En el mundo

El Sr. Sanders tiene una caja de velas. Hace un diagrama de dispersión para mostrar la relación entre el número de minutos que cada vela arde y la altura de la vela cuando la apaga. Usa el diagrama de dispersión para los ejercicios 6 y 7.

6. Explica cómo se relaciona el número de minutos que la vela arde con la altura de la vela.

   _____

   _____

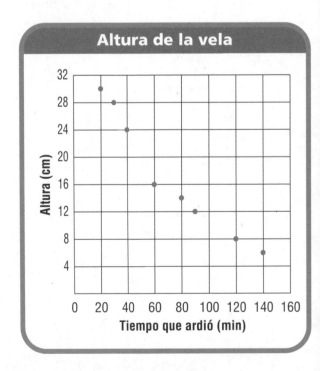

Altura de la vela

7. ¿Qué altura aproximadamente esperarías que tuviera la vela después de arder por 2 horas y 40 minutos? **Explica** tu respuesta.

   _____

   _____

   _____

   _____

Rellena el círculo completamente para mostrar tu respuesta.

8. JoBeth hace un diagrama de dispersión que muestra cómo aumentan las ventas de su puesto de limonadas a medida que aumenta la temperatura exterior. ¿Cuál de las siguientes opciones describe correctamente el diagrama de dispersión?

   (A) Los puntos muestran que a medida que aumentan los valores de x, aumentan los valores de y.

   (B) Los puntos muestran que a medida que aumentan los valores de x, disminuyen los valores de y.

   (C) Los puntos muestran que a medida que disminuyen los valores de x, los valores de y permanecen iguales.

   (D) Los puntos muestran que a medida que disminuyen los valores de x, aumentan los valores de y.

9. ¿Cuál de las siguientes opciones describe correctamente un diagrama de dispersión que no muestra ninguna relación entre los valores de x y los valores de y?

   (A) A medida que aumentan los valores de x, los puntos en el diagrama son más altos.

   (B) A medida que disminuyen los valores de x, los puntos en el diagrama son más altos.

   (C) Los puntos están dispersos en el diagrama.

   (D) Los puntos forman una línea horizontal.

El diagrama de dispersión muestra la relación entre las horas que las personas estuvieron comprando en línea y el número de tiendas que visitaron. Usa el diagrama de dispersión para los ejercicios 10 y 11.

10. **Múltiples pasos** ¿Qué enunciado describe correctamente la relación entre el tiempo de compras en línea y el número de tiendas visitadas?

    (A) A medida que aumenta el número de horas, disminuye el número de tiendas.

    (B) A medida que aumenta el número de horas, aumenta el número de tiendas.

    (C) El número de horas y el número de tiendas son casi iguales.

    (D) A medida que disminuye el número de horas, aumenta el número de tiendas.

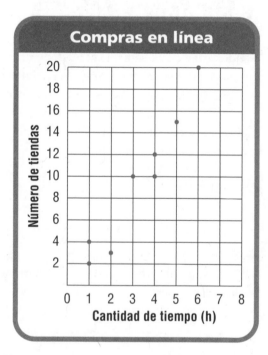

Compras en línea

11. ¿Cuánto tiempo pasó comprando en línea la persona que visitó 3 tiendas?

    (A) 2 horas   (C) 4 horas

    (B) 10 horas   (D) 3 horas

12. **Múltiples pasos** El Sr. Reynosa planea comprar en línea por 4 horas durante dos días seguidos. ¿Cuál es una predicción razonable del número de tiendas que visitará?

    (A) 10   (C) 12

    (B) 8   (D) 22

Nombre _____

 ## Evaluación del Módulo 16

Vocabulario

Elige el término correcto del recuadro.

Vocabulario
diagrama de tallo y hojas
diagrama de dispersión
diagrama de puntos

1. El _____ es una gráfica que muestra la frecuencia de los datos en una recta numérica. (pág. 571)

2. El _____ es una gráfica que muestra la relación entre dos conjuntos de datos. (pág. 595)

Conceptos y destrezas

Peso de las ensaladas de pasta (lb)				
2.5	2.5	1.5	3.0	1.0
1.0	2.5	2.5	1.0	1.5

Usa los datos y el diagrama de puntos para los ejercicios 3 y 4.

3. Completa un diagrama de puntos de los datos.
   ⬧ TEKS 5.9.A

4. ¿Cuál es el peso del mayor número de ensaladas de pasta? ⬧ TEKS 5.9.C

_____

Usa la tabla y el diagrama de dispersión para los ejercicios 5 a 7.

Viajes de vacaciones de Sally							
Tiempo (días)	2	5	3	4	5	2	3
Distancia (mi)	290	700	401	610	799	200	500

5. Completa un diagrama de dispersión de los datos.
   ⬧ TEKS 5.9.B

6. A medida que aumenta el número de días de los viajes de vacaciones, ¿aumenta, disminuye o se queda igual la distancia recorrida? ⬧ TEKS 5.9.C

_____

7. ¿Aproximadamente cuántas millas podrías predecir que Sally viajará en 6 días? ⬧ TEKS 5.9.C

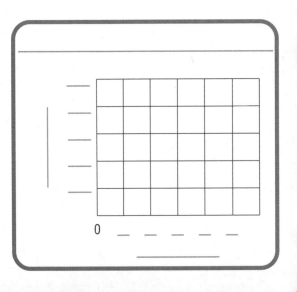

_____

Rellena el círculo completamente para mostrar tu respuesta.

La cantidad de dinero que Tom ahorró cada mes en dólares es 23, 18, 24, 32, 27, 31, 25, 20, 14 y 19. Usa los datos y el diagrama de tallo y hojas para los ejercicios 8 a 10.

8. Tom hace un diagrama de tallo y hojas de los datos. ¿Cuáles son las hojas del tallo 2? TEKS 5.9.A

Ⓐ 3, 4, 5, 7

Ⓑ 0, 3, 4, 5

Ⓒ 0, 3, 3, 5, 7

Ⓓ 0, 3, 4, 5, 7

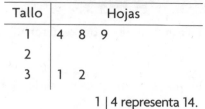

Ahorros mensuales de Tom ($)

Tallo	Hojas
1	4 8 9
2	
3	1 2

1 | 4 representa 14.

9. ¿Por cuántos meses los ahorros de Tom fueron menos de $20? TEKS 5.9.C

Ⓐ 2 meses

Ⓑ 5 meses

Ⓒ 3 meses

Ⓓ 4 meses

10. Tom planea ahorrar el próximo mes el doble de lo que ahorró en los meses que ahorró más de $30 al mes. ¿Cuánto ahorrará Tom el próximo mes? TEKS 5.9.C

Ⓐ $63   Ⓒ $86

Ⓑ $126   Ⓓ $43

Kim compró recortes de cinta en una tienda de rebajas. La longitud de cada cinta en pulgadas es $9, 8\frac{3}{4}, 8\frac{1}{2}, 8\frac{3}{4}, 8\frac{1}{4}, 8\frac{1}{4}, 8\frac{3}{4}, 8\frac{1}{2}, 8\frac{3}{4}$ y $8\frac{1}{4}$ y 8. Usa los datos y el diagrama de puntos para los ejercicios 11 y 12.

11. Kim completa el diagrama de puntos de los datos. ¿Cuántos puntos debe poner arriba de $8\frac{3}{4}$? TEKS 5.9.A

Ⓐ 1   Ⓒ 3

Ⓑ 4   Ⓓ 2

$$8 \qquad 8\frac{1}{4} \qquad 8\frac{1}{2} \qquad 8\frac{3}{4} \qquad 9$$

Longitud de las cintas (pulg)

12. ¿Cuál es el rango de las longitudes de cinta en pulgadas? TEKS 5.9.C

Anota tu resultado y rellena los círculos en la cuadrícula. Asegúrate de usar el valor de posición correcto.

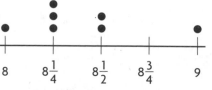

✓ Evaluación de la Unidad 5

Vocabulario

Elige el término correcto del recuadro.

Vocabulario
frecuencia
predicción
diagrama de tallo y hojas

1. La _____ es el número de veces que ocurre un suceso. (pág. 545)

2. En el _____, los datos se organizan según el valor de posición. (pág. 583)

Conceptos y destrezas

Usa los datos para los ejercicios 3 a 6.

Calificaciones de la prueba de matemáticas
80, 84, 95, 84, 79, 99, 92, 91, 87, 83, 92, 91, 95, 99, 81, 95

3. Haz un diagrama de puntos para mostrar los datos. 🔻 TEKS 5.9.A

Calificaciones de la prueba de matemáticas

4. Usa el diagrama de puntos para hallar cuántos estudiantes tuvieron una calificación mayor de 95 puntos en la prueba. 🔻 TEKS 5.9.C

_____

5. Muestra los datos en un diagrama de tallo y hojas. 🔻 TEKS 5.9.A

Calificaciones de la prueba de matemáticas

Tallo	Hojas

_____ | _____ representa _____.

6. Usa el diagrama de tallo y hojas para hallar el rango de las calificaciones de la prueba de matemáticas. 🔻 TEKS 5.9.C

_____

Rellena el círculo completamente para mostrar tu respuesta.

Usa la gráfica de barras para los ejercicios 7 a 9.

7. ¿Cuántas bicicletas más se vendieron en total el lunes y el martes en comparación con el miércoles? ⬦ TEKS 5.9.C

Ⓐ 15

Ⓑ 3

Ⓒ 5

Ⓓ 7

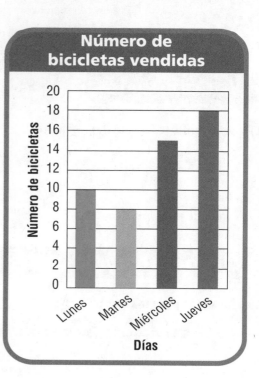

Número de bicicletas vendidas

8. El miércoles se vendieron cuatro bicicletas menos que el viernes. ¿Cuántas bicicletas se vendieron el viernes? ⬦ TEKS 5.9.C

Ⓐ 15

Ⓑ 11

Ⓒ 19

Ⓓ 20

9. El dueño de la tienda de bicicletas quiere agregar otra barra a la gráfica para mostrar el número de bicicletas que se vendieron el sábado. Si el número de bicicletas que se vendieron el sábado es mayor que el número de bicicletas que se vendieron el miércoles pero menor que el número que se vendieron el jueves, ¿cuál de las siguientes opciones podría ser la altura de la barra?
⬦ TEKS 5.9.A

Ⓐ 14

Ⓑ 20

Ⓒ 17

Ⓓ 33

10. La tabla muestra el tiempo en horas que les toma a los estudiantes hacer una prueba de matemáticas. ¿Cuántos puntos deben colocarse en un diagrama de puntos para mostrar los tiempos mayores que $1\frac{1}{2}$ horas? ⬦ TEKS 5.9.A

Ⓐ 5

Ⓑ 6

Ⓒ 4

Ⓓ 1

Tiempo para hacer una prueba de matemáticas				
$1\frac{3}{4}$	2	$1\frac{1}{2}$	1	$1\frac{3}{4}$
$1\frac{1}{2}$	1	$1\frac{1}{4}$	$1\frac{1}{4}$	2

Usa los datos y la tabla de frecuencia para los ejercicios 11 a 12.

11. Chris usa los datos para crear una tabla de frecuencia que muestra el número de aves que ve en un viaje de observación de aves. ¿Qué número corresponde a los charranes que ve en la tabla de frecuencia? ⚜ TEKS 5.9.A

   Ⓐ 5

   Ⓑ 1

   Ⓒ 4

   Ⓓ 6

Tipos de aves				
charrán	gaviota	pelícano	gaviota	gaviota
charrán	garza	pelícano	charrán	charrán
gaviota	gaviota	charrán	garza	águila

12. ¿Cuántas más gaviotas que garzas ve Chris? ⚜ TEKS 5.9.C

   Ⓐ 2

   Ⓑ 5

   Ⓒ 3

   Ⓓ 7

Número de aves	
Tipo de ave	**Frecuencia**
águila	1
garza	2
gaviota	5
pelícano	2
charrán	?

Usa el diagrama de dispersión para los ejercicios 13 y 14.

13. ¿Cuántos cafés fríos podrías predecir que se venderán cuando la temperatura sea 70° Fahrenheit? ⚜ TEKS 5.9.C

   Ⓐ 6

   Ⓑ 2

   Ⓒ 12

   Ⓓ Ninguna de las anteriores

14. ¿Cuál de los siguientes pares ordenados podría representar el número de cafés vendidos en un día muy caluroso? ⚜ TEKS 5.9.B, 5.9.C

   Ⓐ (25, 25)

   Ⓑ (1, 90)

   Ⓒ (1, 45)

   Ⓓ (25, 90)

Ventas de café frío

Preparación para la prueba de TEXAS

15. ¿Cuántas montañas rusas están representadas en los datos?
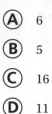 TEKS 5.9.C

(A) 6

(B) 5

(C) 16

(D) 11

16. ¿Cuántas montañas rusas más tienen velocidades de más de 60 millas por hora que montañas rusas con velocidades de menos de 60 millas por hora? 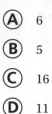 TEKS 5.9.C

(A) 7

(B) 2

(C) 1

(D) 8

Velocidades de las montañas rusas (millas por hora)

Tallo	Hojas
2	7
3	
4	3 6
5	2 5 5 6
6	2 3 5 6 7 7 7
7	2 2

2|7 representa 27.

17. Elige tu deporte favorito. Crea un conjunto de datos sobre el deporte que podrías usar para hacer un diagrama de puntos. Haz un diagrama de puntos de los datos. Escribe un problema que se pueda resolver usando el diagrama de puntos. 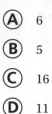 TEKS 5.9.A, 5.9.C

Comprensión de finanzas personales

Muestra lo que sabes ✓

Comprueba si comprendes las destrezas importantes.

Nombre _____

▶ **Restar números de varios dígitos** **Resta.**

1.	18,956
	− 16,897

2.	35,214
	− 29,368

3.	72,173
	− 45,396

▶ **Multiplicar números de 3 y 4 dígitos por números de 1 dígito** **Multiplica.**

4.

T	H	T	O
	6	7	9
×			6

5.

T	H	T	O
2,	4	7	2
×			3

▶ **Sumar decimales** **Estima. Luego halla la suma.**

6. Estima:

+	1.4
	+ 0.23

7. Estima:

+	1.78
	+ 0.13

8. Estima:

+	1.38
	+ 1.21

Opciones de evaluación:
Soar to Success Math

▶ **Visualizar** •

Usa las palabras marcadas para completar el diagrama de árbol.

```
                    ┌──────────────┐       ┌──────────────┐
                    │              │───────│              │
                    │ _____ │       │ _____ │
                    └──────────────┘       └──────────────┘
                   /
┌──────────┐     /  ┌──────────────┐
│ Impuestos │─────  │              │
└──────────┘     ,  │ _____ │
                 \  └──────────────┘
                  \
                   \ ┌──────────────┐
                     │              │
                     │ _____ │
                     └──────────────┘
```

▶ **Comprender el vocabulario** •

Completa las oraciones usando las palabras nuevas.

1. Un _____ es un costo que se le paga al gobierno a cambio de bienes y servicios, como las carreteras y la protección policial.

2. El _____ es la cantidad de ingreso que queda después de que los

   impuestos se descuentan del _____.

3. La _____ es el impuesto retenido en el pago de un empleado.

4. Una _____ es una tarjeta de identificación emitida por un banco que le permite al usuario usar inmediatamente el dinero de una cuenta.

5. Un banco puede cobrar interés sobre la cantidad de dinero que se carga a una

   _____.

6. Tú puedes escribir un _____ para pagar por una compra usando el dinero de tu cuenta bancaria.

Nombre _____

Lectura Cuando lees una historia, puedes interpretar el significado de una palabra desconocida por la situación que se describe. Cuando lees sobre asuntos financieros, puedes ver una palabra conocida usada de diferentes maneras. También puede que necesites usar la situación para comprender el significado de la palabra.

Mira la palabra **impuesto** en cada una de las siguientes situaciones. ¿Qué significado de la palabra se usa en cada oración? Escribe la letra de la definición.

- John y María viven en una ciudad grande. Pagan un **impuesto** a la ciudad

  basado en la cantidad de su ingreso. _____
- Marcia compró un abrigo y un sombrero nuevos. Pagó $102.96 por los

  objetos y $8.49 de **impuesto**. _____
- Kati recibió su pago. El talonario de pago mostró un total de $67.45

  en **impuestos**. _____
- Los Petersen recibieron una notificación que indica que su **impuesto** va a

  aumentar debido al nuevo garaje que construyeron en su casa. _____

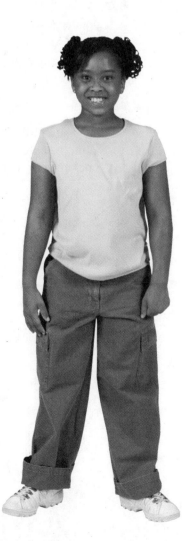

A. Retención sobre el salario es el dinero que un empleador retiene del ingreso de un empleado.

B. Impuesto sobre los ingresos es el dinero que se paga al gobierno de una ciudad, pueblo o estado o al gobierno de Estados Unidos (llamado impuestos federales sobre los ingresos).

C. Impuesto a las ventas es el dinero que se suma al costo de los objetos o servicios.

D. Impuesto a las propiedades es una porción del valor de los objetos que se paga al gobierno de una ciudad o estado. Los impuestos a las propiedades se pueden cobrar por objetos como carros, casas, botes o terrenos.

Redacción Elige una de las definiciones de impuesto y escribe tu propia oración usando la palabra *impuesto*. Intercambia las oraciones con una pareja y adivina el significado de la palabra. Luego trabajen juntos para escribir un problema de matemáticas basado en una de sus oraciones.

_____

_____

Bingo del balance de un presupuesto

Objetivo del juego Sé el primero en balancear tu presupuesto.

Materiales

- Cubo numerado rotulado 1, 2, 3, 4, 5 y X
- Cubo numerado rotulado rojo, azul, amarillo, verde, anaranjado y X
- Fichas
- Tarjeta del juego *Balancear un presupuesto*

Preparación

Da a cada jugador una copia de la tarjeta de juego y algunas fichas. Todos los jugadores comienzan con $1,675 de ingreso en su presupuesto.

Número de jugadores: 2 o más

Instrucciones

1 Cada jugador hace rodar ambos cubos numerados y coloca una ficha en el cuadrado indicado por el color y el número. Si sale una X, el jugador pierde su turno.

2 El primer jugador que cubra todos los cuadrados en la misma hilera o columna ha balanceado el presupuesto y gana el juego.

3 Variación: Los jugadores anotan cada diferencia a medida que restan cada gasto indicado por el cubo. Pueden restar un gasto indicado en cualquier cuadrado que hayan cubierto, pero no pueden restar el mismo gasto dos veces. El ganador es la persona que balancee el presupuesto primero, aun cuando los cuadrados cubiertos no estén todos en la misma hilera o columna.

	Rojo	Azul	Amarillo	Verde	Anaranjado
1	Paga gastos del carro $225	Ahorros y donaciones $150	Paga alquiler de $750	Paga cuenta de electricidad $200	Compra comida $350
2	Paga alquiler de $750	Compra comida $350	Paga cuenta de electricidad $200	Ahorros y donaciones $150	Paga gastos del carro $225
3	Compra comida $350	Paga gastos del carro $225	Ahorros y donaciones $150	Paga alquiler de $750	Paga cuenta de electricidad $200
4	Paga cuenta de electricidad $200	Paga alquiler de $750	Paga gastos del carro $225	Compra comida $350	Ahorros y donaciones $150
5	Ahorros y donaciones $150	Paga cuenta de electricidad $200	Compra comida $350	Paga gastos del carro $225	Paga alquiler de $750

17.1 Impuestos sobre los ingresos y retención sobre el salario

TEKS Comprensión de finanzas personales:
5.10.A *También 5.3.K*
PROCESOS MATEMÁTICOS
5.1.A, 5.1.B

? Pregunta esencial

¿Qué son los impuestos sobre los ingresos y la retención sobre el salario?

🔑 Soluciona el problema En el mundo

Un **impuesto** es el dinero que se le paga al gobierno a cambio de los servicios, como el mantenimiento de las carreteras y la protección de la policía.

Los **impuestos sobre los ingresos** están basados en la cantidad de dinero que ganas, o sea, tu **ingreso**. Los impuestos federales sobre los ingresos se pagan al gobierno de Estados Unidos. Algunos estados y ciudades también tienen impuestos sobre los ingresos. Los trabajadores de todo el país en Estados Unidos pagan impuestos federales sobre los ingresos, pero los impuestos sobre los ingresos a nivel del estado o la ciudad varían en todo el país.

Los trabajadores también pagan otros impuestos para programas que tienen el apoyo del gobierno, como el cuidado médico.

A veces, estos impuestos se pagan directamente al gobierno. Otras veces, un empleador retiene estos impuestos del salario de los empleados y se los paga al gobierno. El impuesto total que un empleador retiene se llama **retención sobre el salario**. La cantidad en el cheque de pago de un empleado muestra el pago después de los impuestos.

🔒 Calcula el pago después de los impuestos.

Mirna gana $600 a la semana. Cuando ella recibe su cheque de pago, este incluye un talonario que muestra el ingreso total y la retención sobre el salario. Halla el ingreso de Mirna después de los impuestos.

			1001
Empleado: Mirna Goodwin	Ingreso total		$600.00
	Impuestos federales sobre los ingresos	$75.45	
	Impuestos estatales sobre los ingresos	$15.17	
Período de pago: Julio 1–Julio 7	Otros impuestos	$37.20	
	Total de impuestos		
	Pago después de los impuestos		

Desprenda y guarde.

Encierra en un círculo los impuestos que se retuvieron del pago de Mirna. Suma los impuestos para calcular la retención sobre el salario.

$_____ + $_____ + $_____ = $_____

Resta su ingreso total menos la retención sobre el salario.

$600 − $_____ = $_____

Entonces, el pago de Mirna después de los impuestos es $_____.

Charla matemática
Procesos matemáticos

Evalúa si es razonable ¿Cómo puedes comprobar que la cantidad que hallaste para el pago de Mirna después de los impuestos es correcta?

🔑 Ejemplo

Rob gana $500 a la semana. Se deduce la retención sobre el salario de su ingreso. Por desgracia, Rob derramó jugo de col en el talonario de su cheque de pago cubriendo algunos de los valores. Él sabe que *otros impuestos* tienen un total de $10. ¿Qué cantidad de impuestos estatales sobre los ingresos se dedujeron del ingreso de Rob?

			1011
Empleado: Rob Alexander	Ingreso total		$500.00
	Impuestos federales sobre los ingresos	$77.66	
	Impuestos estatales sobre los ingresos		
Período de pago: Mayo 1–7	Otros impuestos		
	Total de impuestos		
	Pago después de los impuestos		$390.33

Desprenda y guarde.

Halla la retención sobre el salario que se dedujo del ingreso total de Rob.

$_____ – $_____ = $_____.

Suma los impuestos federales sobre los ingresos y otros impuestos.

$_____ + $_____ = $_____.

Resta el total de los impuestos federales sobre los ingresos y otros impuestos de la retención sobre el salario para hallar los impuestos estatales sobre los ingresos.

$_____ – $_____ o $_____.

Entonces, los impuestos estatales sobre los ingresos de Rob son $_____

Comparte y muestra

Rita trabaja en un estado que no tiene impuestos estatales sobre los ingresos. Usa el talonario de pago de Rita para los ejercicios 1 y 2.

			2001
Empleado: Rita Logan	Ingreso total		$700.00
	Impuestos federales sobre los ingresos	$120.66	
Período de pago: Septiembre	Otros impuestos	$15.55	
	Total de impuestos		
	Pago después de los impuestos		

Desprenda y guarde.

✓ **1.** Calcula la retención sobre el salario de Rita.

$_____ + $_____

= $_____

✓ **2.** Calcula el pago de Rita después de los impuestos.

$_____ – $_____ = $_____

Resolución de problemas

3. **Escribe** ▶ **Explica** cómo puedes calcular la retención sobre el salario si conoces el ingreso total y el pago después de los impuestos.

_____

_____

618

Nombre _____

4. Leticia paga $18 de impuestos federales sobre los ingresos por cada $100 que gana. ¿Cuánto pagará de impuestos federales sobre los ingresos si gana $500? **Explica** tu respuesta.

_____

_____

_____

5. Michelle trabaja 33 horas esta semana. Ella gana $10 por hora. Su pago después de los impuestos es de $277.11. ¿Cuánto paga de retención sobre el salario?

_____

6. **H.O.T.** **Múltiples pasos** Oliver vive en un estado que no tiene impuestos estatales sobre los ingresos. Él paga $150 de retención sobre el salario cada semana. Si los impuestos federales sobre los ingresos son 0.75 de la retención sobre el salario, ¿cuál es la cantidad de los otros impuestos?

_____

_____

_____

7. **H.O.T.** **Múltiples pasos** El talonario de pago muestra la retención sobre el salario que se dedujo del pago de Maeve. Si a Maeve le pagan dos veces al mes, ¿cuánto paga de retención sobre el salario en un mes? **Explica** tu respuesta.

			1351
Empleado: Maeve Kelley	Ingreso total		$570.00
	Impuestos federales sobre los ingresos	$112.66	
	Impuestos estatales sobre los ingresos	$18.50	
Período de pago: Enero 1–15	Otros impuestos	$17.35	
	Total de impuestos		
	Pago después de los impuestos		
	Desprenda y guarde.		

_____

_____

_____

_____

Rellena el círculo completamente para mostrar tu respuesta.

8. Arman trabaja en un estado que no tiene impuestos estatales sobre los ingresos. Él gana $625 por semana. Paga $38.45 en otros impuestos. Su pago después de los impuestos es $499.61. ¿Cuánto paga de impuestos federales sobre los ingresos?

   (A) $38.45

   (B) $76.90

   (C) $86.94

   (D) $88.72

9. **Comunica** Miranda gana $450.75 en su trabajo a medio tiempo. Ella paga $98.12 de impuestos federales sobre los ingresos y $12.00 de otros impuestos. ¿Cómo puedes determinar cuánto es el pago de Miranda después de los impuestos?

   (A) Resta el ingreso total menos la suma de los impuestos.

   (B) Resta la suma de los impuestos menos la cantidad ganada.

   (C) Suma todos los impuestos.

   (D) Resta el ingreso total menos los impuestos federales sobre los ingresos solamente.

10. **Múltiples pasos** Joe tiene dos trabajos a medio tiempo. En su primer trabajo ganó $200 y pagó $42 de retención sobre el salario. En su segundo trabajo ganó $175 y pagó $24 de retención sobre el salario. ¿Cuál es su pago después de los impuestos?

    (A) $158   (C) $351

    (B) $309   (D) $303

⭐ Preparación para la prueba de TEXAS

11. El pago de Mark después de los impuestos es $855.08. Si su ingreso total es $1,100, ¿cuánto paga Mark de retención sobre el salario?

    (A) $1,100

    (B) $144.02

    (C) $244.92

    (D) $855.08

Nombre _____

17.1 Impuestos sobre los ingresos y retención sobre el salario

1. Escribe una ecuación para mostrar cómo calcular la cantidad total que Sam paga de retención sobre el salario.

   _____

6405		
Empleado: Sam Brown	Ingreso total		$800.00
	Impuestos federales sobre los ingresos	$112.50	
	Impuestos estatales sobre los ingresos	$24.25	
Período de pago: Enero	Otros impuestos	$12.90	
	Total de impuestos		
	Pago después de los impuestos		
	Desprenda y guarde.		

2. Usa tu solución del Ejercicio 1 para escribir una ecuación para calcular el pago después de los impuestos de Sam si su ingreso total es de $800.

   _____

3. Explica cómo puedes calcular el ingreso total si conoces la retención sobre el salario y el pago después de los impuestos.

   _____

   _____

Resolución de problemas En el mundo

4. El talonario de pago a la derecha muestra los ingresos y los impuestos de Darla de esta semana. Darla dice que su pago después de los impuestos será una cantidad mayor que $600. **Explica** cómo puedes usar la estimación para decidir si Darla tiene razón.

   _____

   _____

   _____

   _____

4675		
Empleado: Darla Moore	Ingreso total		$750.00
	Impuestos federales sobre los ingresos	$119.45	
	Impuestos estatales sobre los ingresos	$30.15	
Período de pago: Marzo 14–21	Otros impuestos	$11.21	
	Total de impuestos		
	Pago después de los impuestos		
	Desprenda y guarde.		

5. Adolfo ganó $650 la semana pasada. Él pagó $97.50 de impuestos federales sobre los ingresos. Pagó la tercera parte de esa cantidad de impuestos estatales sobre los ingresos y otros impuestos combinados. ¿Cuál fue el pago después de los impuestos de Adolfo? **Explica** cómo hallaste tu resultado.

Rellena el círculo completamente para mostrar tu respuesta.

6. El ingreso mensual de Martina es de $4,000. Cada mes, ella paga $680 en impuestos federales sobre los ingresos, $160 en impuestos estatales sobre los ingresos y $79 en otros impuestos. ¿Cuál es el pago después de los impuestos de Martina cada mes?

Ⓐ $3,160

Ⓑ $3,081

Ⓒ $3,761

Ⓓ $2,981

7. Lacey gana $680 cada semana. Ella paga $91.80 de impuestos federales sobre los ingresos. Los otros impuestos son $17. Su pago después de los impuestos es $547.40. ¿Cuánto paga Lacey de impuestos estatales sobre los ingresos?

Ⓐ $74.80

Ⓑ $38.60

Ⓒ $115.60

Ⓓ $23.80

8. ¿Qué enunciado sobre el ingreso total y el pago después de los impuestos es correcto si se deduce la retención sobre el salario?

Ⓐ El pago después de los impuestos es mayor que el ingreso total.

Ⓑ El pago después de los impuestos es menor que el ingreso total.

Ⓒ El pago después de los impuestos y el ingreso total son la misma cantidad.

Ⓓ El ingreso total es menor que el pago después de los impuestos.

9. Cada semana, Kelly paga $68.45 de impuestos federales sobre los ingresos, $22.81 de impuestos estatales sobre los ingresos y $18.75 en otros impuestos. ¿Cuál es la mejor estimación de la retención sobre el salario que Kelly paga cada mes?

Ⓐ $440

Ⓑ $110

Ⓒ $280

Ⓓ $360

10. **Múltiples pasos** Cada semana, Desiré gana $925 y paga $148 de retención sobre el salario. ¿Cuánto tiempo le toma a Desiré ganar al menos $3,000 después de los impuestos?

Ⓐ 4 semanas

Ⓑ 3 semanas

Ⓒ 5 semanas

Ⓓ 7 semanas

11. **Múltiples pasos** Brian trabaja 24 horas esta semana. Su pago es de $9.25 por hora. Su retención sobre el salario es de $37.30. Él deposita la mitad de su pago después de los impuestos en su cuenta de ahorros y la otra mitad en su cuenta corriente. ¿Cuánto dinero depositó en cada cuenta?

Ⓐ $184.70

Ⓑ $129.65

Ⓒ $92.35

Ⓓ $46.55

Nombre _____

17.2 Impuestos a las ventas e impuestos a las propiedades

TEKS Comprensión de finanzas personales: 5.10.A
También 5.3.E, 5.3.K
PROCESOS MATEMÁTICOS
5.1.A, 5.1.F

? Pregunta esencial

¿Qué son los impuestos a las ventas y los impuestos a las propiedades?

Aprendiste sobre los impuestos que los empleadores retienen del ingreso de un empleado. Hay otros impuestos que están basados en el valor de ciertos objetos. Por lo general, estos impuestos se pagan al gobierno de una ciudad o de un estado. Al igual que la retención sobre el salario, el gobierno usa estos impuestos para pagar por servicios.

Los **impuestos a las ventas** son el dinero que se le agrega al costo de los objetos y servicios. Por lo general se paga cuando se compra un objeto.

Los **impuestos a las propiedades** son una porción del valor de los objetos. Los impuestos a las propiedades se cobran a cosas como carros, casas, botes o terrenos. Este tipo de impuesto se paga una o varias veces al año siempre que una persona sea el propietario del objeto.

Idea matemática

Los impuestos a las ventas y a las propiedades están basados en el valor del objeto. Mientras mayor sea el valor, mayor es el impuesto.

? Soluciona el problema En el mundo

El libro favorito de Ethan está rebajado a $11.98 más el impuesto. Ethan tiene $13. ¿Puede comprar el libro?

🔒 **Halla el costo total.**

El empleado de la tienda tiene una tabla de impuestos a las ventas para determinar cuánto será el impuesto.

Lee la tabla. Para hallar el impuesto, halla el precio en la tabla que se aproxime a $11.98, pero que no sea menor que $11.98. Suma el impuesto más $11.98.

Precio del libro   Impuestos a las ventas   Costo total

$_____ + $_____ = $_____

El costo total del libro es $12.97.

Ethan tiene $_____ , entonces él _____ comprar el libro.

Tabla de impuestos a las ventas

Precio hasta	Suma el impuesto	Precio hasta	Suma el impuesto	Precio hasta	Suma el impuesto
$0.06	$0.00	$5.87	$0.48	$11.69	$0.96
$0.18	$0.01	$5.99	$0.49	$11.81	$0.97
$0.30	$0.02	$6.12	$0.50	$11.93	$0.98
$0.42	$0.03	$6.24	$0.51	$12.06	$0.99
$0.54	$0.04	$6.36	$0.52	$12.18	$1.00
$0.66	$0.05	$6.48	$0.53	$12.30	$1.01
$0.78	$0.06	$6.60	$0.54	$12.42	$1.02
$0.90	$0.07	$6.72	$0.55	$12.54	$1.03
$1.03	$0.08	$6.84	$0.56	$12.66	$1.04
$1.15	$0.09	$6.96	$0.57	$12.78	$1.05
$1.27	$0.10	$7.09	$0.58	$12.90	$1.06
$1.39	$0.11	$7.21	$0.59	$13.03	$1.07
$1.51	$0.12	$7.33	$0.60	$13.15	$1.08
$1.63	$0.13	$7.45	$0.61	$13.27	$1.09

🔑 Ejemplo Halla los impuestos a las propiedades.

La familia Green construye un cobertizo detrás de su casa. El cobertizo aumentará los impuestos a las propiedades que la familia tiene que pagar. En su pueblo el impuesto es $19.41 por año por cada $1,000 del valor de la propiedad. El cobertizo vale $9,000. Si los impuestos a las propiedades se pagan anualmente, ¿cuánto impuesto pagará la familia por el cobertizo en un año?

El cobertizo tiene un valor de $_____ , es decir, _____ × $1,000.

Entonces, el impuesto al cobertizo es _____ × $_____ = $_____

Comparte y muestra

MATH BOARD

Charla matemática
Procesos matemáticos

¿Por qué le sumas los impuestos a las ventas al precio de un objeto? Explica tu respuesta.

✓ 1. El precio del vestido que Bonnie quiere comprar es $85. Los impuestos del estado a las ventas es de $0.05 por cada dólar del precio.

   a. ¿Cuáles son los impuestos a las ventas del vestido?

      Para $85, los impuestos a las ventas serán _____ × $0.05 = _____.

   b. ¿Cuál es el costo total del vestido?

      $85 + _____ = _____

✓ 2. Miguel tiene un bote pequeño que tiene un valor de $3,100. Él paga los impuestos a las propiedades a su pueblo. Los impuestos a las propiedades son $4.20 por cada $100 del valor de la propiedad. ¿Cuánto pagará Miguel de impuesto por su bote?

   $3,100 = _____ × $100

   El impuesto será $4.20 × 31 = _____.

Nombra el tipo de impuesto que se describe. Escribe *impuestos sobre los ingresos, retención sobre el salario, impuestos a las propiedades o impuestos a las ventas*. Puedes escribir más de un tipo.

3. El precio de la sudadera es $45. El costo final de la sudadera es $47.95.

   _____

4. El valor de una casa es $250,000. El impuesto anual a la casa es $7,500.

   _____

5. Rolando gana $395. Su pago después de los impuestos es $356.

   _____

6. El videojuego cuesta $19.99 más $0.55 de impuesto.

   _____

7. Chase paga un impuesto anual de $100 por su carro.

   _____

8. Del salario semanal de Ed se deduce $21.65.

   _____

Nombre _____

9. **Escribe** ▶ **Explica** las semejanzas y las diferencias entre la retención sobre el salario y los impuestos a las propiedades.

_____

_____

_____

_____

10. **H.O.T.** **Conecta** ¿Cómo puedes mostrar que un impuesto de $0.05 por cada $1 es igual que un impuesto de $5 por cada $100? Usa un ejemplo para tu explicación.

_____

_____

_____

_____

11. **Múltiples pasos** Bill compra una cámara por $189 y una tableta por $249. Los impuestos a las ventas son $0.08 por cada dólar. ¿Cuál es el costo total de su compra?

Escribe ▶ **Muestra tu trabajo**

_____

12. **H.O.T.** **Múltiples pasos** El Sr. Kramer compra un carro nuevo por $24,000. Pagará impuestos a las ventas de $0.06 por cada dólar del precio. Pagará impuestos a las propiedades de $14.62 por cada $1,000. ¿Cuál es el total de los impuestos por el carro nuevo para este año?

_____

_____

13. **Aplica** La casa de los Norton tiene un valor de $150,000. El impuesto anual de su ciudad es de $28.13 por cada $1,000 del valor. ¿Cuánto pagarán de impuestos a las propiedades por el año?

_____

Procesos matemáticos
Representar • Razonar • Comunicar

Tarea diaria de evaluación

Rellena el círculo completamente para mostrar tu respuesta.

14. En el estante de rebajas de la librería hay un libro sobre exploradores. El libro tiene una etiqueta de precio de $4. Los impuestos a las ventas son de $0.05 por cada dólar. ¿Cuál es el costo total del libro?

Ⓐ $4.05

Ⓑ $4.20

Ⓒ $0.20

Ⓓ $3.80

15. Amanda compra un collar por $280. ¿Cuál de los siguientes impuestos podría haber pagado Amanda por la compra?

Ⓐ impuestos a las propiedades

Ⓑ impuestos sobre los ingresos

Ⓒ retención sobre el salario

Ⓓ impuestos a las ventas

16. **Múltiples pasos** Los impuestos a las propiedades en un pueblo eran $6.95 por $1,000 del valor en el año 2012. El impuesto aumentó a $7.71 por $1,000 del valor en el 2013. ¿Qué efecto tuvo ese aumento en los impuestos a las propiedades para una casa con un valor de $100,000?

Ⓐ aumentan $76   Ⓒ aumentan $791

Ⓑ disminuyen $96   Ⓓ disminuyen $695

 Preparación para la prueba de TEXAS

17. ¿Qué enunciado sobre los impuestos a las ventas NO es verdadero?

Ⓐ Puedes hallar la cantidad de impuestos a las ventas en una tabla de impuestos a las ventas.

Ⓑ Los impuestos a las ventas están basados en el valor de un objeto.

Ⓒ Los impuestos a las ventas son iguales que los impuestos sobre los ingresos.

Ⓓ Debes conocer el precio del objeto para determinar los impuestos a las ventas.

Nombre _____

17.2 Impuestos a las ventas e impuestos a las propiedades

1. Ángelo compra un par de pantalones de mezclilla por $27. Él paga $0.07 de impuestos a las ventas por cada dólar del precio de compra. Escribe una ecuación para mostrar cómo calcular los impuestos a las ventas de los pantalones.

_____

Escribe una ecuación para mostrar cómo calcular el costo total de los pantalones.

_____

2. La casa de los Kleins tiene un valor de $120,000. Los impuestos a las propiedades en su ciudad son de $21.30 por cada $1,000 del valor. Completa las ecuaciones para calcular los impuestos a las propiedades.

$120,000 ÷ $1,000 = _____

El impuesto será: 120 × $21.30 = _____

3. ¿Cómo afectan los impuestos a las ventas y los impuestos a las propiedades el costo de un objeto? **Explica** tu respuesta.

_____

_____

_____

Resolución de problemas *En el mundo*

Usa la tabla para los ejercicios 4 y 5.

4. Samuel compra un objeto para su excursión y paga $0.06 de impuestos a las ventas por cada dólar que gasta. Su recibo muestra un cargo de $4.68 por impuestos a las ventas. ¿Qué objeto compró Samuel?

_____

5. El viernes, el precio de la tienda de campaña tendrá un descuento de $15. ¿Cuánto ahorrará Amber en total si compra la tienda de campaña el viernes? Incluye $0.06 de impuestos a las ventas por cada dólar cuando calcules el costo. Muestra cómo hallaste el resultado.

_____

| Equipo para acampar ||
Objeto	Precio
Tienda de campaña	$219
Saco para dormir	$109
Mochila	$78
Linterna	$49

Rellena el círculo completamente para mostrar tu respuesta.

6. Algunos estados, incluyendo Texas, tienen un día libre de impuestos a las ventas en el cual los residentes no tienen que pagar impuestos a las ventas durante unos días cada año. Si los impuestos a las ventas son $0.07 por cada $1, ¿cuánto podrías ahorrar al comprar una calculadora de $19 durante este día libre de impuestos a las ventas?

(A) $1.40

(B) $7.00

(C) $0.95

(D) $1.33

7. ¿Qué enunciado sobre los impuestos a las propiedades NO es verdadero?

(A) Los impuestos a las propiedades se restan del precio del objeto.

(B) Los impuestos a las propiedades se pueden cobrar por la compra de un terreno.

(C) Mientras mayor sea el valor de un objeto, mayor serán los impuestos a las propiedades.

(D) Los impuestos a las propiedades se pagan al gobierno.

8. ¿Cuáles son los impuestos a las ventas de un objeto que cuesta $33.50 si los impuestos a las ventas son $0.06 por cada dólar?

(A) $2.01

(B) $20.01

(C) $0.60

(D) $6.00

9. Un par de cordones tiene una etiqueta de precio de $7.00. Los impuestos a las ventas son $0.08 por cada dólar. ¿Cuál es el precio total de los cordones?

(A) $7.00

(B) $0.08

(C) $7.56

(D) $7.08

10. **Mútiples pasos** La Sra. Chan compra un carro nuevo por $21,000. Ella paga de impuestos a las ventas $0.06 por cada dólar e impuestos a las propiedades de $16.80 por cada $1,000. Si los impuestos a las propiedades se pagan una vez al año, ¿cuál es el impuesto total del carro por el año?

(A) $1,260

(B) $352.80

(C) $1,612.80

(D) $22,612.80

11. **Mútiples pasos** Rex compra una linterna por $44 y unos binoculares por $69. ¿Cuál es el costo total de la compra de Rex si los impuestos a las ventas son $0.07 por cada dólar?

(A) $113.07

(B) $120.91

(C) $113.00

(D) $116.08

17.3 Ingreso

TEKS Comprensión de finanzas personales:
5.10.B *También 5.3.K*
PROCESOS MATEMÁTICOS
5.1.A, 5.1.D, 5.1.G

? Pregunta esencial

¿Cuál es la diferencia entre el ingreso bruto y el ingreso neto?

Ingreso es el dinero que ganas de un trabajo, del interés de una cuenta de ahorro o al vender objetos o servicios. El **ingreso bruto** es tu ingreso total *antes* de deducir los impuestos sobre los ingresos o la retención sobre el salario. El **ingreso neto** es la cantidad que queda *después* de los impuestos.

Los impuestos que se basan en tus ingresos, como los impuestos sobre los ingresos o la retención sobre el salario, afectan tu ingreso neto. Los impuestos que se basan en el uso de objetos o servicios, como los impuestos a las ventas y impuestos a las propiedades, no afectan tu ingreso neto.

Soluciona el problema En el mundo

Jay trabaja en un banco. Usa la información del talonario de pago para hallar sus ingresos bruto y neto para la semana. El salario del banco es la única fuente de ingreso de Jay.

Como Jay tiene una sola fuente de ingreso, su ingreso neto es igual al pago después de los impuestos del talonario de pago. Su ingreso bruto es igual a su ingreso total.

Empleado: Jay Martin	Ingreso total		3201
	Impuestos federales sobre los ingresos	$115.00	
Período de pago: Julio 1 – Julio 8	Otros impuestos	$93.50	
	Total de impuestos		
	Pago después de los impuestos		$891.50

Desprenda y guarde.

Su ingreso neto semanal es _____.

Para hallar su ingreso bruto, suma la retención sobre el salario a su ingreso neto.

Retención sobre el salario: $_____ + $_____ = $_____.

Ingreso bruto: $_____ + $_____ = $_____
              ingreso neto   retención sobre
                              el salario

Entonces, el ingreso bruto de Jay para la semana es de $_____.
Escribe el ingreso bruto en su talonario de pago.

Charla matemática
Procesos matemáticos

Jay paga $3.65 en impuestos a las ventas por una comida. ¿Esto cambia su ingreso neto? Explica tu respuesta.

- Si Jay gana $130.56 después de los impuestos durante la misma semana en un trabajo a medio tiempo, ¿cómo cambia su ingreso neto semanal? Explica tu respuesta.

_____

Finanzas de Tina	
Ingreso anual del trabajo a medio tiempo en la panadería	$18,000
Ingreso anual del trabajo a medio tiempo en la biblioteca	$14,000
Ganancia de la venta de cerámicas	$6,000
Impuestos sobre los ingresos y la retención sobre el salario	$5,750.50

Usa la información de la tabla para los ejercicios 1 y 2.

1. ¿Cuál es el ingreso bruto de Tina?

   Piensa: El ingreso bruto es el ingreso total de Tina de todas las fuentes de ingreso.

   Ingreso bruto:

   $_____ + \$_____ + \$_____ = \$_____

2. ¿Cuál es el ingreso neto de Tina?

   Ingreso neto: \$_____ – \$_____ = \$_____

   Entonces, su ingreso neto es \$_____ .

Resolución de problemas

3. **Escribe** ▶ Daniel trabaja en un mercado. Gana $8.00 por hora en el puesto de *delicatessen*. Trabaja 18 horas a la semana. Si esta es la única fuente de ingreso de Daniel, ¿puedes hallar su ingreso neto con la información dada? **Explica** tu respuesta.

   _____

   _____

4. Usa la información de la tabla para hallar los ingresos bruto y neto de Latisha para el año.

   _____

   _____

Finanzas de Latisha	
Ingreso anual	$24,000
Ganancia de la venta de suéteres	$13,000
Interés de la cuenta de ahorros	$214
Impuestos sobre los ingresos y la retención sobre el salario	$5,550.16

5. **Explica** la relación entre el ingreso bruto, la retención sobre el salario y el ingreso neto.

   _____

   _____

Nombre _____

6. **Múltiples pasos** Eduardo trabajó 45 horas la semana pasada. Su pago es de $12 por hora por 40 horas y $18 por hora por el tiempo que trabaja sobre 40 horas. Su retención sobre el salario fue $98.06. Si esta es la única fuente de ingreso de Eduardo, ¿cuál fue su ingreso neto de la semana pasada?

_____

7. **H.O.T.** Emily es una farmacéutica. Ella gana $50 por hora. Si trabaja en un día feriado le pagan el doble del pago por hora. La semana pasada trabajó 38 horas, incluyendo 8 horas en un día feriado. El salario de Emily es su única fuente de ingreso. Si su ingreso neto la semana pasada fue de $1,947, ¿cuánto fue su retención sobre el salario? **Explica** tu respuesta.

_____

_____

_____

_____

_____

8. **H.O.T.** **Múltiples pasos** El ingreso total de Charlie por su trabajo es $45,000. También gana $2,000 por la venta de colchas. Él paga $18 de impuesto por cada $100 del ingreso bruto. ¿Cuál es el ingreso neto de Charlie?

_____

9. **Aplica** Germán trabaja en una tienda de música donde gana $16.25 por hora. Él trabaja 40 horas a la semana. ¿Debe buscar otro trabajo con un ingreso bruto de $36,000? Explica tu razonamiento.

_____

_____

_____

_____

Tarea diaria de evaluación

Rellena el círculo completamente para mostrar tu respuesta.

10. La tabla muestra el ingreso bruto y la retención sobre el salario de los miembros de la familia Barker en una semana. ¿Cuál es su ingreso neto de la semana?

Ingreso de la familia Barker		
	Ingreso bruto	Retención sobre el salario
Bea Barker	$730	$68.24
Buzz Barker	$654	$50.75

Ⓐ $1,285.01

Ⓒ $1,264.95

Ⓑ $1,315.76

Ⓓ $1,265.01

11. Lana trabaja en una heladería local. En las últimas cuatro semanas, su ingreso bruto fue de $120.75, $118.50, $99.75 y $115.75. El total de su retención sobre el salario fue de $59.70. ¿Cómo puedes hallar su ingreso neto de las cuatro semanas?

Ⓐ Halla la suma de los ingresos brutos. Luego suma la retención sobre el salario.

Ⓑ Suma $59.70 a cada ingreso bruto. Luego suma los totales.

Ⓒ Halla la suma de los ingresos brutos.

Ⓓ Halla la suma de los ingresos brutos. Luego resta la retención sobre el salario.

12. **Múltiples pasos** Alberto ganó dinero cortando el césped. Ganó $25 el sábado en la mañana y $75 el sábado en la tarde. Ganó $100 el domingo. Se dedujo una retención sobre el salario de $26.25 cada día. Si esta es la única fuente de ingreso de Alberto, ¿cuál fue su ingreso neto de los dos días?

Ⓐ $73.75

Ⓒ $122.25

Ⓑ $147.50

Ⓓ $173.75

⭐ Preparación para la prueba de TEXAS

13. Sari trabaja en una floristería por 36 horas cada semana. Ella gana $9.75 por hora. Esta es la única fuente de ingreso de Sari. ¿Cuál es su ingreso neto semanal si su retención sobre el salario es de $73 por la semana?

Ⓐ $317

Ⓒ $424

Ⓑ $351

Ⓓ $278

Nombre _____

17.3 Ingreso

Nan Barker vive en un estado que no cobra impuestos estatales sobre los ingresos. Su trabajo en una empresa tecnológica es su única fuente de ingreso. Usa el talonario de pago de Nan para los ejercicios 1 a 4.

1. ¿Cuál es el ingreso bruto de Nan para el

   período de pago? _____

2. ¿Cuál es el ingreso neto de Nan para el

   período de pago? _____

3. A Nan le pagan dos veces al mes. ¿Cuál es el ingreso neto de Nan cada mes?

   _____

			7300
Empleado: Nan Barker	Ingreso total		$1,575.00
	Impuestos federales sobre los ingresos	$236.25	
Período de pago: Mayo 15	Otros impuestos	$135.40	
	Total de impuestos		
	Pago después de los impuestos		$1,203.35

Desprenda y guarde.

4. Describe dos maneras de hallar la diferencia entre el ingreso bruto y el ingreso neto de Nan para el período de pago.

   _____

   _____

Resolución de problemas En el mundo

Usa el talonario del pago semanal de Dante para los ejercicios 4 y 5.

5. Si esta es la única fuente de ingreso de Dante, ¿cuál es su ingreso neto de la semana?

   _____

6. ¿Cuál es el ingreso bruto anual de Dante? **Explica** cómo hallaste tu resultado.

   _____

   _____

   _____

			904
Empleado: Dante Romano	Ingreso total		$650.00
	Impuestos federales sobre los ingresos	$78.42	
	Impuestos estatales sobre los ingresos	$35.08	
Período de pago: Noviembre 1–7	Otros impuestos	$12.50	
	Total de impuestos		
	Pago después de los impuestos		

Desprenda y guarde.

Rellena el círculo completamente para mostrar tu respuesta.

7. Keenan trabajó 45 horas la semana pasada. Él gana $20 por hora por 35 horas de trabajo y $30 por las horas extras. Si esta es su única fuente de ingreso, ¿cuál fue el ingreso bruto de Keenan la semana pasada?

- (A) $1,000
- (B) $900
- (C) $1,350
- (D) $700

8. El ingreso bruto de Rita el mes pasado fue de $2,948.45. La retención sobre el salario del mes fue $442.45. ¿Cómo puedes hallar el ingreso neto de Rita de una semana si hubo cuatro semanas en el mes?

- (A) Suma la retención sobre el salario y el ingreso bruto y multiplica por 4.
- (B) Resta la retención sobre el salario del ingreso bruto y multiplica por 4.
- (C) Suma la retención sobre el salario y el ingreso bruto y divide entre 4.
- (D) Resta la retención sobre el salario del ingreso bruto y divide entre 4.

9. Chip trabaja en el parque de diversiones. En las últimas cuatro semanas, su ingreso bruto fue de $112.25, $98.75, $125.50 y $109.25. Su retención sobre el salario fue de $62.30. Si esta es la única fuente de ingreso de Chip, ¿cuál fue su ingreso neto por las cuatro semanas?

- (A) $445.75
- (B) $196.55
- (C) $383.45
- (D) $508.05

10. Jenna trabaja en un lavado de carros por 25 horas a la semana y esta es su única fuente de ingreso. Le pagan $9.90 por hora. ¿Cuál es su ingreso neto semanal si la retención sobre el salario es de $30.70 cada semana?

- (A) $247.50
- (B) $216.80
- (C) $278.20
- (D) $217.20

11. **Múltiples pasos** El ingreso bruto mensual del Sr. Jackson es de $4,090 y su retención sobre el salario es de $654.40. El ingreso bruto mensual de la Sra. Jackson es de $4,250 y su retención sobre el salario es de $680. ¿Cuál es el ingreso neto total de los Jackson en el mes?

- (A) $8,340.00
- (B) $7,005.60
- (C) $9,674.40
- (D) $6,905.60

12. **Múltiples pasos** Ari trabajó para una compañía de mudanzas el fin de semana pasado. El sábado, su ingreso bruto fue de $350 y su ingreso neto fue de $307.05. El domingo, su ingreso bruto fue de $280 y su ingreso neto fue de $246.35. ¿Cuánto fue la retención sobre el salario de Ari el fin de semana pasado?

- (A) $76.60
- (B) $103.00
- (C) $137.30
- (D) $70.00

17.4 Pagar las cuentas

TEKS Comprensión de finanzas personales: 5.10.C
PROCESOS MATEMÁTICOS 5.1.E

? Pregunta esencial

¿Cuáles son las ventajas y desventajas de las diferentes maneras de pagar las cuentas?

Vas a la tienda y ves algo que te gustaría comprar. ¿Debes pagar con dinero efectivo, con el dinero de tu billetera o de otra manera?

Un **cheque** es una orden escrita que le pide a un banco que pague una cierta cantidad de tu cuenta. A veces, el banco tarda varios días en pagar la cantidad de un cheque. En tu chequera hay un lugar para anotar lo que tienes y lo que gastas.

Una **tarjeta de crédito** es una tarjeta de identificación que emite un banco y que le permite al usuario comprar artículos y servicios inmediatamente, y pagar el monto en otro momento. El banco le podría cobrar intereses al usuario a cambio del uso del dinero.

Una **tarjeta de débito** es una tarjeta de identificación que emite un banco y que le permite al usuario usar inmediatamente el dinero de una cuenta. Tienes un número de identificación personal o (PIN) para mantenerla segura.

🔑 Soluciona el problema *En el mundo*

La Sra. Pastella desea comprar un caballete por $100 en una tienda, pero no tiene dinero efectivo. Completa la siguiente tabla para ayudarla a determinar el método de pago que debe usar.

Escribe la letra de los enunciados para mostrar las ventajas y desventajas de cada método. Un enunciado puede estar en más de un lugar.

	Ventajas	Desventajas
Cheque		
Tarjeta de crédito		
Tarjeta de débito		

A. El PIN la hace segura	I. Puedo comprar ahora y pagar más adelante
B. Podría deber más dinero del que puedo pagar	J. Necesito recordar el PIN
C. Podría hacer bulto si la llevo	K. Necesito tener suficiente en mi cuenta
D. Menos probable que gaste de más	L. Podría perder la tarjeta
E. Toma tiempo para escribirlo	M. Se me pueden acabar los cheques
F. Cómodo y fácil de llevar	N. Podría pagar intereses
G. Provee un espacio para anotar los gastos	O. Me lo podrían robar
H. Fácil de olvidar anotar lo que gasto	

🔒 Ejemplo 1

A veces, no es posible usar dinero efectivo o un cheque. En esos casos, puedes usar una tarjeta de crédito o uno de los varios métodos de pago electrónico. Estos métodos son especialmente útiles cuando compras por Internet.

Algunas compañías ofrecen servicios de transferencia de dinero para enviar dinero inmediatamente de tu cuenta al vendedor. Por lo general, se cobra una cuota por el servicio.

Algunos vendedores te permiten pagar el monto en varias cuotas. Tú estableces los pagos automáticos que transfieren una cantidad determinada de dinero de tu cuenta en fechas específicas. Por lo general, pagas una cuota por extender los pagos. Los pagos automáticos también son útiles para las cuentas que se pagan regularmente.

Escribe la letra de los enunciados para mostrar las ventajas y desventajas de cada método de pago. Se puede tener un enunciado en más de un lugar.

	Ventajas	Desventajas
Tarjeta de crédito		
Transferencia de dinero		
Pagos automáticos		

A. Útil para las cuentas mensuales
B. Puedo comprar ahora y pagar más adelante
C. Podría pagar una cuota o intereses
D. Cómodo y fácil de llevar
E. Se me podría olvidar que se hará un pago
F. Manera rápida de enviar dinero
G. Podría deber más dinero del que puedo pagar
H. Necesito tener suficiente en mi cuenta
I. Me lo podrían robar

Comparte y muestra

✓ 1. El costo total de comprar una computadora en Internet usando pagos automáticos:

$4 \times$ _____ $+ 4 \times$ _____ $=$ _____ $+$ _____

$=$ _____ .

✓ 2. El costo total de comprar una computadora en Internet usando una tarjeta de crédito:

_____ $+$ _____ $=$ _____

PRECIO DE UNA COMPUTADORA

Tienda de computadoras C-Mart
Dinero efectivo: $625

ComputerWorld.com

Pagos automáticos:
4 pagos fáciles de
$150 + cuota de $10 por pago

Tarjeta de crédito: $575 + interés*
*Interés: $50

Charla matemática
Procesos matemáticos
¿Qué método usarías para comprar la computadora y por qué?

Nombre _____

3. Aplica Nombra un método de pago que te permite usar dinero de tu cuenta y un método que te permite pagar la cantidad más adelante.

_____

4. **H.O.T.** **Analiza** ¿Cuáles son las ventajas y desventajas de los métodos que elegiste en el Ejercicio 3?

_____

_____

_____

_____

Resolución de problemas *En el mundo*

5. **H.O.T.** **Múltiples pasos** Tony investiga para saber cuánto debería pagar si usara varios métodos de pago para comprar un juego de química. Si paga $0.10 en intereses por cada dólar en su tarjeta de crédito, ¿qué método debe usar para comprar el juego de química? **Explica** tu respuesta.

Matemáticas al instante

Precio de un juego de química

Juguetes ABC
Dinero efectivo: $175

Cheque o tarjeta de débito
$175 + $5 cuota de procesamiento

Books.com (¡envío gratis!)
Pagos automáticos:
4 pagos de $30 + cuota de $40

Tarjeta de crédito: $150 + interés

_____

_____

_____

_____

6. El banco de Liam paga la cantidad de un cheque cinco días después de que se firma. Si Liam desea hacer un pago inmediatamente, ¿qué método de pago podría usar? **Explica** tu respuesta.

_____

_____

Rellena el círculo completamente para mostrar tu respuesta.

7. Jen quiere comprar una cámara. ¿Qué método le permitirá comprar ahora y pagar después?

   (A) cheque

   (B) dinero efectivo

   (C) tarjeta de crédito

   (D) transferencia de dinero

8. Antoine debe $684. Puede hacer seis pagos automáticos mensuales con una cuota de $2.50 por pago o puede pagar usando una tarjeta de crédito. Si usa su tarjeta de crédito, pagará $30 en intereses. ¿Cuánto dinero ahorra usando los pagos automáticos?

   (A) $15   (C) $116.50

   (B) $114   (D) $16

9. **Múltiples pasos** Lester compra un sofá por $560. Paga $200 primero y el resto lo paga en 6 meses usando los pagos automáticos. ¿Cuánto pagará mensualmente?

   (A) $360

   (B) $60

   (C) $93.33

   (D) $126.67

Preparación para la prueba de TEXAS

10. ¿Cuál de las siguientes es una ventaja de usar un cheque para pagar las cuentas?

   (A) Puedes comprar ahora y pagar más adelante.

   (B) El dinero se transfiere inmediatamente.

   (C) Puedes pagar usando el dinero de tu cuenta.

   (D) Quizás tengas que pagar intereses sobre la cantidad.

Nombre _____

17.4 Pagar las cuentas

Angelina hizo una tabla para comparar el costo de comprar una consola de videojuegos usando diferentes métodos de pago. Usa la tabla para los ejercicios 1 a 4.

1. El costo total de comprar una consola de videojuegos en la

   tienda de descuentos de Ed es _____.

2. El costo total de comprar una consola de videojuegos en Internet

   usando pagos electrónicos: _____ × (_____ + _____) = _____

3. El costo total de comprar una consola de videojuegos usando una

   tarjeta de crédito: _____ + _____ = _____

4. ¿Por qué Angelina podría elegir comprar la consola de videojuegos
   usando un método de pago más costoso?

   _____

   _____

> **PRECIO DE UNA CONSOLA DE VIDEOJUEGOS**
>
> Tienda de descuentos de Ed: $229
>
> GameStore.com (envío gratis)
>
> Pagos automáticos:
> 3 pagos de
> $75 + $5 por pago
>
> Tarjeta de crédito:
> $219 + $10.95 de intereses

Resolución de problemas En el mundo

5. Jada investiga sobre varios métodos de pago para comprar un
   videojuego. Si Jada paga en su tarjeta de crédito $0.03 de interés por
   cada dólar, ¿qué método será el menos costoso? ¿Qué método es el
   más costoso?

   _____

   _____

   _____

> **PRECIO DE UN VIDEOJUEGO**
>
> Tienda de juegos de Paula
> Dinero efectivo: $49
> Cheque o tarjeta de débito:
> $49 + $5 cuota de procesamiento
>
> Games.com (envío gratis)
> Pagos automáticos:
> 2 pagos de
> $26 + $2 por pago
>
> Tarjeta de crédito: $48

6. Oliver paga $0.05 de interés por cada $1 que gasta usando su tarjeta
   de crédito. **Explica** cómo puedes usar el cálculo mental para hallar el
   costo total de una tableta de $300.

   _____

Rellena el círculo completamente para mostrar tu respuesta.

7. ¿Cuál de las siguientes NO es una ventaja de usar una tarjeta de débito como tu método de pago?

(A) Puedes comprar ahora y pagar luego.

(B) Un número de identificación personal mantiene tu cuenta segura.

(C) Es cómoda de llevar a todas partes.

(D) Es menos probable que gastes de más.

8. Harrison paga $0.02 de interés por cada $1 que gasta con su tarjeta de crédito. ¿Cuánto de interés pagará Harrison con la compra de un bolso para cámaras de $78?

(A) $1.40

(B) $1.56

(C) $15.60

(D) $79.56

9. Múltiples pasos Charlotte quiere comprar algunos libros en Internet por un total de $162. Planea hacer seis pagos mensuales iguales. Le cobrarán una cuota de procesamiento mensual de $1.75. ¿Cuánto pagará Charlotte mensualmente?

(A) $27.00

(B) $25.25

(C) $28.75

(D) $27.75

10. Múltiples pasos Ethan quiere comprar un reloj nuevo que cuesta $112. Paga $0.04 de interés por cada $1 que gasta con su tarjeta de crédito. ¿Cuánto ahorraría Ethan si pagara con dinero efectivo?

(A) $2.80

(B) $1.04

(C) $0.45

(D) $4.48

11. Múltiples pasos Enrique compra una chaqueta por $35 y unos pantalones por $29. Los impuestos a las ventas son $0.07 por cada dólar del precio de venta. Paga $2.75 por un cargo de procesamiento por pagar con un cheque. ¿Cuánto pagará Enrique por sus compras?

(A) $71.23

(B) $68.48

(C) $71.42

(D) $66.75

12. Múltiples pasos Paige encuentra en una tienda de Internet una impresora por $148. El costo por el envío es $20. Si Paige planea hacer cuatro pagos mensuales iguales por el costo total, ¿cuánto pagará cada mes?

(A) $37

(B) $42

(C) $32

(D) $40

17.5 Llevar un registro de tus finanzas

TEKS Comprensión de finanzas personales: **5.10.D** *También 5.3.K*
PROCESOS MATEMÁTICOS
5.1.A, 5.1.E, 5.1.F

? Pregunta esencial

¿Como puedes llevar la cuenta de tus finanzas?

Una buena manera de administrar las finanzas es llevar la cuenta del dinero recibido, pagado y disponible.

🔑 Soluciona el problema · En el mundo

Hannah hizo una tabla para llevar la cuenta de su dinero. Anotó el dinero recibido, los ahorros, las ganancias y otros gastos. El ingreso se suma y los gastos se restan. Usa las notas de la derecha para completar su tabla. Incluye los fondos disponibles después de cada suma o resta. ¿Cuánto dinero tiene Hannah al final del mes?

18 de mayo: servir de niñera $15

19 de mayo: cine $6.50

25 de mayo: cortar el césped $15

*frutas $3.97
27 de mayo*

30 de mayo: excursión escolar, recuerdo $14.75

 Registro financiero de Hannah: Mes de mayo

Fecha	Descripción	Recibido ($)	Gastos ($)	Fondos disponibles ($)
	Balance: finales de abril			0
4/5	servir de niñera	20		20
6/5	dinero recibido	10		30
6/5	ahorros		5	
8/5	bajar 3 canciones de Internet		2.97	
13/5	dinero recibido	10		
15/5	barra nutritiva		1.25	
20/5	dinero recibido	10		
27/5	dinero recibido	10		

Charla matemática
Procesos matemáticos

Explica por qué los ahorros se anotan como un gasto en la tabla de Hannah.

Al final del mes a Hannah le quedan _____.

Jack lleva la cuenta de su dinero en julio. Usa su registro para los ejercicios 1 a 3.

Fecha	Descripción	Recibido ($)	Gastos ($)	Fondos disponibles ($)
	Balance: finales de junio			0
2/7	trabajo en el patio	15.50		15.50
3/7	jugo de frutas		1.75	13.75
5/7	entrada para el museo			

1. Jack paga $7.65 por una entrada para el museo el 5 de julio. ¿Cuánto tendrá en los fondos disponibles después de comprar la entrada?

   - Encierra en un círculo los fondos que tiene Jack antes de comprar la entrada. Resta el precio de la entrada de los fondos disponibles.

   _____ − _____ = _____

   - Anota el precio de la entrada y los nuevos fondos disponibles en la tabla.

2. Jack gana $24.00 lavando carros el 8 de julio. Completa la hilera que sigue en la tabla para mostrar esta información. ¿Cuánto tiene Jack ahora en los fondos disponibles?

   _____

3. El 12 de julio Jack recibe $15 y gasta $4.95 en tarjetas de béisbol. Completa la tabla para mostrar esta información. ¿Cuánto tiene Jack ahora en los fondos disponibles?

   _____

Resolución de problemas

4. **H.O.T.** ¿Cuál es el error? El registro financiero de Ana muestra que tenía $13.09 cuando comenzó el mes de mayo. El 4 de mayo ganó $18 como niñera y ahorró $5. Su tía le dio $10 el 10 de mayo. Ella gastó $2.75 en una barra de yogur el 13 de mayo. Su registro ahora muestra que sus fondos disponibles son $43.34. ¿Cuál es el error de Ana?

   _____

   _____

Charla matemática
Procesos matemáticos

¿Por qué organizar la información en una tabla es una mejor manera de llevar la cuenta de las finanzas que si se anotan en pedazos de papel?

Resolución de problemas *En el mundo*

Ryan tiene un negocio de sacar a pasear a los perros. Usa la información financiera sobre su negocio para los ejercicios 5 a 7.

5. **H.O.T.** **Múltiples pasos** La meta de Ryan es tener siempre $50 o más en los fondos disponibles. Completa la tabla. ¿Logró Ryan su meta durante el mes de marzo? **Explica** tu respuesta.

Matemáticas al instante

_____

_____

_____

pago de los dueños de los perros – $129 – 3 de marzo

comprar bocadillos para perros – $45.98 – 9 de marzo

comprar correas para perros – $64.25 – 12 de marzo

pago de los dueños de los perros – $96 – 18 de marzo

pago al ayudante – $140 – 20 de marzo

pago de los dueños de los perros – $106 – 26 de marzo

comprar comida para perros – $84.50 – 28 de marzo

Fecha	Descripción	Recibido ($)	Gastos ($)	Fondos disponibles ($)
	Balance: 1.º de marzo			50

6. **Explica** cómo puedes identificar los gastos de Ryan con solo mirar la columna de los fondos disponibles.

_____

7. **Múltiples pasos** Ryan recibe otro pago de los dueños de los perros el 31 de marzo. También gasta $25 en bocadillos para perros ese día. Si Ryan termina el mes con $86.27 en los fondos disponibles, ¿cuánto dinero

recibió de los dueños el 31 de marzo? _____

Tarea diaria de evaluación

La tabla muestra las finanzas de Lisa durante la primera semana de agosto. Usa la tabla para los ejercicios 8 a 10. Rellena el círculo completamente para mostrar tu respuesta.

Fecha	Descripción	Recibido ($)	Gastos ($)	Fondos disponibles ($)
	Balance: finales de julio			0
1/8	dinero recibido	12		12
2/8	jugo de naranja		2.29	9.71
3/8	sembrar flores	?		25.96
4/8	libro de tiras cómicas		11.65	14.31

8. **Analiza** ¿Cuánto gana Lisa sembrando flores?

   (A) $25.96

   (B) $16.25

   (C) $12.00

   (D) $35.67

9. ¿Qué expresión muestra cómo hallar la cantidad de dinero que Lisa tiene en los fondos disponibles después de comprar jugo de naranja?

   (A) $12 + $2.29

   (B) $25.96 − $2.29

   (C) $9.71 − $2.29

   (D) $12 − $2.29

10. **Múltiples pasos** Lisa gana un premio de $25 en la entrada de una fiesta el 5 de agosto. Ella gasta $5.40 en marcadores nuevos el 6 de agosto y $18 en una pelota de fútbol el 7 de agosto. ¿Cuáles son sus fondos disponibles ahora?

   (A) $21.31

   (B) $39.31

   (C) $15.91

   (D) $33.91

⭐ Preparación para la prueba de TEXAS

11. Jacob comienza el mes de junio con $20 en los fondos disponibles. Gana $30 cortando el césped y recibe dinero de sus padres. Sus gastos del mes fueron $20.65. Si Jacob termina el mes con $44.35 en fondos, ¿cuál es la cantidad de dinero recibido?

   (A) $30.00

   (B) $44.35

   (C) $15.00

   (D) $45.00

Tarea y práctica

Nombre _____

17.5 Llevar un registro de tus finanzas

Kimiko hace artesanías para vender en un festival en julio. Usa las notas de la derecha para completar la tabla. Usa la información para los ejercicios 1 y 2.

Fecha	Descripción	Recibido ($)	Gastos ($)	Fondos disponibles ($)
	Balance: 1.º de julio			45

Notas:

2 de julio: compra materiales de artesanía $27.95

5 de julio: paga el alquiler del puesto $15

14 de julio: gana $125 por las ventas de artesanía

15 de julio: gana $52 por las ventas de artesanía

18 de julio: Paga a un amigo por ayudarla en el puesto $25

22 de julio: compra materiales de artesanía

1. Escribe una ecuación para mostrar cómo calcular la cantidad que Kimiko tiene en los fondos disponibles después de comprar materiales el 2 de julio.

   _____

2. **Explica** cómo Kimiko puede calcular sus gastos totales en julio. ¿Cuáles fueron los gastos totales de Kimiko?

   _____

Resolución de problemas *En el mundo*

Usa la información de la tabla de arriba para los ejercicios 3 y 4.

3. ¿Tiene Kimiko más fondos disponibles el 1.º de julio o el 22 de julio? **Explica** tu respuesta.

   _____

4. Kimiko tiene $15 en gastos adicionales el 28 de julio. ¿Cuánto más debe ganar si quiere tener $200 en los fondos disponibles al final de julio?

   _____

Rellena el círculo completamente para mostrar tu respuesta.

5. La tabla muestra las finanzas de Micah durante la primera semana de mayo. Gana $25 como niñera el 8 de mayo. Compra otro libro el 12 de mayo por $9.49.

Fecha	Descripción	Recibido ($)	Gastos ($)	Fondos disponibles ($)
	Balance: 1.º de mayo			0
4/5	dinero recibido	15		15
7/5	compra un libro		12.95	2.05

¿Cuánto tiene Micah en los fondos disponibles ahora?

Ⓐ $36.54

Ⓒ $15.51

Ⓑ $27.05

Ⓓ $17.56

Heather vende unos postres. La tabla muestra las finanzas de Heather para principios de junio. Usa la tabla para los ejercicios 6 a 9.

Fecha	Descripción	Recibido ($)	Gastos ($)	Fondos disponibles ($)
	Balance: 1.º de junio			0
2/6	venta de magdalenas	18.50		18.50
3/6	venta de tartas	26.74		45.24
4/6	publicidad		?	28.99
5/6	materiales		23.97	5.02

6. ¿Cuánto gasta Heather en publicidad?

Ⓐ $28.99

Ⓒ $16.25

Ⓑ $5.02

Ⓓ $23.75

7. ¿Qué expresión muestra cómo hallar la cantidad de fondos disponibles después de que Heather vende algunas tartas el 3 de junio?

Ⓐ $26.74 − $18.50

Ⓒ $45.24 − $26.74

Ⓑ $18.50 + $26.74

Ⓓ $45.24 + $26.74

8. **Múltiples pasos** ¿Cuál es la diferencia entre los gastos de Heather y sus ingresos?

Ⓐ $5.02

Ⓑ $21.27

Ⓒ $2.77

Ⓓ $7.72

9. **Múltiples pasos** Heather vende unas galletas por $14.85 el 6 de junio. Gasta $8.99 en materiales para empacar el 7 de junio y $5.19 en cintas el 8 de junio. ¿Cuáles son los fondos disponibles de Heather ahora?

Ⓐ $5.69

Ⓒ $19.87

Ⓑ $0.67

Ⓓ $5.86

17.6 Hacer un presupuesto

? Pregunta esencial

¿Cómo puedes hacer y balancear un presupuesto?

🔑 Soluciona el problema En el mundo

Un presupuesto está balanceado cuando los gastos son iguales al ingreso. Contesta las preguntas, toma tus decisiones y llena los espacios en la tabla para hacer y balancear un presupuesto.

🔑 Haz un presupuesto.

Tu fondo es $20 semanales. Encierra en un círculo una de las maneras de ganar un ingreso adicional. Decide cuántas veces a la semana lo harás.

Cuando listes tus gastos, recuerda incluir fondos para diversión y entretenimiento, al igual que los gastos regulares, como almuerzo, tarifa del autobús, lecciones que pagas, donaciones regulares, ahorros y dinero para emergencias.

¡Ingreso adicional!

Cortar el césped: $12

Regar las plantas del vecino: $6.75

Pasear a los perros: $1.50 por perro diarios

A ¿Cuál es tu ingreso semanal?

Descripción	Cantidad
Dinero recibido	
Otro	
Total	

B ¿Cuáles son tus gastos semanales?

Descripción	Cantidad
Total	

Ingreso — gastos = _____

Si es necesario, vuelve a hacer tu presupuesto para que tus gastos sean iguales a tu ingreso.

Charla matemática
Procesos matemáticos

¿Está balanceado tu presupuesto? Explica qué podrías hacer para tener más dinero disponible al final del mes.

• Se te olvidó incluir en tu presupuesto $10 para un regalo de cumpleaños para tu mejor amigo. ¿Cómo puedes ajustar tu presupuesto para incluir este nuevo gasto?

_____

Completa las tablas para hallar el ingreso y los gastos totales de Rob en la semana. Usa las tablas para los ejercicios 1 a 3.

Ingreso	
Descripción	**Cantidad**
Dinero recibido	$12
Lavar ventanas	$10
Servir de niñera	$16
Regalo	$10
Total	$

Gastos	
Descripción	**Cantidad**
Almuerzos escolares	$8
Excursión	$10
Pantalones nuevos	$21
Ahorros	$10
Total	$

1. ¿Está balanceado el presupuesto de la semana de Rob? **Explica** tu respuesta.

2. **Escribe** ▶ ¿Cómo puede Rob balancear el presupuesto?

3. Rob está ahorrando para una caja de herramientas. Necesita $79.99 para comprarla. Si sigue ahorrando la misma cantidad cada semana, ¿en cuánto tiempo podrá comprarla?

Resolución de problemas

4. **Analiza** Por cada $10 que Zain gana, hará un presupuesto de $2 para ahorros, $3 para compras especiales, $1 para donar a una obra de caridad y $4 para sus gastos regulares. Si Zain gana $200, ¿cuánto será su presupuesto para gastos regulares?

5. **H.O.T.** **Múltiples pasos** Rhonda hace un presupuesto para los siguientes gastos semanales: $5 para boletos del autobús, $20 para el almuerzo, $10 para el cine y $5 para sus ahorros. Rhonda recibe $20 de fondos a la semana y $5 por limpiar la maleza de cada jardín. Si el presupuesto de Rhonda está balanceado, ¿cuántos jardines limpia de maleza cada semana?

6. **H.O.T.** El ingreso semanal de Hazem es $40. Tiene un presupuesto de $20 para comida y entretenimiento cada semana y ahorra el resto de su ingreso. ¿Cuánto dinero ahorrará en 5 meses?

Nombre _____

7. Múltiples pasos Las tablas muestran el ingreso y los gastos de Diana en una semana. Halla la cantidad de otros gastos que van a balancear su presupuesto para esa semana.

Ingreso
Lavarle la ropa a un vecino: $12 semanales
Ayudar con las tareas: $5 por hora, 3 horas por semana
Vender juegos de mesa viejos en una venta de garaje: $18
Dinero recibido: $7
Regalo: $10

Gastos
Donaciones al refugio de animales: $6 por semana
Tarifa del autobús: $2 por día, 6 veces cada semana
Ahorros: $10
Meriendas/entretenimiento: $14
Otros gastos: $

8. **H.O.T.** María gana $15 por servir de niñera y $9 por pasear perros cada semana. Sus fondos semanales son $15. Ella tiene en un presupuesto un tercio de su ingreso cada semana para ahorros y el resto para gastos regulares ¿Cuánto dinero tiene en su presupuesto para gastos regulares? _____

9. Anota Las tablas muestran el presupuesto mensual de Hilda. Completa las tablas para mostrar el ingreso total, los gastos totales y la cantidad de ahorros si el presupuesto está balanceado.

Ingreso	
Descripción	**Cantidad**
Dinero recibido	$40
Repartir el periódico	$120
Servir de niñera	$80
Total	$

Gastos	
Descripción	**Cantidad**
Almuerzo y meriendas	$125
Entretenimiento	$25
Ahorros	$
Total	$

10. Tanja ahorra $75 cada semana. Sus otros gastos son cuatro veces la cantidad que ahorra. Si el presupuesto semanal de Tanja está balanceado, ¿cuál es su ingreso semanal? _____

11. Múltiples pasos Yoav gana $8 después de impuestos por cada hora que trabaja en el supermercado. Trabaja 15 horas semanales. Si Yoav tiene en su presupuesto un tercio de sus ganancias para materiales de arte, ¿cuánto dinero tiene que gastar en estos cada semana? _____

Tarea diaria de evaluación

Rellena el círculo completamente para mostrar tu respuesta.

Usa la tabla para los ejercicios 12 y 13.

Presupuesto de Madi para marzo	
Ingreso	Gastos
Dinero recibido: $40	Bajar libros y música de Internet: $26
Quehaceres del hogar: $20	Artículos para gatos: $22
Vender videojuegos usados: $10	Ahorros: $30
Regalo: $15	Donar para obras de caridad: $15

12. El presupuesto de Madi no está balanceado. ¿En cuánto debe reducir sus gastos para balancear su presupuesto?

   (A) $85   (C) $93

   (B) $18   (D) $8

13. Madi reduce su gasto mensual para bajar libros y música de Internet a $13. ¿Cuánto dinero más puede ahorrar y aún así balancear su presupuesto?

   (A) $13   (C) $30

   (B) $5   (D) $35

14. **Múltiples pasos** A Carlos le pagan $17 por hora después de impuestos. Trabaja 25 horas semanales. Sus gastos semanales suman $476. ¿Cuántas horas más por semana tendría que trabajar Carlos para balancear su presupuesto?

   (A) 1 hora   (C) 0 horas

   (B) 3 horas   (D) 28 horas

⭐ Preparación para la prueba de TEXAS

15. Georgette balancea su presupuesto usando este plan. Por cada $100 que gana, aparta $10 para donaciones para obras de caridad, $20 para ahorros, $20 para libros y $50 para otros gastos. Si su ingreso es $500 semanales, ¿cuánto da en donaciones para obras de caridad cada semana?

   (A) $500   (C) $5

   (B) $50   (D) $250

TEKS Comprensión de finanzas personales: 5.10.F

PROCESOS MATEMÁTICOS 5.1.A, 5.1.E

Tarea y práctica

Nombre _____

17.6 Hacer un presupuesto

La tabla muestra el presupuesto de Kristi para enero. Usa la tabla para los ejercicios 1 y 2.

Ingreso	
Descripción	**Cantidad**
Dinero recibido	$50
Palear nieve	$40
Tutoría	$35
Cuidar perros	?
Total	

Gastos	
Descripción	**Cantidad**
Lecciones de piano	$80
Meriendas	$25
Alquiler de esquíes	$40
Ahorros	$25
Total	

1. ¿Cuáles son los gastos totales de Kristi en enero?

_____

2. ¿Cuánto necesitará ganar Kristi en enero cuidando perros para balancear su presupuesto?

_____

3. Kristi está ahorrando para un par de binoculares que cuestan $125.99. Si ahorra $2 más semanales, ¿puede comprarlos en 5 semanas? **Explica** tu respuesta.

_____

_____

Resolución de problemas · En el mundo

La tabla muestra los gastos de Donald durante una semana. Usa la tabla para los ejercicios 4 y 5.

Ingreso	
Descripción	**Cantidad**
Clases de natación	$30
Servir de niñero	?
Sacar maleza del jardín	$10
Total	

Gastos	
Descripción	**Cantidad**
Almuerzos escolares	$25
Tarifa del autobús	$15
Cine	$8
Ahorros	$10
Total	

4. ¿Cuáles son los gastos de Donald en una semana?

_____

5. ¿Cuánto gana Donald por cuidar niños si su presupuesto semanal está balanceado?

_____

Rellena el círculo completamente para mostrar tu respuesta.

6. Pilar tiene un plan para su presupuesto. Por cada $10 que gana hará un presupuesto de $4 para ahorros, $4 para sus gastos regulares y $2 para compras especiales. Si su ingreso es $64,000 anuales, ¿cuánto es su presupuesto para compras especiales?

Ⓐ $6,400

Ⓑ $25,600

Ⓒ $12,800

Ⓓ $32,000

7. ¿Qué enunciado es verdadero sobre el presupuesto mensual del Sr. Simón?

Ⓐ Su presupuesto está balanceado cuando sus gastos mensuales son iguales a su ingreso total mensual.

Ⓑ Su presupuesto está balanceado cuando sus gastos totales mensuales son mayores que su ingreso.

Ⓒ Su presupuesto está balanceado cuando el ingreso total es mayor que sus gastos.

Ⓓ Su presupuesto está balanceado cuando sus gastos semanales son menores que sus gastos mensuales.

La tabla muestra el presupuesto de abril de Ellison. Usa la tabla para los ejercicios 8 y 9.

Presupuesto de abril de Ellison	
Ingreso	**Gastos**
Dinero recibido: $20	Ahorros: $20
Trabajar en el jardín: $15	Donaciones: $10
Venta de garaje: $18	Boletos para el béisbol: $35
Clases de computación: $16	Cuotas del club: $10

8. Ellison está ahorrando para una patineta que cuesta $49.75. Si sigue ahorrando la misma cantidad cada mes, ¿en cuánto tiempo podrá comprarla?

Ⓐ 3 meses

Ⓒ 3 semanas

Ⓑ 2 meses

Ⓓ 2 semanas

9. Ellison decide pedirles a sus padres un aumento de su fondo para poder balancear su presupuesto. ¿Cuánto más necesitará Ellison?

Ⓐ $6   Ⓒ $15

Ⓑ $5   Ⓓ $16

10. **Múltiples pasos** Shelley gana $12 por hora después de los impuestos. Trabaja 30 horas semanales. Sus gastos semanales son $420. ¿Cuántas horas más a la semana tendría que trabajar Shelley para balancear su presupuesto?

Ⓐ 6 horas

Ⓒ 2 horas

Ⓑ 5 horas

Ⓓ 3 horas

11. **Múltiples pasos** Tyrone gana $650 semanales. Esta semana, Tyrone quiere donar $100 a obras de caridad. Sus gastos semanales son $595. ¿Cuánto deberá Tyrone reducir sus gastos para hacer la donación y balancear su presupuesto?

Ⓐ $55   Ⓒ $50

Ⓑ $40   Ⓓ $45

17.7 Ajustar un presupuesto

TEKS Comprensión de finanzas personales:
5.10.E *También 5.9.C*
PROCESOS MATEMÁTICOS
5.1.A, 5.1.D

? Pregunta esencial

¿Cómo puedes balancear un presupuesto cuando los gastos sobrepasan el ingreso?

Las familias tienen muchos gastos. Si poseen una casa, su presupuesto incluye pagar el préstamo hipotecario. Quizás tengan que hacer un presupuesto para comida, transporte, servicios públicos (cuentas de electricidad, agua o gas natural), emergencias, ahorros y contribuciones a obras de caridad.

Soluciona el problema En el mundo

El ingreso mensual neto de la familia Smith es $3,350. La gráfica muestra el presupuesto para los gastos mensuales. El carro de la familia necesita una reparación de emergencia que cuesta $725. ¿Cómo podrían cambiar su presupuesto familiar para pagar por la reparación y balancear el presupuesto?

Balancea el presupuesto.

El ingreso familiar es $3,350.

¿Cuál es el total de los gastos presupuestados?

_____

¿Cuál es el presupuesto para emergencias?

_____

Entonces necesitan _____ − _____ o

_____ más para pagar la reparación del carro.

La familia podría intentar disminuir sus gastos, como

_____.

La familia podría intentar aumentar su ingreso

_____.

La familia podría sacar dinero de sus _____ este mes y reponerlos en los siguientes meses.

Gastos presupuestados mensuales

Eje Y: Dólares (0, 200, 400, 600, 800, 1,000)

Valores: Préstamo hipotecario 950; Comida 500; Emergencias 400; Transporte 400; Servicios públicos 350; Ahorros 500; Contribuciones a obras de caridad 250

Eje X: Tipo de gasto

Usa la gráfica de la derecha para los ejercicios 1 a 3.

1. Ryan recibe un fondo de $15 cada semana. Trabaja ordenando libros en la biblioteca 4 veces a la semana y recibe $20 cada vez. También recibe $5 cada semana cuando termina sus quehaceres en la casa. ¿Está balanceado el presupuesto de Ryan? **Explica** tu respuesta.

_____

_____

2. Ryan no hace sus quehaceres esta semana. ¿Cuánto menos es su ingreso que sus gastos?

_____

3. **Explica** dos maneras en que Ryan podría balancear su presupuesto cuando no hace sus quehaceres.

_____

_____

_____

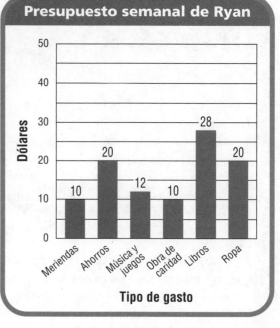

Presupuesto semanal de Ryan

Dólares

Meriendas: 10
Ahorros: 20
Música y juegos: 12
Obra de caridad: 10
Libros: 28
Ropa: 20

Tipo de gasto

Charla matemática

Procesos matemáticos

Explica por qué es importante balancear el presupuesto.

Resolución de problemas

4. **Escribe** ▶ ¿Cómo puedes determinar si un presupuesto está balanceado?

_____

_____

5. **Escribe** ▶ ¿Cómo puedes balancear un presupuesto si los gastos son mayores que el ingreso? Da ejemplos.

_____

_____

6. Piensa en tus gastos semanales. Nombra un gasto que es fácil de reducir y uno que no lo es.

_____

_____

Nombre _____

Resolución de problemas En el mundo

Usa la tabla para los ejercicios 7 a 9.

7. **Representaciones** Michelle es una chef. Su ingreso neto es $3,200 mensuales. ¿Está balanceado el presupuesto mensual de Michelle? **Explica** tu respuesta.

    _____

8. **H.O.T.** **Múltiples pasos** ¿Cómo puede ajustar Michelle los gastos en su presupuesto para balancearlo? Usa la columna de la derecha para cambiar las cantidades para balancear su presupuesto.

    _____

9. **H.O.T.** Michelle decide cancelar su teléfono fijo y reducir su presupuesto de entretenimiento a $50. También decide servir comida en dos fiestas para ganar $250 por cada una. Usa los números de Michelle para calcular si hay suficiente dinero para comprar un horno por $312. **Explica** tu razonamiento.

    _____

    _____

    _____

    _____

Gastos de Michelle		
Alquiler	$675	
Comida	$800	
Televisión por cable e Internet	$45	
Teléfono fijo	$29	
Teléfono celular	$50	
Ropa	$100	
Ahorros	$200	
Entretenimiento	$200	
Pagos del préstamo	$250	
Educación	$150	
Donaciones a obras de caridad	$200	
Gastos del perro	$75	
Transporte	$385	
Gas/gasolina/electricidad	$400	

10. **Múltiples pasos** Alex trabaja en un centro telefónico contestando llamadas. Gana $13 la hora después de los impuestos y trabaja 35 horas semanales. Cada semana a Alex le pagan $195 después de los impuestos en su trabajo de medio tiempo. ¿Cuál es el ingreso semanal de Alex?

    _____

Tarea diaria de evaluación

Rellena el círculo completamente para mostrar tu respuesta.

Usa la tabla para los ejercicios 11 y 12.

11. ¿Cuál de los siguientes cambios se puede hacer para balancear el presupuesto de Dean?

   (A) Disminuir las compras de libros a $15.

   (B) Disminuir el ingreso por repartir el periódico a $15.

   (C) Aumentar el alquiler de películas a $15.

   (D) Aumentar el ingreso por repartir el periódico a $22.

Presupuesto de Dean para enero

Ingreso	Gastos
Dinero recibido: $25	Teléfono celular mensual: $18
Repartir el periódico: $20	Libros: $20
	Alquiler de películas: $12

12. **Múltiples pasos** En febrero, a Dean le gustaría comprar un plan nuevo para su teléfono celular que cuesta $30 mensuales. Puede aumentar el ingreso por repartir el periódico a $25 mensuales. Le gustaría seguir comprando libros y alquilando películas. ¿Cuál de los siguientes le permitirá mantener un presupuesto balanceado?

   (A) Mantener sus gastos iguales y aumentar su ingreso mensual $10.

   (B) Gastar no más de $15 en libros y aumentar su ingreso mensual $5.

   (C) Gastar no más de $10 en libros y $10 en películas.

   (D) Gastar no más de $15 en libros y $7 en películas.

13. Los gastos de Sandy son mayores que su ingreso. ¿Cuál de los siguientes podría aumentar Sandy para balancear su presupuesto?

   (A) pago de un préstamo

   (C) donaciones a obras de caridad

   (B) bajar música de Internet

   (D) pago por hora

⭐ Preparación para la prueba de TEXAS

14. El ingreso neto de Natalia es $28,000 al año. Le gustaría tener un presupuesto balanceado. Si sus otros gastos son tres cuartos de su ingreso, ¿cuánto puede ahorrar cada año?

   (A) $28,000

   (B) $700

   (C) $21,000

   (D) $7,000

Tarea y práctica

Nombre _____

17.7 Ajustar un presupuesto

Usa la gráfica de la derecha para los ejercicios 1 y 2.

1. Jordan gana $10 diarios de lunes a viernes por los quehaceres que completa después de la escuela. Su mamá le paga $20 el sábado y $15 el domingo por ayudar con su negocio de servicio de comida. ¿Está balanceado el presupuesto de Jordan? **Explica** tu respuesta.

   _____

   _____

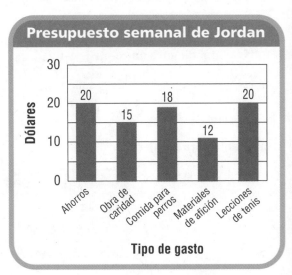

Presupuesto semanal de Jordan

2. La semana que viene Jordan tiene un torneo de tenis el sábado y no puede ayudar a su mamá. ¿Cuál es la diferencia entre su ingreso esa semana y sus gastos?

   _____

Resolución de problemas *En el mundo*

Usa la tabla para los ejercicios 3 y 4.

3. Jesse gana $2,500 mensuales después de los impuestos trabajando en un taller mecánico. ¿Está balanceado su presupuesto? **Explica** tu respuesta.

   _____

   _____

4. A veces, Jesse trabaja los fines de semana reparando los carros de sus amigos y gana $100 adicionales por carro. ¿Cómo puede Jesse balancear su presupuesto mensual?

   _____

   _____

   _____

Gastos mensuales de Jesse	
Alquiler	$795
Comida	$750
Cable	$80
Cuenta de electricidad	$225
Ropa	$125
Ahorros	$200
Préstamo del carro	$200
Gasolina	$150
Teléfono celular	$55
Entretenimiento	$100

Rellena el círculo completamente para mostrar tu respuesta.

5. El Sr. Porter quiere gastar $150 adicionales este fin de semana en un paseo con la familia a la feria estatal. ¿Cuál de las siguientes sería una manera de ajustar su presupuesto para permitir este gasto adicional?

(A) Trabajar menos horas esta semana.

(B) Trabajar horas adicionales.

(C) Dar dinero a una obra de caridad.

(D) Aumentar el uso de gasolina.

6. Alexis gana $50 diarios durante cinco días esta semana. Sus gastos semanales son $280. ¿Cómo puede balancear su presupuesto?

(A) Aumentar su ingreso $5 diarios.

(B) Aumentar su ingreso $20 esta semana.

(C) Reducir sus gastos $30.

(D) Reducir sus gastos $20.

Usa la tabla para los ejercicios 7 y 8.

Presupuesto de Tatiana para marzo	
Ingreso	Gastos
Dinero recibido $40	Equipo deportivo $25
Limpiar la casa $25	Comidas con los amigos $35
	Lecciones de actuación $15

7. ¿Cuál de los siguientes cambios se puede hacer para balancear el presupuesto de Tatiana?

(A) Reducir el gasto del equipo deportivo a $20.

(B) Aumentar el ingreso por limpiar la casa a $30.

(C) Aumentar el gasto en lecciones de actuación a $25.

(D) Reducir el gasto en las comidas con los amigos a $25.

8. **Múltiples pasos** A Tatiana le gustaría comprar unos zapatos de fútbol que están en oferta por $30. Usará el presupuesto del equipo deportivo para cubrir parte del costo. ¿Cuál de los siguientes planes le permitirá a Tatiana tener un presupuesto balanceado?

(A) Aumentar su ingreso $15.

(B) Gastar solo $15 en comidas.

(C) Gastar solo $20 en comidas y aumentar su ingreso de limpiar la casa $15.

(D) Aumentar su ingreso $60.

9. **Múltiples pasos** Duke trabaja en un supermercado organizando los productos. Gana $12 por hora después de los impuestos y trabaja 24 horas semanales. Sus gastos semanales son un total de $324. ¿Cuántas horas más necesitaría trabajar Duke para balancear su presupuesto?

(A) 1 hora

(B) 2 horas

(C) 4 horas

(D) 3 horas

Nombre _____

Unidad 6 Evaluación

Vocabulario

Elige el mejor término de la casilla.

Vocabulario
presupuesto
ingreso bruto
impuestos sobre los ingresos
ingreso neto
impuestos a las propiedades
impuestos a las ventas

1. El _____ es el ingreso que queda después de los impuestos. (pág. 629)

2. Los _____ son el dinero que se suma al costo de los objetos o servicios. (pág. 623)

3. Los _____ son una porción del valor de un objeto, como un terreno. (pág. 623)

4. El ingreso total antes de descontar cualquier impuesto es el _____. (pág. 629)

5. Los _____ son el dinero que se paga a una ciudad, estado o al gobierno de Estados Unidos basado en el ingreso. (pág. 617)

Conceptos y destrezas

6. El ingreso mensual de una familia es $2,000. El presupuesto mensual de la familia se muestra en la tabla. Describe dos maneras en que la familia podría ajustar su presupuesto para depositar $300 en una cuenta de ahorros cada mes. 🔖 TEKS 5.10.E

Gastos mensuales	
Alquiler	$800
Servicios públicos	$65
Comida	$400
Entretenimiento	$300
Ropa	$300

_____

_____

_____

_____

7. ¿Cuáles son algunas ventajas y desventajas de usar una tarjeta de débito en vez de una tarjeta de crédito? 🔖 TEKS 5.10.C

_____

_____

_____

8. El ingreso mensual de una familia es de $2,100. Se muestra su presupuesto mensual. ¿Cómo puede la familia balancear su presupuesto si el alquiler aumenta $250? ➥ TEKS 5.10.E

_____

_____

_____

Gastos mensuales	
Alquiler	$900
Servicios públicos	$75
Comida	$600
Entretenimiento	$300
Ropa	$200

9. El 8 de mayo, Martín recibe un cheque de $25 por su cumpleaños. Al día siguiente, gasta $16 en unos CD y $2.50 en sellos. Completa la tabla para calcular la cantidad de fondos que Martín tiene disponible ahora. ➥ TEKS 5.10.D

Fecha	Descripción	Cantidad recibida ($)	Gastos ($)	Fondos disponibles ($)
	Balance: finales de abril			0
4/5	servir de niñero	30		30
6/5	dinero recibido	15		45
6/5	ahorros		5	40

10. El costo total de un objeto es $98. Si el objeto se compra usando pagos automáticos, el comprador tendrá que hacer cuatro pagos de $26. ¿Cuánto más cuesta el objeto cuando se usan pagos automáticos? **Explica** tu resultado. ➥ TEKS 5.10.C

_____

_____

11. Sally recibió un aumento de salario. Su ingreso bruto aumentó $500 y su ingreso neto aumentó $417. ¿Cuánto aumentaron los impuestos de Sally? ➥ TEKS 5.10.B

_____

12. Maura paga $0.02 de impuestos a las ventas por cada $1 que gasta. Si Maura gasta $60 en objetos, ¿cuál es el costo total? TEKS 5.10.A

(A) $60

(B) $0.02

(C) $1.20

(D) $61.20

13. Raúl paga impuestos a las propiedades en Dallas. ¿En cuál de los siguientes podría Raúl pagar impuestos a las propiedades? TEKS 5.10.A

(A) ropa

(C) salario

(B) espacio para una oficina

(D) comestibles

14. Lorena hace una lista de los impuestos que paga cada mes. ¿Cuánto es la retención sobre el salario? TEKS 5.10.A

(A) $418.24

(B) $21.35

(C) $177.59

(D) $240.65

Impuestos de Lorena
Impuestos a las ventas : $24.65
Impuestos federales sobre los ingresos: $116.24
Impuestos a las propiedades: $216
Otras retenciones sobre el salario : $61.35

15. Ralph hace un presupuesto mensual. Su fondo mensual es $40. Él gana cada mes $25 por cortar el césped del vecino. Los gastos mensuales de Ralph son $75. ¿Cuánto tiene que ganar cuidando niños para balancear su presupuesto? TEKS 5.10.F

(A) $75

(B) $10

(C) $50

(D) $35

16. ¿Cuál de los siguientes puede usar Chaseedah para comprar un objeto si ella quiere pagar por su compra más adelante? TEKS 5.10.C

(A) tarjeta de débito

(B) cheque

(C) transferencia de dinero

(D) tarjeta de crédito

17. Las etiquetas de precio de una tienda de ropa no incluyen los impuestos a las ventas en los precios. Chase gasta $210 en ropa en la tienda. Le da al cajero $250 y recibe tres billetes de $5 y 89 centavos de cambio. ¿Cuánto de impuestos a las ventas paga Chase por su compra? ⬇ TEKS 5.10.A

(A) $24.11

(C) $40

(B) $15.89

(D) $210

18. Reema paga $11.05 de impuestos a las propiedades por cada $1,000 del valor de su terreno. Si el terreno de Reema vale $100,000, ¿cuánto pagará de impuestos a las propiedades? ⬇ TEKS 5.10.A

(A) $1,000

(C) $100,000

(B) $11.05

(D) $1,105

19. El ingreso neto mensual de la familia Perry es $2,900. En su presupuesto designaron $1,200 para el alquiler, $600 para comida, $600 para ropa, $500 para entretenimiento y $200 para gastos de viajes. ¿Cuál de las siguientes acciones resulta en un presupuesto balanceado? ⬇ TEKS 5.10.E

(A) Aumentar el gasto de comida $100.

(B) Disminuir el gasto de comida $20.

(C) Disminuir el gasto de entretenimiento $200.

(D) Aumentar el gasto de entretenimiento $200.

20. El ingreso bruto mensual de Gina es $1,000. El talonario de pago muestra la cantidad de impuestos que paga al mes. ¿Cuál es el ingreso neto de Gina al mes? ⬇ TEKS 5.10.B

Anota tu respuesta y rellena el círculo completamente en la cuadrícula. Asegúrate de usar el valor de posición correcto.

			.
⓪	⓪	⓪	
①	①	①	
②	②	②	
③	③	③	
④	④	④	
⑤	⑤	⑤	
⑥	⑥	⑥	
⑦	⑦	⑦	
⑧	⑧	⑧	
⑨	⑨	⑨	

2608

Empleado:	Ingreso total		$1,000.00
Gina Sanchez	Impuestos federales sobre los ingresos	$110.50	
	Impuestos estatales sobre los ingresos	$30.75	
Período de pago:	Otros impuestos	$18.75	
Noviembre	Total de impuestos		
	Pago después de los impuestos		

Desprenda y guarde.

Glosario

A

altura **height** La longitud de una línea perpendicular desde la base hasta la parte superior de una figura de dos dimensiones o de tres dimensiones
Ejemplo:

altura

ángulo **angle** Una figura formada por dos segmentos o semirrectas que comparten el mismo extremo
Ejemplo:

ángulo agudo **acute angle** Un ángulo que tiene una medida menor que la de un ángulo recto (menor que 90° y mayor que 0°)
Ejemplo:

Origen de la palabra

La palabra en latín para agudo es *acūtus*. Esto significa "puntiagudo" o "afilado". Reconocerás la raíz en las palabras *aguzar* (aguzar la vista) y **agudo** que describe un ángulo puntiagudo.

ángulo llano **straight angle** Un ángulo con una medida de 180°
Ejemplo:

X   Y   Z

ángulo obtuso **obtuse angle** Un ángulo cuya medida es mayor que 90° y menor que 180°
Ejemplo:

ángulo recto **right angle** Un ángulo que forma una esquina cuadrada y tiene una medida de 90°
Ejemplo:

90°

área **area** La medida del número de cuadrados de una unidad que se necesitan para cubrir una superficie

arista **edge** Un segmento que se forma donde dos caras de un cuerpo geométrico se encuentran
Ejemplo:

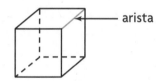

arista

B

balanza de platillos **pan balance** Una herramienta que se usa para pesar objetos y para comparar el peso de los objetos

base (geometría) **base (geometry)** En dos dimensiones, un lado de un triángulo o de un paralelogramo que se usa para hallar el área. En tres dimensiones, una figura plana, por lo general un polígono o un círculo, por la que se mide o se nombra una figura de tres dimensiones
Ejemplos:

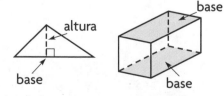

altura
base
base
base

capacidad capacity La cantidad que puede contener un recipiente cuando está lleno

cara face Un polígono que es una superficie plana de un cuerpo geométrico
Ejemplo:

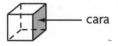

cara

Celsius (°C) Celsius (°C) Una escala métrica para medir la temperatura

centésimo hundredth Una de 100 partes iguales
Ejemplos: 0.56, $\frac{56}{100}$, cincuenta y seis centésimos

centímetro (cm) centimeter (cm) Una unidad métrica que se usa para medir la longitud o la distancia
$$0.01 \text{ metro} = 1 \text{ centímetro}$$

cheque check Una orden escrita donde se le pide a un banco que pague una cierta suma de dinero de una cuenta (pág. 635)

clave key La parte de un mapa o una gráfica que explica los símbolos

cociente quotient El número, sin incluir el residuo, que resulta de la división
Ejemplo: 8 ÷ 4 = 2. El cociente es 2.

cociente parcial partial quotient Un método de división en el que los múltiplos del divisor se restan del dividendo y luego se suman los cocientes

congruente congruent Que tiene el mismo tamaño y la misma forma (pág. 410)

contar salteado skip count Un patrón de contar hacia adelante o hacia atrás
Ejemplo: 5, 10, 15, 20, 25, 30, . . .

coordenada x x-coordinate El primer número en un par ordenado; indica la distancia para moverse hacia la derecha o hacia la izquierda desde (0,0) (pág. 511)

coordenada y y-coordinate El segundo número en un par ordenado; indica la distancia para moverse hacia arriba o hacia abajo desde (0,0) (pág. 511)

cuadrícula grid Cuadrados igualmente divididos e igualmente espaciados de una figura o superficie plana

cuadrícula de coordenadas coordinate grid Una cuadrícula formada por una línea horizontal llamada el eje de la x y una línea vertical llamada el eje de la y (pág 511)
Ejemplo:

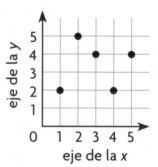

cuadrado square Un polígono con cuatro lados iguales o congruentes y cuatro ángulos rectos

cuadrilátero quadrilateral Un polígono con cuatro lados y cuatro ángulos
Ejemplo:

cuadrilátero general general quadrilateral Ver *cuadrilátero*.

cuarto (ct) quart (qt) Una unidad del sistema inglés (usual) que se usa para medir la capacidad
$$2 \text{ pintas} = 1 \text{ cuarto}$$

cubo cube Una figura de tres dimensiones con seis caras cuadradas congruentes
Ejemplo:

cubo de una unidad unit cube Un cubo que tiene largo, ancho y altura de 1 unidad (pág. 435)

cucharada (cda) tablespoon (tbsp) Una unidad del sistema inglés (usual) que se usa para medir la capacidad

     3 cucharaditas = 1 cucharada

cucharadita (cdta) teaspoon (tsp) Una unidad del sistema inglés (usual) que se usa para medir la capacidad

     1 cucharada = 3 cucharaditas

cuerpo geométrico solid figure Ver *figura de tres dimensiones*

datos data La información que se recoge sobre personas o cosas, a menudo para sacar conclusiones sobre ellas

decágono decagon Un polígono con diez lados y diez ángulos
Ejemplos:

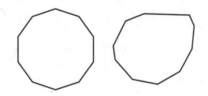

decámetro (dam) dekameter (dam) Una unidad métrica que se usa para medir la longitud o la distancia

     10 metros = 1 decámetro

decimales equivalentes equivalent decimals Números decimales que nombran la misma cantidad
Ejemplo: 0.4 = 0.40 = 0.400

decímetro (dm) decimeter (dm) Una unidad métrica que se usa para medir la longitud o la distancia

     10 decímetros = 1 metro

décimo tenth Una de diez partes iguales
Ejemplo: 0.7 = siete décimos

denominador denominator El número debajo de la barra de una fracción que indica cuántas partes iguales hay en el entero o en el grupo
Ejemplo: $\dfrac{3}{4}$ ← denominador

denominador común common denominator Un múltiplo común de dos o más denominadores (pág. 213)
Ejemplo: Algunos denominadores comunes para $\dfrac{1}{4}$ y $\dfrac{5}{6}$ son 12, 24 y 36.

desigualdad inequality Un enunciado matemático que contiene los símbolos $<$, $>$, $\leq$, $\geq$ o $\neq$

diagrama de dispersión scatter plot Una gráfica que muestra una relación entre dos grupos de datos (pág. 595)

diagrama de puntos dot plot Una gráfica que registra los datos a lo largo de una recta numérica (pág. 571)
Ejemplo:

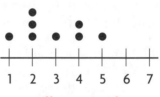

Millas recorridas

diagrama de tallo y hojas stem-and-leaf plot Una gráfica que muestra grupos de datos ordenados por el valor de posición (pág. 583)

diagrama de Venn Venn diagram Un diagrama que muestra las relaciones entre conjuntos de cosas
Ejemplo:

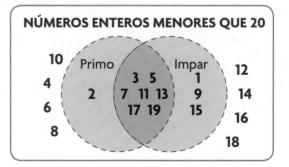

diferencia difference El resultado de un problema de resta

dígito digit Cualquiera de los diez símbolos 0, 1, 2, 3, 4, 5, 6, 7, 8, 9, que se usan para escribir los números

dimensión dimension Una medida en una dirección

dividendo dividend El número que se divide en un problema de división
Ejemplo: 36 ÷ 6; 6)$\overline{36}$ El dividendo es 36.

dividir divide Separar en grupos iguales; la operación inversa de la multiplicación

divisible divisible Un número es divisible por otro si el cociente es un número positivo y el residuo es cero (pág. 292)
Ejemplo: 18 es divisible por 3.

división division El proceso de repartir un número de objetos para hallar cuántos grupos iguales se pueden formar o cuántos objetos habrá en cada grupo igual; la operación inversa de la multiplicación

divisor divisor El número que divide al dividendo
Ejemplo: 15 ÷ 3; 3)$\overline{15}$ El divisor es 3.

dos dimensiones two-dimensional Que se mide en dos direcciones, como largo y ancho

ecuación equation Una oración algebraica o numérica que muestra que dos cantidades son iguales

eje de la *x* *x*-axis La recta numérica horizontal de un plano de coordenadas (pág. 511)

eje de la *y* *y*-axis La recta numérica vertical de un plano de coordenadas (pág. 511)

en palabras word form Una manera de escribir números en español
Ejemplo: 4,829 = cuatro mil ochocientos veinte y nueve

eneágono nonagon Un polígono con nueve lados y nueve ángulos (pág. 409)

entero whole Todas las partes de una figura o un grupo

equilibrar balance Igualar pesos o números

equivalente equivalent Que tiene el mismo valor

escala scale Una serie de números colocados en una gráfica a distancias fijas para ayudar a rotular la gráfica

estimación estimate noun Un número que se aproxima a una cantidad exacta

estimar estimate *verb* Hallar un número que se aproxima a una cantidad exacta

expresión expression Una frase matemática o la parte de una oración numérica que combina números, signos de operación y a veces variables, pero no tiene un signo igual

expresión numérica numerical expression Una frase matemática que tiene solo números y signos de operación (pág. 303)

extremo endpoint El punto en cualquiera de los extremos de un segmento o el punto de comienzo de una semirrecta

factor factor Un número multiplicado por otro número para hallar un producto

factor común common factor Un número que es un factor de dos o más números

Fahrenheit (°F) Fahrenheit (°F) Una escala del sistema inglés (usual) para medir la temperatura

familia de operaciones fact family Un conjunto de ecuaciones relacionadas de multiplicación y división, o de suma y resta
Ejemplos: $7 \times 8 = 56$; $8 \times 7 = 56$;
$56 \div 7 = 8$; $56 \div 8 = 7$

figura abierta open figure Una figura que no comienza y termina en el mismo punto

figura cerrada closed figure Una figura que comienza y termina en el mismo punto

figura de dos dimensiones two-dimensional figure Una figura que yace en un plano; una figura que tiene largo y ancho

figura de tres dimensiones three-dimensional figure Una figura que tiene largo, ancho y altura
Ejemplo:

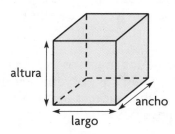

figura plana plane figure Ver *figura de dos dimensiones*

forma desarrollada expanded form Una manera de escribir los números mostrando el valor de cada dígito
Ejemplos: $832 = 800 + 30 + 2$
$3.25 = 3 + 0.2 + 0.05$

forma normal standard form Una manera de escribir números usando los dígitos del 0 al 9 y cada uno tiene un valor de posición
Ejemplo: $456 \leftarrow$ forma normal

fórmula formula Un conjunto de símbolos que expresa una regla matemática
Ejemplo: $A = b \times h$

fracción fraction Un número que nombra una parte de un entero o una parte de un grupo

fracción mayor que 1 fraction greater than 1 Un número que tiene un numerador que es mayor que su denominador
Ejemplo:

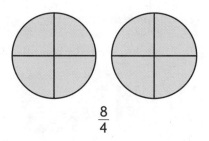

$$\frac{8}{4}$$

fracción unitaria unit fraction Una fracción que tiene 1 como numerador

fracciones equivalentes equivalent fractions Fracciones que nombran la misma cantidad o parte
Ejemplo: $\frac{3}{4} = \frac{6}{8}$

frecuencia frequency El número de veces que ocurre un suceso (pág. 545)

galón (gal) gallon (gal) Una unidad del sistema inglés (usual) que se usa para medir la capacidad
4 cuartos = 1 galón

ganancia profit La cantidad que queda después de restar todos los gastos de la cantidad de dinero recibida por vender un artículo o servicio

grado (°) degree (°) Una unidad que se usa para medir los ángulos y la temperatura

grado Celsius (°C) degree Celsius (°C) Una unidad métrica para medir la temperatura

grado Fahrenheit (°F) degree Fahrenheit (°F) Una unidad del sistema inglés (usual) para medir la temperatura

gráfica de barra bar graph Una gráfica que usa barras horizontales o verticales para mostrar datos de objetos para contar (pág. 557)
Ejemplo:

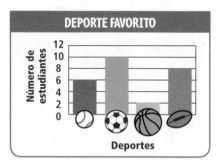

gramo (g) gram (g) Una unidad métrica que se usa para medir la masa
1,000 gramos = 1 kilogramo

heptágono heptagon Un polígono con siete lados y siete ángulos (pág. 409)

hexágono hexagon Un polígono con seis lados y seis ángulos
Ejemplos:

horizontal horizontal Que se extiende a la izquierda y a la derecha

igual a (=) equal to (=) Que tiene el mismo valor

impar odd Un número entero que tiene un 1, 3, 5, 7 ó 9 en el lugar de las unidades

impuesto tax Dinero que se paga al gobierno a cambio de servicios, como el mantenimiento de las carreteras y la protección policial (pág. 617)

impuestos a las propiedades property tax Una porción del valor de los artículos que se paga al gobierno de una ciudad o estado. Los impuestos a las propiedades se pueden pagar por cosas, como carros, casas, botes o terrenos (pág. 623)

impuestos a las ventas sales tax Dinero que se suma al costo de artículos o servicios. La cantidad de los impuestos a las ventas varía de un estado a otro y de una ciudad a otra (pág. 623)

impuestos sobre los ingresos income tax El dinero que se paga al gobierno de una ciudad, un pueblo o un estado, o al gobierno de Estados Unidos basado en el ingreso (pág. 617)

ingreso income La cantidad de dinero que se gana (pág. 617)

ingreso bruto gross income El ingreso antes de deducir cualquier impuesto (pág. 629)

ingreso neto net income El ingreso que queda después de deducir los impuestos del ingreso bruto (pág. 629)

interés interest El dinero adicional que paga un prestatario a un prestamista a cambio del uso del dinero del prestamista. Por ejemplo: tú ganas interés de un banco si tienes una cuenta de ahorros y le pagas interés a un prestamista si tienes un préstamo

intervalo interval La diferencia entre un número y el próximo en la escala de una gráfica

kilogramo (kg) kilogram (kg) Una unidad métrica que se usa para medir la masa

1,000 gramos = 1 kilogramo

kilómetro (km) kilometer (km) Una unidad métrica que se usa para medir la longitud o la distancia

1,000 metros = 1 kilómetro

libra (lb) pound (lb) Una unidad del sistema inglés (usual) que se usa para medir el peso

1 libra = 16 onzas

línea line Un camino recto en un plano que se extiende en ambas direcciones sin extremos
Ejemplo:

líneas intersecantes intersecting lines Las líneas que se cruzan entre sí
Ejemplo:

líneas paralelas parallel lines Líneas en el mismo plano que nunca se intersecan y siempre están a la misma distancia
Ejemplo:

líneas perpendiculares perpendicular lines Dos líneas que se intersecan para formar cuatro ángulos rectos
Ejemplo:

litro (L) liter (L) Una unidad métrica que se usa para medir la capacidad

1 litro = 1,000 mililitros

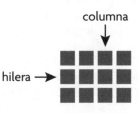

masa mass La cantidad de materia en un objeto

matriz array Un conjunto de objetos organizados en hileras y columnas
Ejemplo:

columna

hilera →

mayor o igual que (≥) greater than or equal to (≥) Un símbolo que se usa para comparar dos números o cantidades cuando el primero es mayor que o igual al segundo

mayor que (>) greater than (>) Un símbolo que se usa para comparar dos números o cantidades cuando el número o la cantidad mayor se da primero
Ejemplo: $6 > 4$

máximo común divisor greatest common factor El factor mayor que dos o más números tienen en común
Ejemplo: 6 es el máximo común divisor de 18 y 30.

menor o igual que (≤) less than or equal to (≤) Un símbolo que se usa para comparar dos números o cantidades cuando el primero es menor que o igual al segundo

menor que (<) less than (<) Un símbolo que se usa para comparar dos números o cantidades cuando el número menor se da primero
Ejemplo: 4 < 6

metro (m) meter (m) Una unidad métrica que se usa para medir la longitud o la distancia
1 metro = 100 centímetros

milésimo thousandth Una de mil partes iguales
(pág 11)
Ejemplo: 0.006 = seis milésimos

miligramo (mg) milligram (mg) Una unidad métrica que se usa para medir la masa
1,000 miligramos = 1 gramo

mililitro (mL) milliliter (mL) Una unidad métrica que se usa para medir la capacidad
1,000 mililitros = 1 litro

milímetro (mm) millimeter (mm) Una unidad métrica que se usa para medir la longitud o la distancia
1,000 milímetros = 1 metro

milla (mi) mile (mi) Una unidad del sistema inglés (usual) que se usa para medir la longitud o la distancia
5,280 pies = 1 milla

millón million 1,000 millares; se escribe 1,000,000

mínima expresión simplest form Una fracción está en su mínima expresión cuando el numerador y el denominador tienen solo el 1 como factor común

mínimo común denominador least common denominator El múltiplo común menor de dos o más denominadores
Ejemplo: El mínimo común denominador de $\frac{1}{4}$ y $\frac{5}{6}$ es 12.

mínimo común múltiplo least common multiple El menor número que es un múltiplo común de dos o más números

multiplicación multiplication Un proceso para hallar el número total de objetos compuestos de grupos de igual tamaño o para hallar el número total de objetos en un número de grupos dado. Es la operación inversa de la división

multiplicar multiply Cuando combinas grupos iguales, puedes multiplicar para hallar cuántos hay en total; la operación inversa de la división

múltiplo multiple El producto de dos números positivos es un múltiplo de cada uno de esos números

múltiplo común common multiple Un número que es múltiplo de dos o más números

no igual a (≠) not equal to (≠) Un símbolo que indica que una cantidad no es igual a otra

numerador numerator El número arriba de la barra de una fracción que indica cuántas partes iguales de un entero o de un grupo se consideran
Ejemplo: $\frac{3}{4}$ ← numerador

número compuesto composite number Un número que tiene más de dos factores
(pág. 291)
Ejemplo: 6 es un número compuesto ya que sus factores son 1, 2, 3 y 6.

número decimal decimal Un número con uno o más dígitos a la derecha del punto decimal

número entero whole number Uno de los números 0, 1, 2, 3, 4, ...; el conjunto de los números enteros no tiene fin

número mixto mixed number Un número compuesto de un número entero y una fracción
Ejemplo: $1\frac{5}{8}$

número positivo counting number Un número entero que se puede usar para contar un conjunto de objetos (1, 2, 3, 4, ...)

número primo prime number Un número que tiene exactamente dos factores: 1 y sí mismo (pág. 297)
Ejemplos: 2, 3, 5, 7, 11, 13, 17 y 19 son números primos. 1 no es un número primo.

números compatibles compatible numbers Los números con los que es fácil calcular mentalmente

octágono octagon Un polígono con ocho lados y ocho ángulos
Ejemplos:

onza (oz) ounce (oz) Una unidad del sistema inglés (usual) que se usa para medir el peso
16 onzas = 1 libra

onza fluida (oz fl) fluid ounce (fl oz) Una unidad del sistema inglés (usual) que se usa para medir la capacidad líquida
1 taza = 8 onzas fluidas

operaciones inversas inverse operations Operaciones opuestas, es decir, operaciones que se anulan entre sí, como la suma y la resta o la multiplicación y la división (pág. 41)

operaciones relacionadas related facts Un conjunto de oraciones numéricas relacionadas de suma y resta o multiplicación y división
Ejemplos: $4 \times 7 = 28$ $28 \div 4 = 7$
$7 \times 4 = 28$ $28 \div 7 = 4$

orden de las operaciones order of operations Un conjunto especial de reglas que indican el orden en que se realizan los cálculos en una expresión (pág. 309)

origen origin El punto donde se intersecan los dos ejes de un plano de coordenadas (0, 0) (pág. 511)

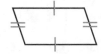

par even Un número entero que tiene un 0, 2, 4, 6 u 8 en el lugar de las unidades

par ordenado ordered pair Un par de números que se usa para ubicar un punto en una cuadrícula. El primer número indica la posición horizontal y el segundo número indica la posición vertical (pág. 511)

paralelogramo parallelogram Un cuadrilátero cuyos lados opuestos son paralelos y tienen la misma longitud o son congruentes
Ejemplo:

paréntesis parentheses Los símbolos que se usan para mostrar qué operación u operaciones de una expresión se deben realizar primero

patrón pattern Un conjunto ordenado de números u objetos; el orden te ayuda a predecir lo que seguirá
Ejemplos: 2, 4, 6, 8, 10

pentágono **pentagon** Un polígono con cinco lados y cinco ángulos
Ejemplos:

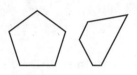

perímetro **perimeter** La distancia alrededor de una figura plana cerrada

periodo **period** Cada grupo de tres dígitos separado por comas en un número de varios dígitos
Ejemplo: 85,643,900 tiene tres periodos.

peso **weight** Lo pesado que es un objeto

pie (ft) **foot (ft)** Una unidad del sistema inglés (usual) que se usa para medir la longitud o la distancia

1 pie = 12 pulgadas

pictografía **pictograph** Una gráfica que usa ilustraciones para mostrar y comparar información
Ejemplo:

CÓMO VAMOS A LA ESCUELA	
Caminando	✹ ✹ ✹
En bicicleta	✹ ✹ ✹ ✹
En autobús	✹ ✹ ✹ ✹ ✹ ◗
En carro	✹ ✹

Clave: Cada ✹ = 10 estudiantes.

pinta (pt) **pint (pt)** Una medida del sistema inglés (usual) que se usa para medir la capacidad

2 tazas = 1 pinta

plano **plane** Una superficie plana que se extiende infinitamente en todas las direcciones
Ejemplo:

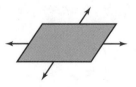

polígono **polygon** Una figura plana cerrada formada por tres o más segmentos (pág.409)
Ejemplos:

Polígonos   No son polígonos

polígono regular **regular polygon** Un polígono en el que todos los lados y todos los ángulos son congruentes (pág. 410)

presupuesto **budget** Un plan organizado para gastar y ahorrar dinero

prisma **prism** Un cuerpo geométrico que tiene dos bases en forma de polígono congruentes y otras caras que son todas rectángulos
Ejemplos:

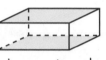

prisma rectangular   prisma triangular

prisma rectangular **rectangular prism** Una figura de tres dimensiones en la que las seis caras son rectángulos
Ejemplo:

producto **product** La respuesta a un problema de multiplicación

producto parcial **partial product** Un método de multiplicar en el que las unidades, las decenas, las centenas y así sucesivamente se multiplican por separado y luego se suman los productos

propiedad asociativa de la multiplicación **Associative Property of Multiplication** La propiedad que indica que los factores se pueden agrupar de diferentes maneras y aún así el producto es el mismo
Ejemplo: $(2 \times 3) \times 4 = 2 \times (3 \times 4)$

propiedad asociativa de la suma Associative Property of Addition La propiedad que indica que cuando se cambia la agrupación de los sumandos, la suma es la misma
Ejemplo: $(5 + 8) + 4 = 5 + (8 + 4)$

propiedad conmutativa de la multiplicación Commutative Property of Multiplication La propiedad que indica que cuando se cambia el orden de dos factores, el producto es el mismo
Ejemplo: $4 \times 5 = 5 \times 4$

propiedad conmutativa de la suma Commutative Property of Addition La propiedad que indica que cuando se cambia el orden de dos sumandos, la suma es la misma
Ejemplo: $4 + 5 = 5 + 4$

propiedad de identidad de la multiplicación Identity Property of Multiplication La propiedad que indica que el producto de cualquier número y 1 es ese mismo número

propiedad de identidad de la suma Identity Property of Addition La propiedad que indica que cuando se suma cero a cualquier número, el resultado es ese mismo número

propiedad del cero de la multiplicación Zero Property of Multiplication La propiedad que indica que cuando se multiplica por cero, el producto es cero

propiedad distributiva Distributive Property La propiedad que indica que multiplicar una suma por un número es lo mismo que multiplicar cada sumando por el número y luego sumar los productos (pág. 6)
Ejemplo: $3 \times (4 + 2) = (3 \times 4) + (3 \times 2)$
$$3 \times 6 = 12 + 6$$
$$18 = 18$$

pulgada (pulg) inch (in.) Una unidad del sistema inglés (usual) que se usa para medir la longitud o la distancia
12 pulgadas = 1 pie

punto point Una ubicación exacta en el espacio

punto de referencia benchmark Un número conocido que se usa como un punto de guía

punto decimal decimal point Un símbolo que se usa para separar los dólares de los centavos en una cantidad de dinero y para separar el lugar de las unidades del lugar de los décimos en un número decimal

rango range La diferencia entre el número mayor y el número menor de un grupo (pág. 577)

reagupar regroup Intercambiar cantidades de igual valor para convertir un número
Ejemplo: $5 + 8 = 13$ unidades o 1 decena y 3 unidades

recta numérica number line Una línea en la que se pueden ubicar números
Ejemplo:

rectángulo rectangle Un paralelogramo con cuatro ángulos rectos
Ejemplo:

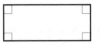

redondear round Reemplazar un número con uno más sencillo y aproximadamente del mismo tamaño que el número original
Ejemplo: 114.6 redondeado a la decena más cercana es 110 y a la unidad más cercana es 115.

residuo remainder La cantidad que sobra cuando un número no se puede dividir igualmente

resta subtraction El proceso de determinar cuántos quedan cuando se quita un número de objetos de un grupo de objetos; el proceso de determinar la diferencia cuando se comparan dos grupos; el proceso opuesto de la suma

retención sobre el salario payroll tax El dinero que un empleador retiene de las ganancias de un empleado (pág. 617)

rombo rhombus Un paralelogramo con cuatro lados iguales o congruentes
Ejemplo:

Origen de la palabra

Rombo es casi idéntico a su origen griego *rhombos*. El significado original era "trompo" o "rueda mágica", lo que es fácil de imaginar cuando ves un rombo o paralelogramo equilátero.

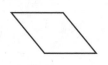

segmento line segment Una parte de una línea que incluye dos puntos llamados extremos y todos los puntos entre ellos
Ejemplo:

segundo (s) second (sec) Una unidad de tiempo pequeña

60 segundos = 1 minuto

semirrecta ray Una parte de una recta; tiene un extremo y continúa infinitamente en una dirección
Ejemplo:

simplificar simplify Hallar el valor mínimo de una expresión numérica (pág 309)

sistema decimal decimal system Un sistema de cálculo basado en el número 10

sobrestimar overestimate Una estimación que es mayor que el resultado exacto

solución solution Un valor que hace una ecuación verdadera

subestimar underestimate Una estimación que es menor que el resultado exacto

suma addition El proceso de hallar el número total de objetos cuando se unen dos o más grupos de objetos; el proceso opuesto de la resta

suma o total sum La respuesta a un problema de suma

sumando addend Un número que se suma a otro en un problema de suma

tabla de frecuencia frequency table Una tabla que usa números para registrar datos sobre la frecuencia con que ocurre un suceso (pág. 545)
Ejemplo:

Color favorito	
Color	**Número**
Azul	10
Rojo	7
Verde	5
Otro	3

tarjeta de crédito credit card Una tarjeta de identificación que emite un banco y que le permite al usuario comprar artículos y servicios inmediatamente y pagar el costo más adelante. El banco le podría cobrar intereses al usuario a cambio del uso del dinero (pág. 635)

tarjeta de débito debit card Una tarjeta de identificación que emite un banco y que le permite al usuario usar inmediatamente el dinero de una cuenta (pág. 635)

taza (tz) cup (c) Una medida del sistema inglés (usual) que se usa para medir la capacidad
8 onzas = 1 taza

tiempo transcurrido elapsed time El tiempo que pasa entre el comienzo y el fin de una actividad

tonelada (t) ton (T) Una unidad del sistema inglés (usual) que se usa para medir el peso
2,000 libras = 1 tonelada

transportador protractor Una herramienta que se usa para medir o dibujar ángulos

trapecio trapezoid Un cuadrilátero que tiene exactamente un par de lados paralelos
Ejemplos:

tres dimensiones three-dimensional Que se mide en tres direcciones, como largo, ancho y altura

triángulo triangle Un polígono que tiene tres lados y tres ángulos
Ejemplos:

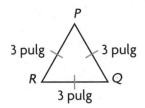

triángulo acutángulo acute triangle Un triángulo que tiene tres ángulos agudos

triángulo equilátero equilateral triangle Un triángulo con tres lados congruentes (pág. 415)
Ejemplo:

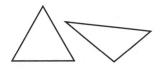

P
3 pulg   3 pulg
R   *Q*
3 pulg

triángulo escaleno scalene triangle Un triángulo que no tiene lados congruentes (pág. 415)
Ejemplo:

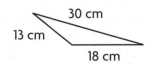

30 cm
13 cm
18 cm

triángulo isósceles isosceles triangle Un triángulo con dos lados congruentes (pág. 415)
Ejemplo:

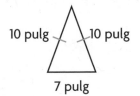

10 pulg   10 pulg
7 pulg

triángulo obtusángulo obtuse triangle Un triángulo que tiene un ángulo obtuso

triángulo rectángulo right triangle Un triángulo que tiene un ángulo recto
Ejemplo:

U

unidad cuadrada square unit Una unidad que se usa para medir el área, como pie cuadrado, metro cuadrado y así sucesivamente

unidad cúbica cubic unit Una unidad que se usa para medir el volumen, como pie cúbico, metro cúbico y así sucesivamente (pág. 355)

unidad lineal linear unit Una medida de longitud, ancho, altura o distancia

V

valor de posición place value El valor de cada dígito en un número basándose en la ubicación del dígito

variable variable Una letra o símbolo que representa un número o números desconocidos

vertical vertical Que se extiende hacia arriba y hacia abajo

vértice vertex El punto donde se unen dos o más semirrectas; el punto de intersección de dos lados de un polígono; el punto de intersección de tres (o más) aristas de un cuerpo geométrico; el punto superior de un cono
Ejemplos:

Origen de la palabra

La palabra en latín *vertere* significa "girar" y también se relaciona con "el más alto". Puedes girar una figura alrededor de un punto o ***vértice***.

volumen volume La medida del espacio que ocupa un cuerpo geométrico (pág. 355)

volumen de un líquido liquid volume La cantidad de líquido en un recipiente

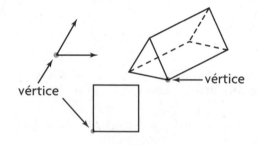

vértice

vértice

Y

yarda (yd) yard (yd) Una unidad del sistema inglés (usual) que se usa para medir la longitud o la distancia
Ejemplo:

3 pies = 1 yarda

Tabla de medidas

SISTEMA MÉTRICO | SISTEMA INGLÉS (USUAL)

Longitud

SISTEMA MÉTRICO	SISTEMA INGLÉS (USUAL)
1 centímetro (cm) = 10 milímetros (mm)	1 pie (ft) = 12 pulgadas (pulg)
1 metro (m) = 1,000 milímetros	1 yarda (yd) = 3 pies o 36 pulgadas
1 metro = 100 centímetros	1 milla (mi) = 1,760 yardas
1 metro = 10 decímetros (dm)	o 5,280 pies
1 kilómetro (km) = 1,000 metros	

Capacidad

SISTEMA MÉTRICO	SISTEMA INGLÉS (USUAL)
1 litro (L) = 1,000 mililitros (mL)	1 taza (tz) = 8 onzas fluidas (oz fl)
1 taza graduada = 250 mililitros	1 pinta (pt) = 2 tazas
1 litro = 4 tazas graduadas	1 cuarto (ct) = 2 pintas o 4 tazas
1 kilolitro (kL) = 1,000 litros	1 galón (gal) = 4 cuartos

Masa/Peso

SISTEMA MÉTRICO	SISTEMA INGLÉS (USUAL)
1 gramo (g) = 1,000 miligramos (mg)	1 libra (lb) = 16 onzas (oz)
1 gramo = 100 centigramos (cg)	1 tonelada (t) = 2,000 libras
1 kilogramo (kg) = 1,000 gramos	

HORA

1 minuto (min) = 60 segundos (s)

media hora = 30 minutos

1 hora (h) = 60 minutos

1 día = 24 horas

1 semana = 7 días

1 año = 12 meses o aproximadamente 52 semanas

1 año = 365 días

1 año bisiesto = 366 días

1 década = 10 años

1 siglo = 100 años

1 milenio = 1,000 años

Tabla de medidas

SÍMBOLOS

$=$	es igual a	$\overleftrightarrow{AB}$	línea AB
$\neq$	no es igual a	$\overrightarrow{AB}$	semirrecta AB
$>$	es mayor que	$\overline{AB}$	segmento AB
$<$	es menor que	$\angle ABC$	ángulo ABC o ángulo B
$(2, 3)$	par ordenado (x, y)	$\triangle ABC$	triángulo ABC
$\perp$	es perpendicular a	°	grado
$\parallel$	es paralelo a	°C	grados Celsius
		°F	grados Fahrenheit

FÓRMULAS

Perímetro		Área	
Polígono	$P =$ suma de las longitudes de los lados	Rectángulo	$A = b \times h$ o $A = bh$
Rectángulo	$P = (2 \times l) + (2 \times a)$ o $P = 2l + 2a$		
Cuadrado	$P = 4 \times l$ o $P = 4l$		

Volumen

Prisma rectangular $V = B \times h$ o $V = l \times a \times h$

$B =$ área de la base de la figura, $h =$ altura del prisma